DER NATIONAL GEOGRAPHIC TRAVELER

MIAMI
UND DIE FLORIDA KEYS

DER NATIONAL GEOGRAPHIC TRAVELER

MIAMI
UND DIE FLORIDA KEYS

Mark Miller

Inhalt

Seite 1: Inlineskater, South Beach, Miami
Seiten 2–3: Ocean Drive, South Beach, Miami
Links: Ein Taucher trifft auf eine Karettschildkröte

Benutzerhinweise

Text und Kartensymbole auf der hinteren Umschlagklappe

Der *National Geographic Traveler* vermittelt Ihnen das Beste von Miami und den Florida Keys in Text, Bild und Karten. Er ist in drei Hauptabschnitte unterteilt: Auf den ersten Abschnitt, der einen Überblick über Geschichte und Kultur liefert, folgen elf Regionalkapitel mit den vom Autor ausgewählten und eingehend beschriebenen Sehenswürdigkeiten. Jedes Kapitel hat ein eigenes Inhaltsverzeichnis. Die Regionen und Sehenswürdigkeiten sind geographisch geordnet. Einige Regionen sind in zwei oder drei kleinere Regionen untergliedert. Eine Karte zu Beginn jedes Kapitels gibt einen Überblick

über die beschriebenen Stätten. Rundfahrten und Spaziergänge werden mit eigenen Karten vorgestellt und laden zu Entdeckungen mit dem Auto oder zu Fuß ein. In den Randspalten finden sie Informationen zu Geschichte, Kultur und Alltagsleben.

Das letzte Kapitel bietet eine Hilfestellung bei der Reiseplanung und listet Hotels, Restaurants, Geschäfte, Veranstaltungen und Aktivitäten auf.

Der Verlag hat sich bemüht, die Informationen über die Sehenswürdigkeiten auf den neuesten Stand zu bringen; trotzdem empfiehlt es sich, vorher anzurufen.

Farbkodierung

70

Werfen Sie einen Blick auf die Karte auf der vorderen Umschlagklappe. Jede Region ist in einer anderen Farbe dargestellt. Das Farbleitsystem ermöglicht es Ihnen, sie im Buch sofort zu finden. Auch im Abschnitt **Reiseinformationen** sind die Regionen farbig kodiert.

Besucherinformation

Museum of Contemporary Art
www.mocanomi.org
33 F5
B 770 N.E. 125th
St. zwischen N.E.
7th Court & 8th
Ave., Bei der I-95
305/893-6211
Mo geschl.
$–$$

Für jede wichtige Sehenswürdigkeit werden am Rand praktische Informationen geliefert (siehe Liste der Symbole auf der hinteren Umschlagklappe). Der Kartenhinweis nennt die Seite sowie die Koordinaten.

Es folgen Anschrift, Telefonnummer, Öffnungszeiten (wo vorhanden) und Eintrittsgebühr, gestaffelt nach $ (unter 4 US$) bis $$$$$ (über 25 US$). Informationen über weniger wichtige Stätten stehen im Text in Klammern und kursiv.

REISEINFORMATIONEN

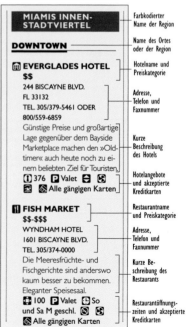

MIAMIS INNEN-STADTVIERTEL	Farbkodierter Name der Region
DOWNTOWN	Name des Ortes oder der Region
EVERGLADES HOTEL $$	Hotelname und Preiskategorie
244 BISCAYNE BLVD. FL 33132 TEL. 305/379-5461 ODER 800/559-6859	Adresse, Telefon und Faxnummer
Günstige Preise und großartige Lage gegenüber dem Bayside Marketplace machen den »Oldtimer« auch heute noch zu einem beliebten Ziel für Touristen	Kurze Beschreibung des Hotels
376 Valet	Hotelangebote und akzeptierte Kreditkarten Alle gängigen Karten
FISH MARKET $$–$$$	Restaurantname und Preiskategorie
WYNDHAM HOTEL 1601 BISCAYNE BLVD. TEL. 305/374-0000	Adresse, Telefon und Faxnummer
Die Meeresfrüchte- und Fischgerichte sind anderswo kaum besser zu bekommen. Eleganter Speisesaal.	Kurze Beschreibung des Restaurants
100 Valet So und Sa M geschl. Alle gängigen Karten	Restaurantöffnungszeiten und akzeptierte Kreditkarten

Hotel- und Restaurantpreise

Eine Erklärung der Preiskategorien für Hotels und Restaurants finden Sie auf S. 244.

KARTEN DER STADTTEILE

Besondere
Sehenswürdigkeit

Sehenswürdigkeit

- Eine Orientierungskarte ergänzt jede Stadtteilkarte und zeigt die Lage innerhalb von Miami

AUSFLÜGE

Koordinaten

Sehenswürdigkeit

Wichtige Sehenswürdigkeit

- Eine Orientierungskarte ergänzt jede Karte und zeigt die Lage innerhalb der
  Region Miami, den Keys und den umliegenden Distrikten.

SPAZIERGÄNGE

Spazierweg

Startpunkt

Nummern in
roten Kreisen
verweisen auf
Beschreibungen
im Text

Gebäudeumriss

Empfohlene
Wegrichtung

- Eine Infobox nennt Ausgangs- und Endpunkt, Länge und Dauer des Spaziergangs und Sehenswürdigkeiten, die man unterwegs nicht versäumen sollte.

DER NATIONAL GEOGRAPHIC TRAVELER

MIAMI
UND DIE FLORIDA KEYS

Über den Autor

Mark Miller ist Mitarbeiter des amerikanischen Magazins *National Geographic Traveler*. Er machte an der Stanford University einen Abschluss in amerikanische Sozialgeschichte und begann dann seine journalistische Karriere als Kopierjunge bei einer Zeitung. Später berichtete er für Reuters und den Sender CS Radio, für den er auch Dokumentationen produzierte.

Er schreibt seit 1977 Beiträge für Bücher und Publikationen der Society. Seine Schwerpunkte bilden Nordamerika von Alaska bis zu Floridas Dry Tortugas National Park, die Karibik und Europa.

Miller lebt in Los Angeles und ist Teilhaber der Dokumentarfilmproduktionsfirma 12 Films.

Elizabeth Carter stellte die Reiseinformationen zusammen. Die Food-Journalistin und erfahrene Restaurant- und Hoteltesterin kam nach Miami durch ihr Interesse für spanische Kultur. Sie schreibt regelmäßig für das Magazin *Food Illustrated*. Sie lebt derzeit mit ihrem Mann in Großbritannien, hat aber jahrelang in South Florida ein Haus besessen.

Geschichte und Kultur

**Glenna Goodacres Paper
Boy in Miami Beach**

Miami heute

IM JAHR 1994 TRAFEN SICH DIE REGIERUNGSCHEFS VON 34 NORD-, MITTEL-
und südamerikanischen Staaten im Biltmore Hotel in Coral Gables zum sogenannten
Amerika-Gipfel. (Fidel Castro glänzte durch Abwesenheit.) Die Konferenz befasste sich
mit der Frage, wie sich die drei »Amerikas« in Zukunft ökonomisch wie kulturell unab-
hängiger machen könnten. Miami spielte den Gastgeber – nicht nur weil die USA den
Präsidenten und Premierministern die Gastlichkeit des Biltmore Hotel bieten wollten,
sondern weil die Metropole mehr als jede andere Stadt der westlichen Hemisphäre bereits
diese Unabhängigkeit versinnbildlicht. Tatsächlich wird in Miami mehr Spanisch als
Englisch gesprochen.

Miami erbte den Titel »Hauptstadt der Amerikas« infolge politischer Entscheidungen –
hervorzuheben sei hier der historische
»Unfall«, aufgrund dessen Havanna seit 1959
nicht mehr um diesen Titel antritt – und vor
allem aus finanziellen Gründen. Miamis
Bankengewerbe hat Verbindungen bis fast
zum Südpol hinunter, und die Stadt ist das
wichtigste Import-Export-Zentrum in der
gesamten Region, Umschlagplatz für eine
verblüffende Vielfalt von Waren, die durch die
umliegenden Staaten transportiert werden.
Vielleicht noch bedeutender ist die größtenteils erfolgreiche Verschmelzung von anglo-
amerikanischem Business und Lebensstil mit
den Bräuchen Südamerikas, die tagtäglich
beweist: Staatsmänner ziehen zwar Grenzen
und lassen sie mit Waffengewalt verteidigen –
die Wünsche der Menschen und der von
ihnen geschaffene historische Impuls sprechen
jedoch eine andere Sprache.

Das Epos von Miamis kubanischer Gemeinde lässt die Tatsache, dass in der Stadt
viele Immigranten aus anderen Ländern des
Südens leben, in den Hintergrund treten.
Manche kamen per Businessclass-Flug,
andere, wie viele Haitianer, riskierten in alters-
schwachen Booten ihr Leben. Einige Neuankömmlinge gehören zu den wohlhabendsten
und einflussreichsten Menschen in Miami,
andere zu den ärmsten. (Trotz großer Wirt-
schaftskraft ist Dade County, zu dem Miami
gehört, eines der ärmsten Countys Amerikas.)

In Miami gibt es eine erstaunliche Vielfalt
ethnischer Gemeinden, in denen die Sprache
und die Bräuche des jeweiligen Heimatlandes
gepflegt werden. In den Restaurants wird die
jeweilige Landesküche serviert, in Läden und
auf Märkten bekommt man landestypische

Waren. Wenn Sie durch den Großraum Miami
fahren, kommen Sie durch die historischen
kubanischen und jüdischen Viertel, aber auch
durch Enklaven von Afroamerikanern,
Kolumbianern, Costa Ricanern, Guyanern,
Haitianern, Jamaikanern, Nicaraguanern,
Puerto Ricanern, Peruanern, Venezolanern
und Menschen aus Trinidad, von den
Bahamas und den Virgin Islands. Die Viertel
gehen meist ohne scharfe Abgrenzung
ineinander über – in Little Havana etwa lebt
inzwischen eine neue Generation politischer
Flüchtlinge aus Nicaragua.

Um Miamis kulturelles Erbe darzustellen,
muss man weit ausholen – das Historical
Museum of Southern Florida (siehe S. 39) in
Miamis Downtown illustriert eine Geschichte,
die 10 000 Jahre und ein riesiges Gebiet von
der Karibik bis Mittel- und Südamerika
umfasst. Der Folklife-Teil der hervorragenden
Website des Museums (www.hmsf.org)
dokumentiert die traditionellen Handwerks-
künste von mehr als 60 kulturellen Gruppen
in Südflorida, darunter der Miccosukee-
Indianer, die in einem kleinen Reservat in den
Everglades leben.

Mit über 140 Handels- und Geschäfts-
banken ist Miami ein internationales Finanz-
zentrum, und ohne Übertreibung kann
man es die Hauptstadt der Karibik nennen.
Kulturell Interessierte bevorzugen wohl
Miamis anderen hochtrabenden Spitznamen:
»Tor der Amerikas«.

**Karibische Farben und Kleider, Art-déco-
Architektur und Oldtimer-Cabrios – hier
ein Cadillac mit Haiflosse – sind die
Markenzeichen von South Beachs trend-
bewusstem Ocean Drive**

MIAMI STELLT SICH VOR

Keine andere amerikanische Großstadt gleicht Miami. Die meisten seiner 2,1 Millionen Einwohner sagen, sie seien – trotz der Hurrikans, die sechs Monate im Jahr drohen – glücklich, so nahe an Südfloridas spannenden Feuchtgebieten und Regenwäldern sowie an den bezaubernden Florida Keys zu leben.

Verglichen mit anderen amerikanischen Stadtgebieten, ist Greater Miami jung – erst Ende des 19. Jahrhunderts begann seine Geschichte. Sein polyglotter Charakter zeugt von einer Vergangenheit, die diese Region einzigartig macht: als Außenposten spanischer Kolonien, als Ferienmekka und von der Sonne verwöhntes Paradies für pensionierte Nordstaatler. Dann kam der Exodus von Kubanern, die nach Fidel Castros Machtübernahme im Jahre 1959 ihre Heimat verließen – ein Phänomen, das die bis dahin eher gemächliche Stadt schnell zur »Hauptstadt Lateinamerikas« werden ließ.

Riesige Ozeandampfer befahren die Biscayne Bay in Miami, das Kreuzfahrtzentrum der Welt

Von Miami kennt man zumeist Klischees. Filme, Fernsehserien und Bücher porträtieren es als flamingo-rosarote Stadt voller Gesetzesbrecher. Jahrelang galt Miami Beach als »Wartezimmer Gottes«, in dem betagte Juden ihren Lebensabend verbrachten. Außerdem gilt Miami als Mekka des Nachtlebens, wo Hedonisten voll auf ihre Kosten kommen (stimmt); als Stadt der Drogen (stimmt); als Castro-feindlich (stimmt); als Füllhorn rosaroter Dinge (stimmt nur für Miami Beachs Art-déco-Viertel, wo restaurierte Hotels und Wohnhäuser in Pastellfarben leuchten).

Greater Miami bietet einige der schönsten Küstenabschnitte Amerikas. Im November, wenn im Norden der kalte Herbst einzieht, beginnt Miamis Hauptsaison mit 25 Grad Celsius am Tag und 20 Grad in der Nacht.

Warme Tage und Nächte das ganze Jahr über machen South Miami Beach zur 24-Stunden-Vergnügungskapitale. Die Biscayne Bay, die Miami von Miami Beach trennt, ist wegen der unzähligen kleinen, unbebauten Inseln bei Seglern beliebt. Entlang der Ufer erstrecken sich öffentliche Parks mit Wäldern und grasbewachsenen Stränden.

Greater Miami wartet mit Theaterensembles, Orchestern, Museen und Universitäten auf. In den ethnischen Vierteln erlebt man karibische und lateinamerikanische Kultur. Eine Kolonie rosaroter Flamingos und blühende subtropische Pflanzen zieren die alte Hialeah-Park-Rennbahn. Gemeinden wie Coconut Grove und Coral Gables lassen erahnen, weshalb täglich etwa 700 Menschen nach Florida ziehen: wunderschöne Wohngebiete mit Gärten, Alleen, ansprechende öffentliche Bauten, großartige Plätze und tropische Parks am azurblauen Wasser – der wahr gewordene Florida-Traum.

**Tanzende Kellner und Bedienungen unter-
halten die Gäste in Mango's Tropical Cafe,
einem beliebten karibischen Restaurant am
Ocean Drive in South Beach**

Ein Urlaub ist hier etwas für alle Sinne.
Nehmen Sie sich die Zeit, um das zu erleben,
was die Regierung gern als »das echte Florida«
bezeichnet: die Strände, Riffe und Küsten-
wälder der Biscayne Bay sowie die traumhafte
Wildnis der weltweit einzigartigen Everglades,
wo Sie mit dem Kanu eine urtümliche Wasser-
welt erkunden können. Probieren Sie die New-
World-Küche, tauchen Sie in das warme
Wasser des Golfstroms ein, graben Sie Ihre
Zehen in den Sand, der schon unter den
Schritten von Floridas erstem europäischem
Besucher, Juan Ponce de León, knirschte, und
legen Sie sich entspannt an einen paradiesischen Strand, bei dessen Anblick der spanische
Abenteurer überzeugt war, endlich den lang
gesuchten Jungbrunnen gefunden zu haben.

MIAMIS STADTVIERTEL HEUTE

Neben Stränden und Hotels beherbergt Miami eine Vielzahl an ethnischen Gemeinden und interessanter Architekturstile. Über die Namen von Miamis Vierteln ist man sich nicht einig, schon gar nicht über deren Grenzen – hier kurz die wichtigsten Gebiete.

Downtown

Die Skyline von Downtown gehört zu den schönsten Amerikas, besonders bei Nacht, wenn zahlreiche Spots die Wolkenkratzer in lebhafte Farben tauchen. Hier stehen hoch aufragende Wohn- und Geschäftshäuser, das ansprechende Miami-Dade Cultural Center und der Bayside Marketplace, ein populärer Laden-, Restaurant- und Unterhaltungskomplex an der Biscayne Bay.

Little Havana

In diesem Viertel südwestlich der Downtown, seit 1959 politischer und wirtschaftlicher Brückenkopf für ankommende Kubaner, leben heute Latinos aus aller Herren Länder. Es gibt nicaraguanische, mexikanische und kolumbianische Lokale und Läden. Miamis kubanische Gemeinde ist über dieses Viertel längst hinausgewachsen, doch ihr Herz schlägt noch immer hier.

Upper Eastside

Miamis nordöstlichster Stadtteil flankiert den Biscayne Boulevard (US 1) nördlich der Downtown. Der Charme des ethnisch vielfältigen Viertels liegt – abseits des Boulevards mit seinen schäbigen Motels – in Gegenden wie Bayside und Morningside, wo in palmengesäumten Straßen vor 1940 erbaute Häuser im Mittelmeer- und Bungalowstil stehen.

Little Haiti

Westlich der Upper Eastside liegt dieses kleine Stück Karibik, das mit haitianischen Kunstwerken und Läden aufwartet. In Buena Vista stehen mediterrane Villen. Miamis trendiger Design District (um die N.E. 40th Street) mit Schauräumen, Galerien sowie Möbel- und Stoffläden für Designer und Architekten grenzt an Little Haiti.

Allapattah

In dem Arbeiterviertel mit 40 000 Einwohnern (70 Prozent davon hispanischer Abstammung) nordwestlich der Downtown stehen Miamis Industrie- und Regierungsbauten sowie Krankenhäuser. Die Anwohner kleiden sich in den vielen Modefabrikläden, Köche kaufen auf Miamis größtem Markt frische Waren. Fotografen flanieren bevorzugt am Miami River und machen Aufnahmen von verrückten Bistros, alten Schiffen, Autowerkstätten und sogar Schrottplätzen.

Overtown

Zwischen Allapattah und Downtown gelegen, kämpfen hier etwa 8000 Afroamerikaner mit Arbeitslosigkeit, Obdachlosigkeit und Kriminalität. Aufgrund des Stolzes der Einwohner und dank öffentlicher Programme hat man heute Hoffnung auf Besserung. Ein spannend angelegter Themenpark widmet sich Miamis afroamerikanischem Erbe, das angesichts der Alltagsmühen dieser Gemeinde allzu oft vergessen wird.

Flagami

Flagami, westlich von Little Havana, nahe dem internationalen Flughafen, ist nach Miamis erstem Eisenbahnbaron Henry Flagler benannt. In dem schnell wachsenden Viertel leben zurzeit ca. 45 000 angloamerikanische und hispanische Mittelständler. Die Nachtclubs und Lounges locken Gäste aus der ganzen Stadt an, Windsurfer bevölkern die Blue-Lagoon-Seen.

Rentner wie diese Kartenspielerinnen bilden noch immer einen großen Teil von Miami Beachs Bevölkerung

Coral Gables

In Coral Gables mischt sich die Grandeur des historischen Spaniens mit der Lebendigkeit einer amerikanischen Großstadt in den Tropen. Mit 42 000 Einwohnern, darunter viele wohlhabende Latinos, und über 140 multinationalen Unternehmen ist Coral Gables inzwischen Lateinamerikas inoffizielles Wirtschaftszentrum in den USA. Hier befindet sich auch der Hauptcampus von Miamis Privatuniversität.

Coconut Grove

Kultiviert, multikulturell, überall grünt und blüht es – »the Grove« ist einer der schönsten Vororte Miamis. Sein künstlerisches Flair verleitet zu Vergleichen mit New Yorks Greenwich Village. Die 18 000 Anwohner sind stolz auf ihr Viertel. Viele der luxuriösesten Adressen sind Wohnanlagen mit Blick über die Biscayne Bay, wo inmitten der Küstenwälder einige der prächtigsten Villen Südfloridas stehen.

Coral Way

Dieses Geschäftsgebiet nördlich von Coconut Grove umfasst Brickell, Coral Gate, Douglas, Parkdale-Lyndale, Shenandoah, Silver Bluff und Roads. Am Wochenende bummeln hier Mieter durch die Straßen und träumen vom Eigenheim. Warum? In Brickell stehen einige der höchstgerühmten und mit Preisen ausgezeichneten Wohnhäuser. Ältere Häuser in Shenandoah und Silver Bluff sind ebenfalls architektonisch interessant.

Miami Beach

Mit diesem Viertel an der amerikanischen Riviera können sich keine anderen fünf Quadratkilometer der Welt messen. Den Sandstrand säumen mehr als 800 Art-déco-Gebäude und einige der schicksten Hotels der USA. Hier tummelt sich auch Nordamerikas berühmteste Nachtclub-Szene, deren fotogene Mitglieder nachts die Tanzflächen und tags die Straßencafés schmücken. ∎

Miami damals

MIAMIS KLIMA UND NATUR ZIEHEN SEIT DER ZEIT DER ALTEN GRIECHEN DIE Aufmerksamkeit auf sich. Spanier und Engländer begehrten den Landstrich, der später zum Zufluchtsort entflohener Sklaven wurde und immer wieder Inspirationen bot – etwa für die Ambitionen eines Eisenbahnbarons. Miami war beziehungsweise ist Heimat von Piraten, Alkoholschmugglern (zu Zeiten der Prohibition) und Prominenten; es sah Hurrikans, Seminolenkriege und ist heute eine blühende Tourismusindustrie.

URGESCHICHTE

Man vermutet, dass die ersten Bewohner Tequesta-Indianer waren, Jäger, Sammler und Fischer, die sich vor etwa 10 000 Jahren an der Mündung des Miami River und auf den Küsteninseln der Biscayne Bay niederließen. Das Wasser des Miami River – auf spanischen Landkarten *El Rio Nombrado de Agua Dulze* – war klar, und mindestens eine große Süßwasserquelle sprudelte aus dem Boden der seichten Biscayne Bay. Bis Ende des 19. Jahrhunderts konnte man das Wasser der Bucht bedenkenlos trinken. Vielleicht wegen dieses Phänomens entstand die Meinung, *miami* sei das Wort der Tequesta für Süßwasser – *agua dulze*. Andere führen den Namen auf die Seminolensprache zurück und übersetzen ihn als »großes Wasser«. Von Jagdausflügen in die Everglades brachte man Hirsche, Bären und Wildschweine heim. Die Männer fingen Haie, Fächerfische, Schweinswale, Stachelrochen und Seekühe. Die Frauen und Kinder sammelten in Flussbetten und an Stränden Muscheln, Austern und Schildkröteneier.

Europäer beschrieben diese Region seit dem 16. Jahrhundert, doch die geschützte Welt der Tequesta blieb bis 1566 unverändert – dann trafen sie auf ihren ersten Europäer, Pedro Menéndez de Avilés, den die Spanier zum ersten Gouverneur von »La Florida« ernannt hatten. Er kam mit Soldaten und einem Jesuitenpriester. Bruder Francisco Villareal gründete eine Mission, konnte aber die Tequesta nicht für das Christentum begeistern. Die Spanier hinterließen Krankheiten der Alten Welt, gegen die Miamis Indianer nicht immun waren.

ERSTE EUROPÄISCHE ENTDECKER

Im April 1513 landete Juan Ponce de León, Christoph Kolumbus' ambitionierter Leutnant, irgendwo im Norden nahe dem heutigen St. Augustine. Es war Ostern – spanisch *la pascua florida* –, weshalb Ponce die »Insel« wohl La Florida nannte. In den folgenden 50 Jahren wurden Floridas Ureinwohner von den Konquistadoren misshandelt.

Menéndez' Besuch bei den Tequesta im Jahr 1566 war die Ouvertüre zum Frieden – schon bald würde er einen Vertrag mit den Calusa-Indianern, deren Territorium die Keys einschloss, unterzeichnen. Er handelte mit Stoffen und Eisenwaren, die für die Indianer wertvoller waren als Goldbarren und Überlebende gesunkener spanischer Galeonen. Er errichtete von den Carolinas bis zur Biscayne Bay Aussichtstürme, um Schatzschiffe vor Piraten zu warnen. Er gewann die Tequesta als Verbündete und beendete deren Versklavung schiffbrüchiger Spanier. La Florida wurde Spaniens Reich in der Neuen Welt eingegliedert, doch die sumpfige Halbinsel hatte anscheinend kaum mehr als Schildkröteneier und Moskitos zu bieten. Ihr Wert bestand allein in der günstigen Lage über der Schifffahrtsstraße im Golf von Mexiko.

Mitte des 18. Jahrhunderts war St. Augustine eine Garnisonsiedlung mit ca. 2000 Bewohnern, deren Wirtschaft auf der Versorgung des Militärs gründete. Spaniens Missionssystem war fehlgeschlagen. Inzwischen weigerte sich die spanische Krone, den notwendigen Handel mit den englischen Kolonien zu erlauben, sie verbot Nichtkatholiken, Kolonisten zu werden, und scheiterte daran, Unternehmer von Investitionen in La Florida zu überzeugen. Das Kapital floss stattdessen nach Mexiko und Kuba.

Der Vertrag von 1763, der den französischindianischen Krieg beendete, sprach La Florida den Briten zu, deren Besiedlungspläne ebenfalls scheiterten. Nach der amerikanischen Revolution gab Großbritannien Florida den Spaniern

Rechts: Die Überschwemmung nach dem Hurrikan von 1926 beschädigte oder zerstörte fast jedes Gebäude in Downtown Miami

zurück und erhielt dafür die Bahamas. 1784 setzten die Spanier ein neues Siedlungsprogramm in Gang. Ein 70 Hektar großer Abschnitt der Bahía Biscaino wurde Pedro Fornells überschrieben, und ein Engländer namens John Egan bekam 40 Hektar am Nordufer des Rio Nombrado – diese beiden Herren waren somit die ersten dokumentierten Einwohner Miamis.

Juan Ponce de León, der für seine Suche nach dem Jungbrunnen bekannt war, gab Florida den Namen und war wohl der erste Europäer in Miami

BEGINN DER AMERIKANISCHEN BESIEDLUNG

Was Könige und Minister entscheiden, ist eine Sache – was die Leute tun, eine andere. Die Amerikaner begannen, ihr Glück in Expansion zu messen, und ärgerten sich über die Europäer auf ihrem Kontinent. An Spaniens Schaltstellen der Macht hielten nüchterne Köpfe den Verkauf von La Florida an die Vereinigten Staaten für eine vernünftige Option, doch die Vernunft hatte keine Chance gegen die Gier jener, die Geschäfte witterten. Piraten hatten die Südküste und die Keys zum Niemandsland gemacht, wo Halsabschneider mit amerikanischen Schiffen auf Beutezug gingen – Washington war überzeugt, dass ein spanisches Florida Anarchie bedeutete. Inzwischen verärgerte Spaniens Aufnahme geflohener Sklaven die Plantagenbesitzer in den Südstaaten, die aus Georgia Stoßtrupps schickten. 1811 griff eine Yankee-Bande

St. Augustine an und zerstörte Plantagen – bis britische Kriegsschiffe sie vertrieben. Der Kriegsausbruch im Jahr 1812 nötigte Madrid, Großbritannien Stützpunkte in Florida errichten zu lassen und so den Zorn der Amerikaner weiter zu schüren; daraus ergab sich, dass La Florida vom Schutz der britischen Marine abgeschnitten war. Amerikanische Abenteurer – eher Piraten denn Patrioten – überfielen weiterhin spanische Siedlungen. 1821 übergab Spanien die Halbinsel den Vereinigten Staaten, und die *Stars-and-Stripes*-Flagge wehte über Florida.

1825 bekam Cape Florida (Key Biscayne) einen Leuchtturm, von dem Seeleute allerdings behaupteten, sein Lichtsignal sei so schwach, dass die Gefahr, auf der Suche danach auf Grund zu laufen, größer als sein Nutzen sei. Der Kongress verabschiedete den Homestead Act, der Florida für Siedler öffnete. Die dunkle Seite dieses Gesetzes war die rigorose Umsiedlung der Indianer in westlich gelegene Reservate. Tausende von Indianern vereinigten sich in der Folge unter dem Seminolenbanner. 1835 zogen die Siedler in den Krieg, unter Führung von Major Francis Dade, nach dem später Dade County benannt wurde. In den folgenden 22 Jahren war Florida Schauplatz von Guerillakriegen.

MIAMIS ANFÄNGE

Miami dümpelte während des Bürgerkriegs als Konföderierten-Kaff dahin, doch nach dem Sieg über die Südstaaten lebte es wieder auf. 1870 errichtete William Brickell aus Ohio am Miami River einen Handelsposten. Ephraim Sturtevant, ebenfalls aus Cleveland, kaufte Land an der Biscayne Bay. Siedler rodeten weiter südlich ein Mangrovendickicht und richteten ein Postamt mit dem Stempel »Coconut Grove« ein. Die Kunde von Südfloridas tropischem Klima lockte Abenteurer in Miamis ersten Gasthof, das Bay View House, das auf einer Anhöhe stand, auf der heute der Peacock Park liegt. Der Biscayne Bay Yacht Club wurde 1887 gegründet, im Jahr darauf öffnete eine Schule. Doch erst 1891 hatte jemand eine Vision für Miamis Zukunft: Ephraim Sturtevants Tochter, Julia Sturtevant Tuttle, war 1875 zu Besuch gewesen und kam als Witwe und Mutter zweier Kinder aus Ohio zurück. Sie erwarb 256 Hektar Land am Nordufer des Flusses und zog in die verlassenen Gebäude von Fort Dallas. Sie beschloss, es zu einer Stadt auszubauen.

Eine wichtige Voraussetzung für die Entwicklung war die Bahnanbindung an den Rest Amerikas. Tuttle suchte Henry Flagler auf. Seine Florida East Coast Railway hatte bereits West Palm Beach, ca. 110 Kilometer nördlich, erreicht; Miami jedoch erachtete er als nutzlos für seine Bahn. Ein starker Frost im Winter 1894/95 änderte seine Meinung. Fast alle Zitrusblüten Floridas waren erfroren, nicht jedoch jene in Miami. Tuttle und ihre Freunde William und Mary Brickell sollen dem Mogul unversehrte Orangenblüten gebracht und Miami als meteorologische Oase mit Sonnenschein und warmen Temperaturen angepriesen haben. Die List funktionierte: Am 15. April 1896 dampfte Flaglers erster Zug nach Miami. Flagler eröffnete das luxuriöse Royal Palm Hotel für Touristen, die durch die Werbung für »Floridas Sonnendeck« angelockt wurden. Er baute Häuser für Arbeiter, ließ in der Biscayne Bay einen Schiffskanal graben und stiftete Land für öffentliche Schulen. Im Juli 1896 stimmten die Wähler für die Stadtgründung. Es gab Pläne, die Stadt Flagler zu nennen, doch die 368 Wahlberechtigten entschieden sich für einen bereits zwei Generationen alten Namen, und Miami wurde zur offiziellen Stadt.

MIAMI UND DER SPANISCH-AMERIKANISCHE KRIEG

Die Stadt war kaum zwei Jahre alt, als im April 1898 die Vereinigten Staaten im Streit um Kubas Unabhängigkeit die Waffen gegen die Spanier erhoben. In den drei Monaten dieses »prächtigen kleinen Krieges«, wie Außenminister John Hay ihn nannte, wuchs Miami (1200 Einwohner) schnell. Anfangs lehnte die Armee die Stadt als Ausbildungsstützpunkt ab, was alle hiesigen Geschäftsleute, inklusive Flagler, bedauerten. Der Mogul warb bei Armeeoffizieren leidenschaftlich für Miami, wo eine »konstante Meeresbrise« in der Hitze dafür sorge, dass »Offiziere und Soldaten sich wohlfühlten«. Es gebe keinen »angenehmeren Ort an der Atlantikküste«. Auf eigene Kosten machte er den ersten Spatenstich für das »Camp Miami«. Dieses Angebot konnte man nun schlecht ablehnen. Bald lebten über 7000 Rekruten in Zelten auf einem Gelände in der heutigen Downtown nahe dem Freedom Tower und schwitzten in ihren wollenen Uniformen. Die Offiziere hingegen residierten im luftigen Royal Palm.

Für Miamis Geschäftsleute war es in der Tat ein prächtiger kleiner Krieg. Drugstores verkauften Limonade nun nicht mehr glasweise, sondern lieferten sie in Fässern aus; größere Unternehmen verzeichneten immense Ertragssteigerungen. In North Miami entstand ein »trinkfester« Rotlichtbezirk. Doch Flaglers Lüge, Miami besitze einen »unerschöpflichen Reichtum an sauberstem Wasser«, kam ans Licht, als 24 Rekruten in der Hitze an Typhus starben. Hunderte litten an der Ruhr, und die von Moskitos geplagten Soldaten nannten das Lager bald »Camp Hell«. Glücklicherweise endete der Krieg, und Camp Hell wurde nach nur sechs Wochen aufgelöst.

Der Aufenthalt des Militärs in Miami beschleunigte jedoch Baumaßnahmen in der Stadt: Es wurde Land gerodet, Wege wurden angelegt, Straßen befestigt, Brunnen gegraben und Gebäude errichtet. Noch bedeutender für Miamis Zukunft war die Kriegsberichterstattung, die die bis dahin kaum bekannte Stadt dem ganzen Land vorstellte. Tausende junger Männer kehrten mit unbefriedigter Neugier in ihre nüchternen Heimatorte zurück.

DAS MODERNE MIAMI

Trotz allen Fortschritts war Miami Anfang des 20. Jahrhunderts kaum mehr als ein Zivilisationsstreifen zwischen der Biscayne Bay und der Wildnis der Everglades. Doch Amerikas Bedarf an Wohnflächen stieg, was zu einem Bauboom und zur Verärgerung der Umweltschützer führte – dieser Interessenkonflikt ist seither fester Bestandteil von Miamis Kommunalpolitik. 1906 begann man, Teile der Everglades trockenzulegen. Zehn Jahre später wurde der Royal Palm Park gegründet, Grundstock des Everglades National Park. Carl Fisher, ein reicher Industrieller aus Indiana, ließ eine 3,2 Kilometer lange Holzbrücke zum »Ocean Beach«, einem Stück Land aus Sand und Korallenfels parallel zu Miamis Küste, bauen. Angesichts der Wildnis mit Suriana maritima (bay cedar, einer nur in Südflorida vorkommenden Art), Beerentang, Mangroven, Strandhafer und stacheligen Kakteen hatte er die Vision von Hotels, Golfclubs und Polofeldern: eines Vergnügungsmekkas, das 1915 als Miami Beach Wirklichkeit wurde.

1920 hatte Miami an die 30 000 Einwohner – gegenüber 1910 eine Steigerung um 440 Prozent. Es hieß, eine Investition in Florida garantiere

Henry Flaglers Züge brachten 1896 die Gäste direkt vor die Tür des Royal Poinciana Hotel

fabelhafte Gewinne, die Sümpfe von heute seien das Land von morgen. Tausende zogen nach Miami und in seine sumpfige Umgebung, begannen mit dem An- und Verkauf von Land und traten damit Floridas Landboom los. 1925 ersuchten Bauunternehmer um 971 neue Teilungsgenehmigungen. Nahezu 175 000 Grundbucheintragungen verzeichnete man in Schwestergemeinden wie Coral Gables, Miami Shores, Hialeah, Miami Springs, Boca Raton und Opa-locka. Der Boom endete im Jahr darauf mit Steuerskandalen und einem zerstörerischen Hurrikan. Der Börsencrash von 1929 versetzte ihm dann endgültig den Gnadenstoß.

Miamis Lage lockte aber weiterhin Visionäre wie Fisher und Juan Trippe, Gründer der Pan American Airways, an. 1935 verbanden Trippes fliegende Boote Miami mit 32 mittel- und südamerikanischen Ländern – die Stadt badete im romantischen Schein der glamourösen neuen Welt der Transatlantikflüge. Der Zweite Weltkrieg verwandelte Miami erneut in eine Militärstadt, Hotels wurden zu Kasernen, Strände zum Übungsgelände, auf dem sich 500 000 Soldaten und 50 000 Offiziere auf den Kampf vorbereiteten. Wie im Spanisch-Amerikanischen Krieg würden sich später Tausende junger Männer und Frauen an ihre Zeit in der Sonne erinnern – und irgendwann zurückkommen.

DER KUBANISCHE EXODUS

In den Nachkriegsjahren gedieh Greater Miami. Viele neue Einwohner und steigende Urlauberzahlen führten zu einem Bauboom, in dem Paläste entstanden wie etwa Miami Beachs 1206-Zimmer-Hotel Fontainebleau, dessen Pracht den Status der Region als Zentrum des westlichen Hedonismus versinnbildlichte. Miami schien sich zu einer Stadt der Pensionäre und sonnenhungrigen Touristen zu entwickeln – doch die Geschichte in Person Fidel Castros spielte dieser Entwicklung einen Streich. Ende 1958 wagte der 32-jährige Rebell mit seiner Guerillatruppe den Krieg gegen den langjährigen kubanischen Diktator Fulgencio Batista, der schließlich ins Exil ging.

Kubanische Flüchtlinge steuern Miami an

Castros Umwandlung Kubas in einen kommunistischen Staat begann mit öffentlichen Hinrichtungen und ging weiter mit der Konfiszierung privater Fabriken und Besitztümer. Ab dem Sommer 1960 verließ Kubas gesellschaftliche und wirtschaftliche Elite – in der Furcht vor politischer Verfolgung und kommunistischer Indoktrination ihrer Kinder – die Insel scharenweise, die meisten auf den sechs täglichen »Freiheitsflügen« von Havanna nach Miami (460 km). Für diese Strecke gab es keine Rückflugtickets.

Als die ersten Flüchtlinge eintrafen, hatte Miami ca. 700 000 Einwohner. Auf jeden Bürger hispanischer Abstammung – schätzungsweise 50 000 – kamen drei Afroamerikaner und etwa zehnmal mehr in der demografischen Kategorie »alle anderen«, die meisten davon Weiße. Mitte der 1970er-Jahre zählte Miamis kubanische Bevölkerung über 300 000 Köpfe, heute sind von Greater Miamis fast zwei Millionen Einwohnern ca. 675 000 Kuba-Amerikaner. Tatsächlich leben allein in Miami

über die Hälfte aller Kubaner in den Vereinigten Staaten.

Den Charakter der Stadt veränderte jedoch nicht so sehr die hohe Anzahl der kubanischen Einwanderer als vielmehr ihr gesellschaftlicher Hintergrund. Viele waren Geschäftsleute, Berufstätige oder Unternehmer, von Inhabern kleiner Läden bis hin zu Besitzern von Zuckerrohrplantagen, Rumbrennereien und Zigarrenfabriken. Viele hatten in Regierungsbehörden oder an Gerichten gearbeitet oder an Schulen und Universitäten unterrichtet. Sie waren von Castros drakonischsten Maßnahmen betroffen, und sie kamen nach Miami, um neu anzufangen.

Ihre Leistungen verliehen der Stadt neue Energie, indem sie Viertel schufen, die die Kultur Kubas vor der Revolution aufrechterhielten. Straßen wurden nach kubanischen Märtyrern umbenannt, todgeweihte kubanische Gesellschaftsclubs wiederbelebt und Handelsorganisationen gegründet. In der ganzen Stadt entstanden kleine Geschäfte in kubanischer Hand. Kubanische Lebensmittelläden öffneten, andere

erweiterten ihr Sortiment um kubanischen Kaffee, Käse und Brot, um ihre neue Kundschaft zu versorgen. Der Bedarf der Flüchtlinge an Wohnraum führte zu einem Bau- und Sanierungsboom. Kubanische Restaurants boten den Touristen exotische Alternativen zu Miamis koscheren Delis, Seafood-Lokalen und Steakhäusern.

Heute, gut 40 Jahre nach der Flucht von ihrer Insel, dominieren die Kubaner in Miamis Prominenz. Anfang 1999 berichtete die *New York Times*, dass »die Bürgermeister von Stadt und County Miami, der Polizeichef und der Bundesstaatsanwalt alle kubanischer Abstammung sind. Ebenso der Direktor der größten Bank, der Besitzer des größten Bauunternehmens, einer der Partner in der größten Anwaltskanzlei, fast die Hälfte der 27-köpfigen Delegation im Parlament und zwei von sechs Kongressmitgliedern. Nur eine einzige Sache erreichten die Kuba-Amerikaner noch nicht«, so die *Times*, »nämlich ihr Land zurückzugewinnen.«

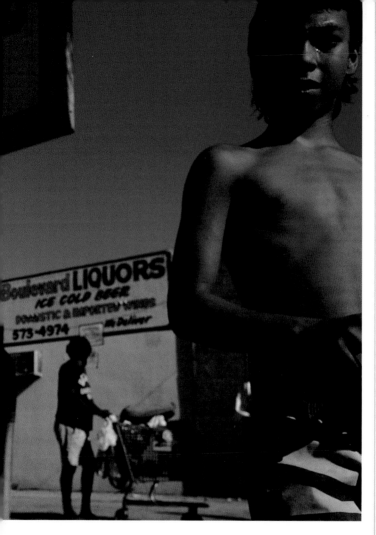

Armut und Enttäuschung sind die Kehrseite von Miamis erfolgreicher fünfzigjähriger Immigrationsgeschichte

Kubaner sind nach wie vor die größte lateinamerikanische Gruppe in der Region. Sie bilden ca. 50 Prozent aller hispanischen Einwohner, die über die Hälfte der Gesamtbevölkerung im Miami-Dade County ausmachen. In den letzten Jahren haben die vielen nicht kubanischen hispanischen Immigranten zur Rede von Miamis »Lateinamerikanisierung« geführt, statt der bisherigen „Kubanisierung". Ein Wandel ist sogar in Little Havana auszumachen, wo in Schaufenstern salvadorianische Maiskuchen ausliegen und die Bedienung im Restaurant eher aus Honduras oder Peru stammt. Anders als noch vor zehn Jahren ist das Programm von Miamis bekanntestem Radiosender nicht mehr kubanisch, sondern kolumbianisch – und beweist damit, dass dieser Schmelztiegel ein lebendiger Teil des amerikanischen Lebens ist. ■

Kunst und Kultur

MÖGEN SIE ECHT KARIBISCHE UNTERHALTUNG? HIER FINDEN SIE ALLES –
von kubanischen Nachbarschaftsfesten bis zu haitianischen Nachtclubs, von *moros y cristianos* (schwarze Bohnen und Reis) mit gebratenen Kochbananen bis zu Blaukrabben in
Butter-Knoblauch-Soße. Für den traditionelleren Geschmack gibt es westliche Kunstgalerien, Orchester, Ballette und Off-Broadway-Produktionen, nicht zu vergessen Speedboat-Rennen und Angelwettbewerbe.

BILDENDE KUNST

Dank der aggressiven Vorgehensweise spanischer Abenteurer in der Neuen Welt ab dem
16. Jahrhundert ist Südfloridas europäisch-amerikanische Geschichte im Vergleich zu der
in anderen Teilen Nordamerikas sehr lang.
Die Wurzeln von Miamis Kulturinstitutionen
reichen fast ebenso lange zurück: bis zu den
ersten Missionen katholischer Priester, die
davon träumten, Floridas Ureinwohner für
christliche Glaubens- und Wertvorstellungen
zu gewinnen und ihnen Spanisch beizubringen, damit sie eines Tages als verwandte Seelen
loyale Unterstützer Madrids würden. Die
Träume erwiesen sich zumindest damals als
unrealistisch, doch die Entschlossenheit der
Priester kündigte die Tradition unter Siedlern
in dieser Region an, im chaotischen tropischen
Regenwald so schnell wie möglich Institutionen der Zivilisation zu gründen – als Beweis
(vielleicht sich selbst gegenüber) dafür, dass
sie die Wildnis bändigen konnten.

Der erste Künstler von Rang, der in
Florida arbeitete, war Amerikas berühmter
Vogelmaler John James Audubon, der in den
1830er-Jahren kurz die Keys besuchte. Doch
erst mit Ankunft der Eisenbahn Ende des
19. und dem Landboom Anfang des 20. Jahrhunderts kam eine wohlhabende Gesellschaftsschicht – und somit Mäzenatentum –
nach Miami. Diese Familien stifteten ihren
Namen, ihr Geld und oftmals ihren Privatbesitz, um kleine, aber feine Kunstsammlungen
zu schaffen – wie etwa jene von Miamis Bass
Museum of Art (siehe S. 93), einer Schatztruhe mit Meistergemälden, Skulpturen,
Textilien, Stilmöbeln, Objets d'art und
sakralen Kunstobjekten, die als die schönsten
ihrer Art in Südostflorida gelten. Wie viele
andere bedeutende amerikanische Pioniere in
entlegenen Gebieten förderten sie die Gründung von Schulen und Hochschulen, deren

Funktion und Bedeutung in der Gemeinde
weit über die Ausbildung hinausging.
Entsprechend findet man innerhalb
der führenden Bildungsinstitute Greater
Miamis – der University of Miami, dem
Wolfson Campus des Miami-Dade
Community College und der Florida International University (siehe S. 59) – einige
der bedeutendsten Kunstsammlungen der
gesamten Region.

Die erfolgreiche Vermischung verschiedener Völkergruppen, die die Stadt heute
kennzeichnet, trug zu einer großen Vielfalt
kultureller und ethnografischer Museen,
Bibliotheken und Denkmäler bei, die man in
kaum einer anderen Stadt findet. Der blühenden jüdischen Gemeinde Greater Miamis
etwa widmet sich das Jewish Museum of
Florida (siehe S. 94) in Miami Beach. Die
anhaltende Emigration von Kubanern aus
ihrer Heimatinsel verwandelte Miami in eine
Art Ersatz-Havanna, wo zahlreiche Galerien,
Bibliotheken, Museen, Restaurants und
Nachtclubs sich ausschließlich auf kubanische
Kunst, Literatur, Geschichte, Küche und
Musik konzentrieren.

Der Zuzug anderer karibischer Emigranten, vor allem von Haitianern, wird in den
Läden (darunter Voodoo-Shops) von Miamis
Little Haiti, in den vielen Theatertruppen
ohne eigene Bühne und in der allgegenwärtigen karibischen Musik deutlich.

Aufgrund von Miamis Bewusstsein um
seine politische und finanzielle Rolle als
inoffizielle Kapitale der Karibik (einige
behaupten: Lateinamerikas) widmet sich das
Miami Art Museum im Miami-Dade Cultural
Center der Kunst der westlichen Hemisphäre

**Der berühmte Bildhauer Eduardo da Rosa
vor einem seiner Werke in seinem Atelier
in Miami**

seit dem Zweiten Weltkrieg, und der Wolfson Campus des Miami-Dade Community
College, einst vornehmlich auf Künstler der
Region spezialisiert, präsentiert heute in
seiner Interamerican Art Gallery eine berühmte Kollektion internationaler Kunstwerke. Dies reflektiert Miamis Status als
kultureller Scheideweg.

Im *Living-&-Arts*-Teil des *Miami Herald*
(der auch eine spanischsprachige Ausgabe
herausgibt: El Nuevo Herald) findet man
die unterschiedlichsten Artikel über das
gesamte Spektrum von Miamis kultureller
Palette: zum Beispiel über eine Podiums-
diskussion von Holocaust-Überlebenden
und Wissenschaftlern, eine Ausstellung
afroamerikanischer Künstler in Miami,
ein Symposium zum Thema Osteuropa,
Galerien für Folklorekunst immigrierter
karibischer Künstler und so fort. Wenn es
ein Thema gibt, das all dies unter einen
Hut bringt, dann ist es die Hoffnung auf
und der Glaube an die Zukunft.

Sogar Miami Beachs berühmte Art-
déco-Hotelarchitektur ist viel mehr als nur
eine ornamentale Mode. Die farbenfrohen
Gebäude, einst für Gäste aus dem Nordosten des Landes erbaut, von denen viele vor
der Unterdrückung in Europa geflohen
waren, verströmen noch heute den Optimismus hinsichtlich des Schicksals der Stadt
und ihrer Bewohner.

DARSTELLENDE KÜNSTE

Das Gefühl, an einer geografischen Schwelle
angelangt zu sein, das viele Leute erfüllt,
wenn sie in Miami – wo Schiffe zu weit entfernten, exotischen Orten ablegen – ankommen, hat in den darstellenden Künsten
zu einer unglaublich lebhaften kreativen
Tradition geführt.

Anfangs bildete der Stolz von Miamis
Gründungsfamilien (die ihre Verwandten in
den Städten des Nordostens dazu bewegen
wollten, ihre Stadt unter Palmen ernst zu
nehmen) den Antrieb, Konzerthallen und
Theater zu bauen. Wie in anderen jungen
Gemeinden gegen Ende des 19. Jahrhunderts war es eher üblich, sich in privaten
Salons um ein Klavier zu versammeln und
mit Broadway-Songs, Gedichten und
improvisierten Schauspielen zu unterhalten.

**Das breit gefächerte Repertoire von
Greater Miamis Ensembles der darstellenden Künste spiegelt seine Mischung
aus Tradition und Innovation. Hier tanzt
das Miami City Ballet an der Lincoln Road
in Miami Beach**

Bald gingen die Ambitionen der Menschen
jedoch über Zitrusfrüchteanbau, Seefahrt,
Fischerei, Städte- und Eisenbahnbau hinaus –
man wollte die junge Stadt mit kulturellen
Highlights ausstaffieren. Eine Blaskapelle
begrüßte nun die Reisenden am Bahnhof.
Gelegentlich luden Miamis reichste
Wintergäste Musiker ein, um auf Anwesen
wie Coconut Groves Vizcaya Privatkonzerte
zu geben. Einigen Künstlern boten diese
Einladungen in das warme, exotische

Miami mit azurblauem Meer, weißem Sand und sich wiegenden Palmen auch die Chance, von den hinteren Rängen eines Orchesters auf ein Solo-Podium zu gelangen.

Neu zugezogene Nordlichter, viele davon europäischer Abstammung und von Opern und klassischer Musik so begeistert wie Miamis Yankees von Ragtime und Varieté, bildeten ein vielleicht nicht gerade wohlhabendes, aber interessiertes Publikum. Die Einladungen an Opernsänger, Streichquartette und Vortragskünstler, in Miami aufzutreten, hatten für diese den zusätzlichen Reiz, die Winterkälte des Nordens gegen tropische Sonne einzutauschen. Häufig blieben die Künstler auf Dauer und wurden zu Musical- oder Schauspielpionieren des Südens.

Greater Miami pflegt inzwischen seine jungen Talente wie seine Orchideen. Das Miami City Ballet hatte 1986 seine Premiere; heute gehört das Ensemble zu den zehn meistgeförderten Ensembles der USA (sein Budget für 2004 lag bei über zehn Millionen Dollar) und hat allein 14 000 Saison-Abonnenten. 2006 zog die Oper in das neue Performing Arts Center of Greater Miami mit einer hervorragenden Akustik und großartigen Publikumsbereichen.

Die große Odyssee von Kubanern nach Südflorida und die Nähe zu den Kulturen des nördlichen Wendekreises reflektieren die vielfältigen hochrangigen Tanztruppen. Der *Living-&-Arts*-Teil des *Miami Herald* beweist täglich das beachtliche kulturelle Angebot: Flamenco-Ballett und Tänze zu israelischer,

Plaudern und Livemusik hören kann man in Miamis 100 Jahre alter Bar Tobacco Road

osteuropäischer, westafrikanischer, karibischer sowie mittel- und südamerikanischer Musik.

Am Wochenende pocht in Miamis Little Havana (siehe S. 49ff) vor zahlreichem Publikum in gut einem halben Dutzend Clubs abends der Big-Band-Sound von kubanischem Jazz der Prä-Castro-Ära und moderner Musik junger Kubaner.

INFORMATIONEN ÜBER GREATER MIAMIS THEATERSZENE

Im Internet findet man mehrere exzellente Seiten mit Informationen über Miamis Bühnenlandschaft. Eine der besten ist *Event Guide Miami (www.miami.eventguide.com)* mit aktuellen Hinweisen auf Veranstaltungen in Greater Miami. Die alternative Zeitung *Miami New Times* ist während Ihres Aufenthalts eine Muss-Lektüre. Ihre Website *(www.miaminewtimes.com)* bietet zuverlässige Tipps. Auf der Internet-Seite des *Miami Herald (www.herald.com)* findet man Veranstaltungshinweise und Einblicke in Miamis Völkermixtur.

Viele Theater- und Tanzensembles haben eigene Websites, über die man teilweise auch Karten bestellen kann.

WEITERE KULTURELLE ATTRAKTIONEN

Das subtropische Wetter und der Einfluss der Karibik füllen Miamis Veranstaltungskalender mit einer nicht enden wollenden Parade aus Festivals und Kultur-Events. Ihr buntes

Spektrum spiegelt die Vielfalt der Region wider: Konzerte, Opern, Ballette, Blumenschauen, Speedboat-Rennen, Angelwettbewerbe, Marathonläufe …

Erkunden Sie während Ihres Aufenthalts ethnische Viertel möglichst zu Fuß, wenn es Ihre Zeit erlaubt – sie sind voller Exotik. Buch- und Musikläden verkaufen die Geschichten und Lieder der Karibik, Afrikas und sogar Europas vor dem Krieg und bieten wunderbare Einblicke in die Stammbäume dieser einzigartigen Metropole.

Miamis ungewöhnliche Tradition verrückter Architektur-Experimente ist ebenfalls nahezu einzigartig und wird immer wieder vom Optimismus, den so viele hier verspüren, inspiriert. Nehmen Sie sich die Zeit, einige der charaktervollen Gegenden Miamis zu besuchen, wie El Portal, Coral Gables und Opa-locka.

Öffnen Sie bei der Lektüre einer Tages- oder Wochenzeitung Ihre Sinne für das Ungewöhnliche. Selbst wenn der vorherrschende Passatwind den Himmel lila färbt und Ihre Strandparty unter Wasser setzt, bieten sich unzählige Alternativen für Unternehmungen an.

Die beste Informationsquelle über Festivals ist der *Travel Planner*, der jährlich aktualisiert wird und kostenlos in Greater Miamis Convention & Visitors Bureau ausliegt. Über die Internet-Seite des Büros *(www.gmcvb.com)* können Sie den Planner als Newsletter bestellen. ■

Miami ist eine der bekanntesten und doch am wenigsten verstandenen Städte Amerikas. Wie New York und Los Angeles beschwört es mehr oder weniger deutliche Bilder von einem Ort herauf, wie es ihn in den USA kein zweites Mal gibt.

Miamis Innenstadtviertel

Poster mit der kubanischen Flagge

A B C D

7

6

5

4

3

2

1

TURNPIKE

N.W. 107TH AVE

75

N.W. 170TH ST.

DON SHULA
HOTEL AND
GOLF CLUB

MIAMI
LAKES

826

823

Lake
Ruth

PALMETTO

RED ROAD

DOUGLAS ROAD

Opa-locka
Airport

916

GRATIGNY PARKWAY

OKEECHOBEE

FLORIDA'S

HIALEAH

GARDENS

N.W. 122ND AVENUE ST.

EXPRESSWAY

12TH

AMELIA
EARHART
PARK

GRATIGNY DRIVE

AVENUE

AVENUE

ROAD

N.W. 106TH ST.

MEDLEY

AVE

AVENUE

821

932

27

WEST 49TH ST.

E. 49TH ST.

4TH AVENUE

AVENUE

953

107TH

97TH

Lehigh
Lake

WEST

GOODLET
PARK

HIALEAH

WEST 4TH AVENUE

HIALEAH
PARK

E. 25TH ST.

8TH

TURNPIKE

N.W.

N.W.

934

HIALEAH EXPWY.

955

PALMETTO AVENUE

Miami Canal

OKEECHOBEE

PALM

EAST

EAST

N.W. 58TH ST.

N.W. 58TH ST.

72ND

MIAMI
SPRINGS

HIALEAH DRIVE

ROAD

DORAL
COUNTRY
CLUB

AVENUE

826

N.W. 41ST STREET

N.W. 36TH STREET

OUR LADY
OF MERCY
CEMETERY

COSTA DEL SOL
GOLF & RACQUET
CLUB

N.W. 107TH AVENUE

87TH

N.W.

EXPRESSWAY

DAIRY RD

969

MILAM

MIAMI SPRINGS
GOLF COURSE

948

N.W. 36TH STREET

CURTISS PKWY

953

Miami
Jai-Alai
Front

DOLPHIN EXPRESSWAY

836

Miami International
Airport

Lake Joanne

Blue
Lagoon

GRAPELA
HEIGHTS
PARK

985

FONTAINEBLEAU
GOLF COURSE

973

WEST FLAGLER STREET

ROAD

N.W.

968

7T

LE JEUNE ROAD

AVENUE

SWEETWATER

Tamiami Canal

41

S.W. 8TH STREET

RED

Florida
International
University &
The Frost
Art Museum

TAMIAMI TRAIL

AVENUE

WEST

959

TAMIAMI PARK

107TH AVENUE

97TH AVENUE

87TH AVENUE

S.W. 24TH STREET

MIAMI

CORAL

67TH AVENUE

WAY

AVENUE

GRANADA

57TH

37TH

PALMETTO

Coral Gables

S.W.

Canal

AD
BARNES
PARK

BIRD ROAD

CORAL
GABLES

S.W. 40TH STREET

107TH

97TH

87TH

976

57TH

S.W.

E

CAROL
CITY

EXPRESSWAY

cayne *Canal*

Opa-locka
City Hall
◆ Hurt Building
OPA-
LOCKA

N.W. 135TH STREET

WESTVIEW
GOLF
COURSE

GRATIGNY ROAD

PINEWOOD

*Silver
Blue
Lake*

N.W. 103RD STREET

N.W. 95TH STREET

*Little
River*

N.W. 79TH STREET

N.W. 62ND STREET

N.W. 54TH STREET

MANOR
PARK

RPORT EXPRESSWAY

N.W. 36TH STREET

Rubell Family
Collection ◆

M I A M I

CURTIS
PARK N.W. 20TH STREET

Miami

OLPHIN EXPRESSWAY

STREET

VEST FLAGLER

LITTLE HAVANA

S.W. 8TH ST (CALLE OCHO)

SHENANDOAH

S.W. 22ND ST

HIGHWAY

UTH DIXIE

F

ULETA
N.E. 167TH ST.

BISCAYNE
GARDENS

N O R T H

N.W. 135TH STREET WEST DIXIE STREET

M I A M I

N.E. 125TH STREET

Museum of
Contemporary Art ◆

BISCAYNE
PARK ℹ

MIAMI SHORES
GOLF CLUB

Shores
Theatre ◆

MIAMI
SHORES

EL
PORTAL

Sherwood Forest House
◆
◆ El Portal
Burial Mound

◆ LC Books &
Record Shop

LITTLE
HAITI

Villa ◆ Church of Notre Dame d'Haiti
Paula ◆ John Nunnally Home

MORNINGSIDE

BUENA ◆ Churchill's Hideaway
VISTA
EAST ℹ

Miami Design
District

Parrot Jungle ◆
Island

DOWNTOWN

siehe Downtown
S. 37

siehe Little Havana S. 51

G

GREYNOLDS
PARK
Greynolds Park
Rookery ◆

Ancient Spanish
◆ Monastery

N.E. 163RD STREET

NORTH MIAMI
BEACH

OLETA RIVER
STATE RECREATION
AREA

BROAD CAUSEWAY

BAY
HARBOR
ISLANDS

96TH STREET

INDIAN CREEK
VILLAGE

INDIAN CREEK
GOLF &
COUNTRY CLUB

NORMANDY
SHORES

NORTH
BAY
VILLAGE

J.F. KENNEDY
CAUSEWAY

Biscayne

Bay

JULIA TUTTLE
CAUSEWAY

*Aventura,
Golden Beach,
Golden Shores*

Oleta River

SUNNY ISLES BLVD

HAULOVER
BEACH
PARK

BAL
HARBOUR

SURFSIDE

COLLINS

HARDING

H

0 ——————— 3 Meilen
0 ——————— 4 Kilometer

Fort Lauderdale ●

Miami ●

Key West ●

Zur Orientierung

Miamis Innenstadtviertel

DAS SCHILLERNDE MIAMI BEACH ZIEHT ZWAR MEHR AUFMERKSAMKEIT AUF sich als seine Schwester auf dem Festland, doch die Seele dessen, was Greater Miami zur internationalen Metropole und zum wirtschaftlichen Zentrum Südfloridas macht, befindet sich in Miamis Innenstadt. Hier liegen einige der ältesten gewachsenen Viertel in Nachbarschaft zur höchsten Konzentration an neuen Immigranten – gemeinsam machen sie Miamis buntes multikulturelles Flair aus. Außerdem sind hier Finanzhäuser, die Miami als Basis für weltweite Geschäfte nutzen, und die Machtzentrale von Miamis passionierter politischer kubanisch-amerikanischer Führung angesiedelt.

Die stete Zuwanderung von Immigranten erschwert genaue Zählungen für die Bevölkerungsstatistik, die meisten Schätzungen belaufen sich jedoch darauf, dass heute weniger als ein Viertel der Bewohner Zentral-Miamis Weiße aus Ländern außerhalb Lateinamerikas sind. Etwa eine Viertelmillion nicht kubanische Kariben – vor allem aus Haiti, Puerto Rico, Jamaika, von den Bahamas und aus der Dominikanischen Republik – leben in der Innenstadt, somit ist hier jeder Dritte karibischer Abstammung.

In Miamis City-Distrikten befinden sich einige der bekanntesten Sehenswürdigkeiten und Kulturinstitutionen der Stadt, die bedeutendsten archäologischen Stätten und hervorragende Beispiele der fantastischen »Themen«-Bauten, die die gesamte Region charakterisieren. Hier konzentrieren sich jedoch auch die allgegenwärtigen sozialen Probleme der Region: Arbeitslosigkeit und Armut, Obdachlosigkeit und Kriminalität. Doch Miami hat schon viele Schwierigkeiten überwunden, und überall in der Stadt wird gebaut und renoviert – nicht so sehr aufgrund gedeihender Wirtschaft als vielmehr aus der allgemeinen Überzeugung heraus, dass die Stadt dereinst ein kosmopolitisches, einflussreiches Zentrum darstellen wird.

Eine Bemerkung zur Orientierung in Miamis Innenstadt: Die Straßen sind im Allgemeinen von Ost nach West und von Nord nach Süd nummeriert, es gibt jedoch Ausnahmen. Die meisten Avenues, Plätze und als *Roads* bezeichneten Straßen verlaufen von Nord nach Süd, andere Straßen *(Streets, Drives, Lanes* und *Terraces)* von Ost nach West. Die Grenze zwischen Ost und West bildet die Miami Avenue, zwischen Nord und Süd die Flagler Street. Die Himmelsrichtungen vor den Straßennamen – N., S., E., W., N.W., N.E., S.W. und S.E. – richten sich nach der Lage der Straße im Verhältnis zur Kreuzung Miami Avenue/Flagler Street. Die Zahlen der Avenues (beginnend mit First) werden westlich und südwestlich der Miami Avenue höher. Die Zahlen der Straßen *(Streets)*, ebenfalls mit First beginnend, sind höher, je weiter sie von Flagler Street entfernt sind. Downtown Miamis Straßennetz ist fast überall rechtwinklig angelegt, sodass man sich leicht zurechtfindet. Viele Straßen und Avenues tragen neben Nummern auch Namen (die S.W. 13th Street beispielsweise ist auch als Coral Way bekannt, und die US 1 heißt im Norden Biscayne Boulevard, im Zentrum Brickell Avenue und im Süden South Dixie Highway). ■

Links: Kuba- und Angloamerikaner stellen den größten Teil von Miamis Bevölkerung, in der Stadt leben aber Menschen aus ganz Mittel- und Südamerika und der Karibik. Rechts: Farbenfrohe Gemälde zieren Gebäude in Little Haiti

Downtown Miami

Die Meinungen über Downtown Miami gehen auseinander. Aus der Ferne sehen die Wolkenkratzer des Bankenviertels toll aus; doch aus der Nähe betrachtet, wirken sie nicht eben menschenfreundlich. Reisende können in der Innenstadt, die kein eigentliches Zentrum hat, schon mal die Orientierung (und die Nerven) verlieren. Hier gibt es kein Pendant zum Pariser Boulevard St-Germain oder zur New Yorker Upper West Side, wo man am Wochenende flanieren könnte; und sobald es Abend wird, ist man auf den verlassenen Bürgersteigen nicht mehr sicher.

Feuerwerk über Downtown Miami bei den Feiern zum Unabhängigkeitstag

Weniger Uneinigkeit herrscht über die Ausmaße der Innenstadt. Sie wird von der N.E. 15th Street im Norden und der S.E. 14th Street im Süden, von der Biscayne Bay im Osten und der I-95 im Westen begrenzt. Diese 28 Blocks kann man gut zu Fuß bewältigen. Man stößt auf Straßenhändler, die Kaffee und karibisches Gebäck, Kuchen und Fruchtsäfte verkaufen; Musik mit spanischen Texten schallt aus den Läden (von denen viele auf Elektrogeräte,

Taschen, Kleidung und Schmuck spezialisiert und auf die lateinamerikanischen Passanten eingestellt sind), eine schöne Mischung aus nord- und lateinamerikanischen Geschäften. Ein paar Blocks westlich der Biscayne Bay betritt man eine kulturelle Melange aus Haitianern, Jamaikanern, Puerto Ricanern, Mittel- und Südamerikanern – und ein Gemisch aus verrückten Läden, kleinen Lokalen und kubanischen Cafeterias, in denen man starken *café Cubano* bekommt.

Miamis Downtown ist vielsprachig: Spanisch hört man überall, Kreolisch häufig, ebenso Hebräisch und brasilianisches Portugiesisch. In einigen Straßen leben Rastafaris neben orthodoxen Juden, ihre Läden liegen nicht selten direkt nebeneinander. Der Charakter der City wird zunehmend kosmopolitisch – ein Ausblick auf die Zukunft ganz Amerikas.

Wenn man von der Kreuzung Miami Avenue und Flagler Street auf Letzterer gen Westen geht, trifft man auf schöne Zeugen von Miamis Vergangenheit, architektonische Juwele wie den einstigen Hauptladen der Drugstore-Kette Walgreen's (heute ein Sportgeschäft) an der Ecke zur N.E. Second Avenue, daneben das attraktive Ingraham Building (1926) im Stil der florentinischen Renaissance mit Art-déco-Lobby. Das moderne Alfred I. duPont Building von 1939 (169 E. Flagler Street) betrachten manche als Miamis Antwort auf New Yorks Rockefeller Center. (Die hervorragenden Wandgemälde über der Lobby sind von Floridas Geschichte und dem damaligen beharrlichen Glauben an eine bessere Zukunft inspiriert.) An der 174 E. Flagler Street steht das spanisch-maurische Olympia Building, in dem sich das Gusman Center for the Performing Arts in einem Kino von 1926 befindet, das die Paramount

Pictures Studios im Stil eines mediterranen Patios erbauten. Heute findet hier das alljährliche Filmfestival statt.

Bis nachmittags herrscht in der Downtown lautes Treiben – wenn die Schatten der Hochhäuser länger werden, bricht es jedoch schnell ab. Am Abend sind hier nur noch verloren wirkende Touristen unterwegs. ■

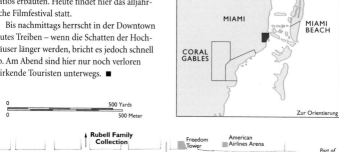

Zur Orientierung

0   500 Yards
0   500 Meter

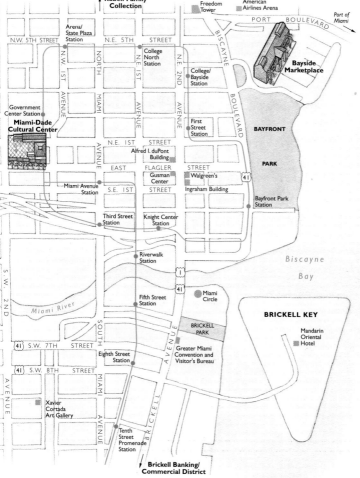

MIAMI-DADE PUBLIC LIBRARY

Inmitten der lauten Downtown liegt eine italienisch anmutende Piazza vor der öffentlichen Bibliothek, Teil des Miami-Dade Cultural Center

Miami-Dade Cultural Center

DAS LANG DISKUTIERTE FEHLEN EINES RICHTIGEN ZENTrums in Downtown Miami wurde Ende der 1970er-Jahre mit einem wiederum viel debattierten Bauprojekt angegangen, das auf eine völlige Neugestaltung der westlichen City hinauslief. Prunkstück des ambitionierten Unternehmens ist der 1,3 Hektar große, von Philip Johnson gestaltete Komplex des Miami-Dade Cultural Center zwischen First und Flagler Street. Hier befinden sich das Miami Art Museum, das Historical Museum of Southern Florida und Miamis wichtigstes Archiv für Bücher und historische Dokumente, die Miami-Dade Public Library. Johnson nannte seinen Entwurf »neomediterran«, und in der Tat könnte die gepflasterte Plaza auch am Mittelmeer liegen. Auf Stühlen und Bänken kann man sich abseits des Verkehrslärms ausruhen. Das Historical Museum wie das Miami Art Museum (Center for the Fine Arts) lohnen den Besuch.

Miami-Dade Cultural Center

⬛ Karte S. 37

✉ 101 W. Flagler St.

🚇 Haltestelle Government Center des MetroMover

💲 Ermäßigte Einzeleintrittskarte zum Miami Art Museum; Historical Museum oder Bibliothek ($$). Di Eintritt gegen Spende

MIAMI ART MUSEUM

Die eindrucksvolle Fassade wirkt ein bisschen wie eine Busauffahrt, doch innen wird eine Sammlung internationaler Kunst vom Zweiten Weltkrieg bis heute aus dem Blickwinkel Nord-, Mittel- und Südamerikas präsentiert. Die regelmäßig wechselnden, hochrangigen Ausstellungen genießen einen guten Ruf. In den großen Sälen des Museums finden Sie sicherlich etwas, das Sie von Postkarten oder Büchern her kennen, aber auch so manche Über-

HISTORICAL MUSEUM OF SOUTHERN FLORIDA

Das anspruchsvolle Ziel, auf verständliche Weise etwa 10 000 Jahre Geschichte Südfloridas nachzuvollziehen, erreicht das Museum tatsächlich: mit traditionellen und interaktiven Ausstellungen und Exponaten wie z. B. einer alten Straßenbahn. Sie können die Galerien auf eigene Faust oder bei einer Führung erkunden (Zeitpläne am Eingang). Die Exponate zeigen Miami und Umgebung, Jahrhunderte bevor Europa überhaupt etwas von der Neuen Welt wusste (darunter der kürzlich entdeckte Miami Circle; siehe S. 48). In der **Folklife Collection** kann man die Odysseen der Einwanderer nachvollziehen, die so viele Kulturen nach Florida brachten, bis hin zu den heutigen jüdischen und kubanischen Gemeinden.

Eine beliebte Ausstellung erzählt vom Einfluss der Eisenbahn bei der Anbindung Miamis und Südfloridas an den Rest Amerikas. Der Schwerpunkt des Museums liegt darauf, die gesellschaftlichen Kräfte, die die ungewöhnliche Geschichte der Region und ihren einzigartigen Charakter formten, verständlich zu machen. Besonders einprägsam ist eine

Miami Art Museum
www.miamiartmuseum.org
✉ 101 W. Flagler St.
☎ 305/375-3000
🕐 Geschl. Mo
💲 $–$$

Historical Museum of Southern Florida
www.hmsf.org
✉ 101 W. Flagler St.
☎ 305/375-1492
🕐 Hauptferien geschl.
💲 $

raschung – unbekannte Werke moderner Meister oder von Künstlern, die eine große Zukunft vor sich haben. Das Museum ist eine hervorragende Fundgrube für Werke aus Mittel- und Südamerika, der Karibik, Europa, Asien und dem Nahen Osten sowie Südflorida.

Diese Bronzestatue im Geschichtsmuseum des Miami-Dade Cultural Center zeigt einen jungen Seminolen-Indianer mit Südfloridas größtem Reptil

Miami-Dade Public Library

www.mdpls.org

✉ 101 W. Flagler St. an der N.W. lst Ave.

☎ 305/375-2665 (Miami-Beach-Filiale: 2100 Collins Ave., Tel. 305/535-4219)

🕐 Geschl. So, Juli–Sept.

Kollektion mit über einer Million historischer Porträts – von primitiv gemalten Bildern bis zu historischen Familienfotos –, deren Mienen sich in den Gesichtern in der modernen Stadt wiederfinden. Der Museumsladen bietet wunderbare Artikel zu den präsentierten Themen. Einige der häufig wechselnden Ausstellungen richten sich

Dank Miamis Programmen für öffentliche Kunst findet man in Parks und auf Plätzen ungewöhnliche Skulpturen wie die Dropped Bowl vor einem Downtown-Hochhaus

an junge Besucher. Rufen Sie vorher an, um Plätze für eine Führung in einer anderen Sprache als Englisch zu reservieren.

MIAMI-DADE PUBLIC LIBRARY

Man muss absolut kein Wissenschaftler sein, um diese wunderschöne Bibliothek mit ihren fast vier Millionen Büchern und zahlreichen Kunstobjekten zu schätzen. Allerdings arbeiten hier auch Wissenschaftler, häufig in den Sonderausstellungen.

Im Hörsaal im Erdgeschoss und in der Lobby im ersten Stock ist ebenfalls Kunst ausgestellt. Achten Sie im Erdgeschoss auf die Kuppeldecke mit Trompe-l'Œil-Wolken und einem Zitat aus Shakespeares Hamlet über Worte und ihre Bedeutung, beides Werke des in Kalifornien ansässigen modernen Künstlers Edward Ruscha. Die Wechselausstellungen im Auditorium, meist mit Fotografien und Gemälden zu Miamis Vergangenheit und Gegenwart, ziehen viele Besucher an. Viele Fotos stammen aus der **Romer Collection** des Museums, die ca. 17 500 Negative und Abzüge umfasst. (Auf der Museums-Website www.mdpls.org gibt es einen lohnenswerten Link zu der Sammlung.)

Vielleicht haben Sie Zeit, sich Filme im **Louis C. Wolfson Media Center** anzusehen, einem Film- und Fernseharchiv, das der Besitzer einer der größten Kinoketten Floridas gründete. Genieren Sie sich nicht, hier nur wegen der Klimaanlage kurz reinzuschlüpfen. ■

Farbenfrohes Miami

Die Hochhäuser der Downtown werden bei Dunkelheit farbig beleuchtet, je nach Jahreszeit oder Festtagen oder auch, um einen ausländischen Würdenträger zu begrüßen oder einen hiesigen Sportclub anzufeuern. 40 Wolkenkratzer werden in Miami allabendlich angestrahlt. Einige davon, wie die Bank of America Tower, wechseln bis zu 100-mal im Jahr die Farbe: Rot-Orange bedeutet einen Salut für das Basketball-Team Miami Heat, Orange-Blau für die Football-Mannschaft Miami Dolphins. ■

Rubell Family Collection

EIN WEITERES NEUES KUNSTARCHIV IST DIESE AUSSERGE-wöhnliche Schatztruhe zeitgenössischer Kunst, die Don und Mera Rubell zusammentrugen. Sie gehört laut Kritikern zu den besten Sammlungen der Welt. Den Rubells, ursprünglich aus New York, gehört auch das luxuriöse Albion Hotel in Miami Beach, und ein Mitglied der Familie, Steve Rubell, war Mitbegründer von Manhattans berühmtem Nachtclub Studio 54.

Rubell Family Collection

🅐 33 F3
✉ 95 N.W. 29th St., zwischen N.W. 1st & N. Miami Aves.
☎ 305/573-6090
🕐 Geöffnet Mi–So, 10–18 Uhr
💲 $–$$

Die Rubells nennen ihre Sammlung »provokative Werke von den 1960er-Jahren bis heute« – von Künstlern wie Jeff Koons, Keith Haring, Cindy Sherman, Jean-Michel Basquiat, Paul McCarthy und Charles Ray wie auch von neuen Talenten. Die sicherlich kühnste öffentlich präsentierte Privatsammlung der Stadt ist in einem Industriebau im Wynwood Art District ausgestellt. Die Kollektion repräsentiert jeden Künstler, der in den letzten 20 Jahren von sich reden machte.

Die Worte des Schriftstellers Tom Wolfe in seinem Buch *The Painted Word*, moderne Kunst fördere die intellektuelle Auseinandersetzung durch ihre erstaunliche Fähigkeit, Emotionen und Diskussionen über das Wesen der Kunst auszulösen, sind im Rubell Museum durch eine hervorragende Bibliothek zu diesem Phänomen verwirklicht. Zum Museum gehören außerdem ein Raum für Neue Medien, ein Buchladen und ein kürzlich eröffneter Skulpturengarten. ∎

Eine Besucherin betrachtet im Rubell Museum ein modernes Werk. Aufgrund von Miamis kulturellen Banden mit dem Nordosten der USA etabliert sich hier eine kultivierte Schar von Kunstsammlern

Wie aus einem Science-Fiction-Film des frühen 20. Jahrhunderts fährt ein computer-gesteuerter MetroMover durch Downtown Miami

Downtown Miami mit dem MetroMover

Auf der kostenlosen, knapp einstündigen Fahrt mit einem der beiden MetroMover-Züge auf ihren erhöhten Schienen überblicken Sie die gesamte Downtown – die Gegend zwischen Biscayne Bay und N.W. First Avenue beziehungsweise zwischen N.E. 15th Street und S.W. 14th Street – und die Anlage des CentralBusiness District. So kennen Sie sich später, wenn Sie am Boden unterwegs sind, besser aus.

Eine Fahrt mit dem klimatisierten, führer-losen, computergesteuerten MetroMover ist zumeist angenehmer als die Stadterkundung zu Fuß. Nehmen Sie die leicht verständliche Miami-Dade County Transit Map über alle Buslinien des Countys mit (sie ist kosten-los erhältlich an der Station Government Center, 111 N.W. First Street, in allen Informationsbüros sowie über *www.miami dade.gov/transit/moverstations.asp*). Für einen umfassenden Überblick über Downtown Miami sollten Sie beide MetroMover-Touren machen.

INNERE LINIE

Der *Inner Loop* umkreist den Business District, man kann auch auf eine Nebenlinie in Rich-tung Norden zur N.W. 15th Street umsteigen. Unterwegs passiert man den **Bayfront Park** (siehe S. 44). Nördlich der Station College/

Bayside (nach dem Umsteigen) steht am Biscayne Boulevard der 1924 fertiggestellte **Freedom Tower**, einst Sitz der *Miami News*. In hiesigen Büros bearbeitete man damals die Asylanträge der kubanischen Flüchtlinge (siehe S. 22ff). Das heruntergekommene Gebiet soll in Kürze modern-dynamisch daherkommen. Highlight ist die 14-stöckige **American Airlines Arena** mit 20 000 Sitz-plätzen, die am 31. Dezember 1999 mit einem Gloria-Estefan-Konzert eröffnet wurde. Das Basketball-Team Miami Heat ist hier zu Hause. Das ungewöhnliche Design des Stadions, ein Wirbelwind aus Beton und Stahl, ist das Werk von Miamis hoch angesehenem Architektenbüro Arquitectonica.

Gleich nach der Station Park West kommt man am **Bicentennial Park** vorbei. Nördlich liegt der riesige Kreuzfahrthafen **Port of Miami** mit Läden und Restaurants. Wenn Sie

🅰 Siehe auch Karte S. 37
▶ Station Government Center
   (am Miami-Dade Cultural
   Center)
🔄 4,7 km
🕐 I Stunde
▶ Station Government Center

UNBEDINGT ANSEHEN
- Bayfront Park (Hinfahrt)
- Freedom Tower (nur vom
  Zug aus zu sehen)
- Bayside Marketplace

ÄUSSERE LINIE ENTLANG DER BRICKELL AVENUE

Endziel der Linie ist die Station **Financial District** nahe der Ecke Brickell Avenue, S.W. 14th Street. (Steigen Sie in der Station Third Street in diese Linie um.)

Die Brickell Avenue, einst ein prächtiger Boulevard mit grandiosen Anwesen, ist noch immer die erste Adresse von Moguln – jedoch nicht mehr der bedeutenden Eisenbahnbarone, sondern der aktuellen Bankdirektoren, die in den Hochhäusern ihre Büros und privaten Wohnungen haben.

Südlich der Station Riverwalk hat man einen hervorragenden Blick auf den Miami River, an dessen Ufer einst die Tequesta siedelten. Sie sehen von hier aus sogar die Ausgrabungsstelle einer 2000 Jahre alten indianischen Ruine, die man 1998 entdeckte (siehe S. 48).

Einige alte Holzhäuser entlang der Strecke erinnern noch an Miamis ersten Vorort. An der Station Financial District kehrt der Zug um.

Wenn Sie eine halbe Stunde Zeit haben und zu Fuß durch ein luxuriöses Wohnviertel gehen wollen, steigen Sie hier aus und folgen Sie bei ihrem Spaziergang dem Bogen der S.E. 14th Street zur S.E. 15th Street, auf der Sie dann wieder zurück zur Brickell Avenue gelangen. ∎

über die Interstate 395 dahingleiten, die über den MacArthur Causeway die Biscayne Bay mit Miami Beach verbindet, sehen Sie im Westen das **Carnival Center for the Performing Arts** für Oper, Ballett, Symphoniekonzerte und andere musikalische Darbietungen, das 2006 feierlich eröffnet wurde.

Vor Ihnen stehen die **Firmensitze des Miami Herald** und seines spanischsprachigen Alter Ego *El Nuevo Herald*.

Bayfront Park

Kunst erinnert im Bayfront Park an eine Tragödie: Die schlimmste Katastrophe der amerikanischen Raumfahrtgeschichte inspirierte den Japaner Isamu Noguchi zu dieser Skulptur

ALS MAN IN DER BISCAYNE BAY 1926 DEN SCHIFFFFAHRTS-kanal anlegte, wurde mit der ausgebaggerten Erde die Grünanlage am Biscayne Boulevard geschaffen. 1933 verfehlte hier der Schuss eines Attentäters zwar Franklin Delano Roosevelt, tötete aber den Chicagoer Bürgermeister Anton Cermak. Positivere Erinnerungen verbindet man mit dem Claude and Mildred Pepper Fountain. (Der Kongressabgeordnete Pepper, der mit 88 Jahren starb, beendete seine Karriere als Kämpfer für die Rechte der amerikanischen Senioren.)

Der Brunnen zieht, besonders an warmen Abenden, verliebte Pärchen an. Die imposante Figur aus einer anderen Zeit, die über den Osten des Parks wacht, stellt Cristóbal Colón, besser bekannt als Christoph Kolumbus, dar. Die Statue schenkte Kolumbus' Heimatland Italien 1953 der Stadt Miami.

Ein weiteres Denkmal, eine nüchterne, eindrucksvolle Doppelhelix, erhebt sich in der Südostecke des Parks. Der japanische Bildhauer Isamu Noguchi schuf sie im Gedenken an die sieben Astronauten, die 1986 ums Leben kamen, als der NASA-Spaceshuttle *Challenger* kurz nach dem Start in Cape Canaveral explodierte. Der Minimalist Noguchi leitete 1987 die Neugestaltung des Parks. Das kunstvolle Pflaster des Biscayne Boulevard erinnert an Strandpromenaden in Rio de Janeiro – kein Wunder, denn sie ist ein Werk des brasilianischen Landschaftsarchitekten Robert Burle Marx.

Im Park gibt sich ein repräsentativer Querschnitt von Miamis Bevölkerung ein Stelldichein: Familien mit Picknickkörben, karibische Steeldrummer, Liebespärchen, Touristen, Hundetrainer und ältere Schachspieler. Im Amphitheater finden Konzerte statt, und allabendlich durchdringen bunte Laserstrahlen den Himmel. Doch auch wenn nichts passiert: Allein der Blick von der Promenade aus über die Biscayne Bay und den Port of Miami ist erinnerungswürdig. ∎

Bayfront Park

🅐 Karte S. 37

✉ zwischen S.E. 2nd und N.E. 2nd Sts.

Bayside Marketplace

Old Miamis schäbiger Ufer-bezirk entwickelte sich zum glänzenden, familien-orientierten Basar Bayside Marketplace

DER BAYSIDE MARKETPLACE, DER GRÖSSTE TOURISTEN-magnet des Dade County, erstreckt sich nördlich des Bayfront Park auf 6,4 Hektar. Seine ca. 150 Läden, Straßencafés und Imbissstände blicken über einen Hafen, in dem es zuweilen so betriebsam zugeht wie in dem von Hongkong. Neben dem Marketplace steht ein riesiges Parkhaus, und in einer Minute ist man zu Fuß an zahlreichen Attrak-tionen wie Miamis Hard Rock Café.

Mit seinem zurückhaltenden, freundlichen Flair eines Kleinstadt-Jahrmarkts zieht der Marketplace unzählige Besucher an, die hier bummeln und etwas essen. Setzen Sie sich, bestellen Sie einen eis-gekühlten Daiquiri oder einen Fruchtdrink mit Rum und Eis, und betrachten Sie die Boote und die Leute. Günstig einkaufen kann man in Outlet-Läden nationaler Mode-Labels wie Victoria's Secret, GAP und Sharper Image. Jeden Nachmittag steigen Konzerte, zu besonderen Anlässen auch Feuer-werke und Lasershows. Der Komplex ist für amerikanische Verhältnisse lange geöffnet *(Montag bis Donnerstag bis 23 Uhr, Freitag und Samstag bis 24 Uhr, Sonntag bis 21 Uhr)*.

Am Hafen bieten mehrere Charterunternehmen Bootstouren durch die Biscayne Bay an.

Zu den interessantesten gehört die Fahrt mit dem 26-Meter-Scho-ner *Heritage of Miami II*, einer 47 Tonnen schweren Kopie jenes Fracht- und Passagierschiffes, das einst regelmäßig zwischen Miami und Havanna verkehrte. Die *Heritage* setzt bei gutem Wetter und günstigem Wind die Segel für ein- und zweistündige Törns gen Süden nach Coconut Grove und zurück. Besitzer und Kapitän Joe Maggio ist zugleich Historiker, der mit seinen Informationen und kurzweiligen Erzählungen zu Miamis Geschichte seine Passagiere unterhält. Im Sommer gibt es keine Fahrten. ∎

Bayside Marketplace
🅰 Karte S. 37
✉ 401 Biscayne Blvd.

Heritage of Miami II
☎ 305/442-9697

Stahl-Glas-Fassaden von Bankenhochhäusern säumen die Brickell Avenue in Miamis Financial District an der Biscayne Bay

Brickell Financial District

DIE STRASSE, DIE AN WILLIAM UND MARY BRICKELL ERinnert – sie spielten bei Miamis Entwicklung zur »erwachsenen« Stadt eine wichtige Rolle –, verläuft vom Miami River nach Coconut Grove im Süden. (Nördlich des Flusses heißt sie S.E. Second Avenue; bei Coconut Grove dreht sie gen Westen und trifft auf die S. Miami Avenue, beide werden hier zum S. Bayshore Drive.) Vor dem Ersten Weltkrieg war die Brickell Avenue eine ländliche Straße für Pferdekutschen, die zu Hütten aus Korallengestein, damals versteckt in Coconut Groves wild wucherndem Gestrüpp, rumpelten. Die Dinge änderten sich, als eine neue Generation begeistert ans Werk ging und Miamis Vorzüge im ganzen Land anpries: die vermeintlichen Heilkräfte des »tropischen« Klimas, schnelles Geld durch Landspekulationen, gar klügere Kinder aufgrund der wärmenden Sonne. Die Kampagne lockte viele an, darunter reiche Leute, die sich an der Brickell Avenue prachtvolle Villen bauten.

Brickell Financial District

🅰 Karte S. 37

Die Lage war famos: nahe der Biscayne Bay und doch weit genug im Landesinneren, sodass die Mangrovendickichte und Regenwälder den Wind abhielten und Überschwemmungen durch Hurrikans verhinderten. Die Brickell wurde fortan *Millionaire's Row* genannt, erst recht als 1916 Vizcaya (siehe S. 114ff) fertig war –

ein wahres Xanadu des Industriellen James Deering. Heute sieht man nur noch wenige solcher Anwesen; sie sind zwischen fantastischen, luxuriösen Wohnanlagen und Bürohochhäusern eingezwängt, die während Miamis Firmenboom in den 1970er- und 1980er-Jahren entstanden. Beachten Sie das Atlantis-Wohnhaus mit seiner seltsamen

günstige, hervorragende Seafood-Restaurant **Bijan's on the River** (64 S.W. 4th St., zwischen S.E. 2nd Ave. und S. Miami Ave., Tel. 305/ 381-7778, Montag bis Freitag nur mittags). Ganz in der Nähe, an der 66 S.E. Fourth Street, steht eine Hütte von 1897, eine der 14 Hütten aus Kiefernholz im Dade County, die der Eisenbahnmagnat Henry Flagler bauen ließ und damals für 15 bis 22 Dollar im Monat vermietete. Diese Hütte wurde 1980 von der S.W. Second Street (wo heute ein Parkhaus steht) hierher versetzt.

Trotz der Nähe zu Miamis geschäftigem Bankenviertel wirkt der Downtown-Abschnitt des Miami River wie die Kulisse eines Humphrey-Bogart-Films über Drogenschmuggler oder eines Romans über Schurken, die unter Bedingungen leben, wie sie sich die Bewohner der noblen Hochhäuser flussabwärts gar nicht vorstellen können. (Das Leben in Miami imitiert hier und da die Kunst: Vor einigen Jahren, als die Stadtoberen vor applaudierendem Publikum die Brickell-Avenue-Zugbrücke einweihten, stürmten zur selben Zeit Beamte der Behörde zur Drogenbekämpfung einen Frachter, der gerade darunter durchfuhr.)

Das beliebte, versteckt liegende Seafood-Lokal **Big Fish** (55 S.W. Miami Ave., Tel. 305/373-1770) an Miamis Südufer ähnelt zwar einer schäbigen Baracke aus einem Film noir – Sie erkennen es an dem riesigen, hölzernen Damenschuh davor. Doch es ist ein stimmungsvolles Restaurant mit einem großen Angebot an frisch gefangenem Fisch und italienischer Küche. Setzen Sie sich an einen Tisch auf der Veranda mit Blick auf Fluss und Privatdock und bestaunen Sie das beeindruckende Panorama mit den Wolkenkratzern am anderen Ufer. ■

roten Wendeltreppe und die Regenbogenfarben der Villa Regina. In den Bürohäusern sitzen heute internationale Banken, deren Kapital wichtige Säulen der Wirtschaft der Karibik und der gesamten südlichen Hemisphäre bilden.

Bei all dem Geld gilt die Gegend um die Mündung des Miami River in die Biscayne Bay und der Abschnitt der Brickell Avenue südlich der Zugbrücke als für Besucher uninteressant. Doch hier findet man Zeugnisse von Miamis Anfängen, und man ist hier ganz nah an den Wurzeln der Stadt: dem Fluss selbst und der Bucht südlich des Geschäftsviertels, wo beim **Brickell Park** wieder die Natur die Oberhand gewinnt.

Vor Jahren mäanderte der Fluss nur etwa acht Kilometer ins Landesinnere und bezog sein Wasser aus den Everglades (die selbst ein seichter, langsam fließender, enorm breiter Fluss sind). Heute kann man kaum noch zum Flussufer gelangen, ohne jemandes Privatgrundstück zu betreten.

Einheimische, die sich am alten Agua Dulze (siehe S. 18) erholen wollen, besuchen hier das preis-

Weitere Sehenswürdigkeiten

AMERICAN AIRLINES ARENA

Miamis größte Unterhaltungs- und Sportarena feierte 2004 zwei Großereignisse: MTV trug hier die Verleihung seiner Music Video Awards aus, und die 2,16 Meter große Sportlegende Shaquille O'Neal trat dem Basketball-Team Miami Heat bei.

In der Silvester 1999 eingeweihten Arena mit 19 600 Sitzplätzen finden Konzerte von Top-Stars wie Gloria Estefan, Julio Iglesias, Usher, den Rolling Stones und Britney Spears sowie Eislaufshows und Zirkusvorführungen statt. Es gibt viele Parkplätze, aber man kann hinter der Arena auch mit der eigenen Yacht anlegen.

Zu den Profi-Sportteams in Greater Miami gehören neben den Miami Heats die Baseballer Florida Marlins (www.florida.marlins-mlb.com, Tel. 305/350-5050) und die Footballer Miami Dolphins (www.miamidolphins.com, 305/573-TEAM), die sich ein Stadion nordwestlich der Downtown teilen. Die Florida Panthers (www.floridapanthers.com, Tel. 954/835-PUCK) spielen in einem Stadion nordwestlich der Downtown Eishockey.

🅰 Karte S. 37 ✉ 601 Biscayne Boulevard
☎ 786/777-1000; www.aaarena.com

MIAMI JAI-ALAI FRONTON

Jai-alai (sprich: hai-lai) oder pelota gilt als »das schnellste Spiel der Welt«. Die Spieler (pelotaris) werfen einen harten Ball fast zweimal schneller als bei den schnellsten Würfen im Baseball. Amerikas wichtigstes Jai-alai-Stadion, ein schönes Bauwerk von 1926 mit 4000 Plätzen im Zuschauerraum (fronton), steht fünf Minuten östlich des Miami International Airport.

Der Besuch eines Spiels (Dauer: vier bis fünf Stunden!) kann für Neulinge ein exotisches Abenteuer sein, für Fans ist es eine Passion. Jai-alai ist über 300 Jahre alt und wurde im spanischen Baskenland entwickelt. Es wird auf einem Platz mit drei Granitwänden (53 m lang, zwei Stockwerke hoch) gespielt. Die Spieler binden sich bumerangförmige Körbe (cestas) an die Hände und schleudern den Ball an die Wände – häufig laufen sie dabei sogar die Wände hoch –, während die Fans sie anfeuern und während der Vorführung von 14 Spielen Wetten abge-

ben. Sie sitzen dabei hinter Schutzzäunen auf Sitzen wie im Theater. Im fronton gibt es eine Cocktail-Lounge, einen Laden und eine Snackbar sowie einen Pokersalon.

🅰 32 D3 ✉ 3500 N.W. 37th Ave.
☎ 305/633-6400; www.fla-gaming.com
💲 $ (nur Erwachsene, nur zu Matineen am Sa und So werden Jugendliche ab 16 Jahren in Begleitung Erwachsener eingelassen)

DER MIAMI CIRCLE

Wenn Sie von der Tequesta-Indianer-Statue auf der Brickell Avenue Bridge gen Südosten schauen, sehen Sie den Miami Circle, eine 2000 Jahre alte indianische Ruine mit einem Durchmesser von 11,50 Metern. Sie wurde 1998 beim Abbruch eines Apartmenthauses entdeckt. Der Kreis enthält 24 große und viele kleinere Löcher, die in den Kalkstein gehauen wurden; an der Ostseite befindet sich etwas, das aussieht wie ein menschliches Auge.

Archäologen glauben, dass sich hier das Haus eines Häuptlings oder das Dorfzentrum eines unbekannten Stammes befand. Aufgrund der 150 000 ausgegrabenen Artefakte, darunter Delfinschädel, Tonscherben, Muschelobjekte und exotische Materialien wie Basaltäxte aus Georgia, halten sie die Ruine für die älteste Konstruktion Nordamerikas. Vermutlich wurde die Stätte bis zum Kontakt mit den Spaniern vor 400 Jahren ununterbrochen genutzt, wenn auch nur für Zeremonien. Vor der Entdeckung des Kreises glaubten Archäologen, die Ureinwohner Südfloridas seien Nomaden gewesen.

Der Antrag, die Stätte zur National Historic Landmark zu erklären, wurde inzwischen gestellt. Derzeit läuft eine Studie zur Frage, ob sie ein Teil des Biscayne Bay National Park werden soll. Das Bureau of Archaeological Research erstellte eine vorläufige Interpretation und Besucherprogramme. Das Historical Museum of Southern Florida (siehe S. 39) zeigt eine Ausstellung über den Miami Circle und bot bis 2004 Führungen an, dann bedeckte man die Stätte zu ihrem Schutz mit Erde. Weitere Informationen erhalten Sie über das Museum.

🅰 Karte S. 37 ☎ 305/375-1492, www.hmsf.org/collections-miami-circle.htm ■

Ein Wandgemälde an Little Havanas Hauptstraße zeigt das Leben in Kuba vor Castro – viele Kubaner würden gern in ihre Heimat zurückkehren

Little Havana

Das 30 Blocks große Viertel um die S.W. Eighth Street (Calle Ocho) ist für Miami das, was Little Italy für New York ist: ein ethnischer Brückenkopf, wo Immigranten das amerikanische Kapitel ihrer Geschichte zu schreiben begannen und ihre Traditionen bewahren.

Little Havana verläuft von der Banker's Row der Brickell Avenue gen Westen, über den Miami River bis zu Wohngebieten rund um die Florida International University nahe Sweetwater. Viele von Little Havanas bekannteren Attraktionen befinden sich an oder nahe der S.W. Eighth Street zwischen S. Miami Avenue und S.W. 27th Avenue. (Calle Ocho bezeichnet die S.W. Eighth Street sowie ganz Little Havana, so wie sich New Yorks Wall Street auch auf das ganze Bankenviertel im Süden Manhattans bezieht.) Nach den Kubanern kamen Immigranten aus Mittel- und Südamerika, vor allem aus Nicaragua, El Salvador und der Dominikanischen Republik. Ihre Restaurants stehen zwischen etablierten kubanischen Bistros, Obst- *(puestos de frutas)* und Schuhputzerständen *(limpiabotas)*. Kaffeeverkäufer bieten *Media-noche*-Sandwiches und Gläser mit *mojitos* sowie espressoähnlichen *cafecito,* der Männer mit Panamahüten für die *juegos de domino* (Dominospiele) fit macht.

Kritische Gemüter nennen den Geschäftsteil der Calle Ocho schäbig und halten ihren Status als Touristenattraktion für unberechtigt, und wer etwa eine Disneyland-Version des alten Havanna oder eine ethnische Enklave mit dem exotischen Flair von San Franciscos Chinatown erwartet, wird tatsächlich enttäuscht.

Doch noch immer betört Little Havanas Lebhaftigkeit, besonders am Wochenende, wenn Fans lateinamerikanischer Musik die Clubs füllen und man für die besseren Restaurants einen Tisch reservieren muss.

Das Herz der Calle Ocho schlägt zwischen S.W. 12th und S.W. 27th Avenue – der Abschnitt heißt offiziell Latin Quarter. Wie in vielen anderen Großstädten kann es riskant sein, bei Nacht die belebten, beleuchteten Straßen zu verlassen oder an Plätzen zu parken, die abends verlassen sind. Benutzen Sie einfach Ihren gesunden Menschenverstand. ■

Zu Fuß: Calle Ocho

Wenn Sie Little Havana mit Nostalgie sehen und mit den Bewohnern fühlen können, die vor 40 Jahren ihre Heimat verloren haben, können Sie über die ästhetischen Sünden der Calle Ocho – das teils nur simulierte »karibische« Dekor und die von Hand geschriebenen Schilder – hinwegsehen und die Heiterkeit seiner Menschen bewundern.

Fahren Sie mit dem Metrobus Nr. 8 von Miami Avenue und Flagler Street beim Miami-Dade Cultural Center bis zur Kreuzung Calle Ocho und 36th Avenue. Von hier aus gehen Sie die S.W. Eighth Street Richtung Osten, vorbei an Straßencafés *(cafeterias)* und Imbissständen *(fondas)*, an denen Anwohner aus schnapsglasgroßen Pappbechern *café Cubano* trinken. Reservieren Sie eventuell fürs Abendessen einen Tisch im **Versailles** ❶ *(3555 S.W. 8th St., Tel. 305/444-0240; siehe S. 245)*, das Gäste aus der ganzen Stadt anlockt. Die Gerichte sind traditionell (kalorienreich, würzig und süß), von *arroz con pollo* (Reis mit Huhn) bis Flans. Das Versailles ist das netteste Restaurant in der kubanischen Gemeinde, und häufig finden hier politische Veranstaltungen, z.B. verbunden mit Elian Gonzalez, statt. Aber auch Nichtkubaner genießen die fröhliche

Atmosphäre des Prä-Castro-Havanna und die Spiegel an den Wänden, in denen man verstohlen aus den Augenwinkeln die anderen Gäste beobachten kann.

Zwei Blocks östlich liegt der **Woodlawn Park Cemetery** ❷ mit einem schwarzen Marmordenkmal für den Unbekannten Kubanischen Freiheitskämpfer und den Gräbern dreier früherer kubanischer Präsidenten. Auf dem 1913 eingeweihten Friedhof steht auch ein Denkmal für die 400 Todesopfer des Hurrikans, der 1935 über Südflorida wütete. Der Sturm mit der Stärke 5 verwüstete am Labor Day die Florida Keys und zog weiter gen Norden.

Mütter mit Kinderwagen tragen rosa Schachteln von Süßigkeitenläden *(dulcerias)* an der S.W. 32nd Avenue heim. Eine der besten Bäckereien ist **El Brazo Fuerte** ❸ *(1697 S.W. 32nd Ave., Tel. 305/444-7720),*

Wandgemälde an der Calle Ocho

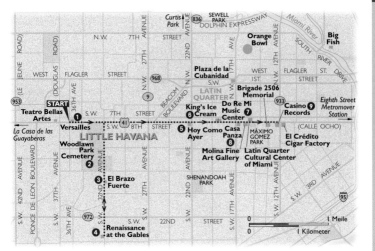

in der alles – außer dem frischen Brot und kubanischen Keksen – mit Zucker, Karamell oder Baiser überzogen ist. Probieren Sie ein *pastelito*, dessen süßer Teig mit Fleisch, Guaven oder Käse gefüllt ist, Eierspeisen namens *señoritas* oder *masareales*, süße Guaventörtchen.

Imbisswagen, *fritangas*, werden zumeist von Nicaraguanern durch die Straßen geschoben. Sie verkaufen gebratenes Fleisch (*carne asada*) mit Tortillas, Bohnen und Reis sowie *baho*, einen Fleisch-Gemüse-Eintopf, und *nacatamal*, mit Reis, Schweinefleisch, Kartoffeln, Oliven und Pflaumen gefüllte, in ein Bananenblatt gewickelte Maisteigtaschen. Kalt zu essen sind *guarapo* mit Sirup und *coco-frio* aus Kokosmilch.

> Siehe auch Karte S. 32/33
> Kreuzung S.W. 8th St. und 36th Ave.
> 10,8 km
> 3 Stunden
> MetroMover-Station 8th St.

UNBEDINGT ANSEHEN

- Versailles
- El Brazo Fuerte
- Hoy Como Ayer
- King's Ice Cream

Bei **Renaissance at the Gables** ❹ *(2340 S.W. 32nd Ave., Tel. 305/445-1313)* bekommen Sie neue kubanische Küche so-

Wie geht man mit Miamis Hitze um?

Wenn man Südfloridas schwülheiße Sommer nicht gewohnt ist, kann man davon schier erschlagen werden. Lassen Sie alles Wollene daheim und tragen Sie leichte Kleidung. Gut geeignet ist etwa die elegante *guayabera*, das traditionelle kubanische Hemd, das man überall in Miami sieht, auch bei geschäftlichen Anlässen. Das weite Hemd, zumeist aus weißem Leinen,

ist zudem ein schönes Souvenir. Calle Ochos beste Adresse für *guayaberas* ist La Casa de las Guayaberas *(5840 S.W. 8th St., Tel. 305/266-9683)*. Ein Taschentuch ist ideal, um Schweiß von der Stirn zu wischen. Wenn es geht, ignorieren Sie die Hitze. Die Einheimischen wissen: Die Temperaturen schlicht hinzunehmen ist der erste Schritt, sie zu meistern. ∎

Trauer um eine verlorene Heimat und um jene, die bei dem Versuch, sie wiederzugewinnen, ums Leben kamen – ein häufiger Anblick in Little Havana

wie mittwoch- bis samstagabends Liveunter-
haltung.

Zurück auf der Calle Ocho, halten Sie Ausschau nach **Hoy Como Ayer** ❺ *(2212 S.W.
8th St., Tel. 305/541-2631)*, wo donnerstag- bis
samstagabends Latino-Bands die Musik
vergangener Zeiten spielen. Die dunkle, heiße
Bar mit Latino-Beats und sexy Publikum
gehört zu den populärsten in Little Havana.
Mick Jagger und Bono von U2 wurden hier
schon gesichtet.

Kaufen Sie sich bei **King's Ice Cream** ❻
(1831 S.W. 8th St., Tel. 305/643-1842) ein Eis
mit so mysteriösen Namen wie *guanabana*
oder *mamey* oder auch eine bekanntere
Sorte wie Kokos oder Mango. Nebenan, in
Nr. 1829, residiert das **Do Re Mi Music
Center** ❼ *(Tel. 305/541-3374)*, ein Laden für
kubanische Musik, darunter Neuauflagen von
Titeln der Prä-Castro-Zeit, als Havannas
Nachtclubs im Sound der Jazz-Bigbands
vibrierten. Die Calle Ocho ist Miamis Top-
meile für Musik aus Latein- und Südamerika
und aus Spanien. Flamencotänzerinnen treten
in der kleinen **Casa Panza** ❽ *(1620 S.W.*

8th St., Tel. 305/ 643-5343) auf, die auch für
superbe spanische Küche bekannt ist. Die
Show geht bis spät in die Nacht, und das jeden
Tag in der Woche.

Nach ein paar Blocks erreichen Sie das
Brigade 2506 Memorial, ein schlichter Tribut
an die kubanischen Emigranten, die 1961 bei
der Invasion in der Schweinebucht (siehe
S. 53) ums Leben kamen. Gegenüber liegt der
Máximo Gómez Park, wegen des Spiels, das
hier – zumeist von älteren Männern – gespielt
wird, auch Domino Park genannt (siehe
S. 57). Einige Blocks weiter präsentiert
Casino Records ❾ *(1208 S.W. 8th St.,
Tel. 305/856-6888)* nach den Herkunfts-
ländern geordnete Musikaufnahmen. An der
Station Eighth Street können Sie in den
MetroMover steigen.

Wenn Sie im Versailles einen Tisch
reservieren haben, gehen Sie dorthin zurück.
Westlich des Restaurants steht das
Teatro Bellas Artes *(3713 S.W. 8th St.,
Tel. 305/325-0515)*, dessen Transvestiten-
Revue mit Latino-Pop samstags um Mitter-
nacht berühmt ist. ■

Brigade 2506 Memorial

MANCHE MONUMENTE SIND SCHNELL VERALTET, DOCH an der Stelle, wo die Calle Ocho die S.W. 13th Avenue kreuzt – Letztere ist in Little Havana als Memorial Boulevard bekannt –, weckt ein schlichtes Steinmonument mit einer ewigen Flamme noch nach über 40 Jahren starke Emotionen. Hätten damals amerikanische Truppen die 2506. Brigade unterstützt, so hätte das Ergebnis anders ausgesehen. Doch innerhalb von drei Tagen waren etwa 1300 Kubaner, die Castro stürzen wollten, auf sich gestellt, gerade auch in den Stunden, nachdem sie am 17. April 1961 an Kubas Südküste in der Bahia de Cochinos (Schweinebucht) an Land gegangen waren. Zeitungen nannten das Unternehmen bald ein Fiasko.

**Brigade 2506
Memorial**
⚐ Karte S. 51

Es begann in Miami, wo Kubaner planten, ihre Insel aus dem bis dahin zwei Jahre dauernden Joch Castros zu befreien. Sie wurden von der CIA ausgebildet und finanziert und waren überzeugt, dass die US-Regierung hinter ihnen stünde (Im Wahlkampf von 1960 hatte John F. Kennedy seine Hilfe im Fall einer Invasion kubanischer Exilanten zugesagt.)

Die meisten Konterrevolutionäre hatten kaum oder gar keine Kampferfahrung. Viele trugen T-Shirts und Turnschuhe und waren mit veralteten Gewehren bewaffnet. Das kubanische Volk erhob sich nicht, um sie zu unterstützen, und die erwarteten US-Flugzeuge blieben aus. Castro führte, in einer Hand ein Gewehr, in der anderen eine Zigarre, seine Truppen in den Kampf. 94 Konterrevolutionäre wurden getötet, die restlichen wurden zu 30 Jahren Haft verurteilt. Etwa zwei Jahre später waren sie – dank 62 Millionen Dollar Lösegeld aus Spenden – wieder in Freiheit. (Einer der Überlebenden war der Vater der Sängerin Gloria Estefan.) Die Inschrift auf dem Denkmal erinnert an »die Märtyrer der Invasions-Brigade vom 17. April 1961«. ■

WANDEL IN LITTLE HAVANA

Mit den neuen Immigranten wird Little Havana kosmopolitischer. Im Jahr 2000 berichtete die US-Behörde für Bevölkerungsstatistik, dass von Little Havanas 93 000 Einwohnern nur noch 48 Prozent Kuba-Amerikaner seien. Aus Nicaragua stammten zwölf Prozent, aus Honduras fünf Prozent, aus Guatemala, Puerto Rico und Kolumbien jeweils zwei Prozent. In den letzten zehn Jahren haben sich Kuba-Amerikaner integriert, und viele zogen in umliegende Orte, während andere spanischsprachige Einwanderer aus der Karibik sowie aus Mittel- und Südamerika ihren Platz einnehmen. ■

Pläne zum Sturz Fidel Castros

Manuel Artime besuchte 1960 und 1961 häufig das unauffällige Haus im Ranch-Stil an der Poinciana Avenue, zwischen Le Jeune und Douglas, in Miami. Mieter des von Bäumen und einem hohen Zaun umgebenen Hauses war ein großer Mann, der in seiner Freizeit Agentenromane schrieb. Sein Name: E. Howard Hunt, ein CIA-Agent, mit dem Artime und seine Kameraden, darunter frühere kubanische Amtspersonen, eine Regierung entwarfen, die Castros Regime ersetzen sollte. Jahre später erinnerte sich Hunt amüsiert an eine Nachbarin, die bemerkte, dass bei den nächtlichen Zusammenkünften nie Frauen dabei waren, und über seine sexuelle Orientierung Mutmaßungen anstellte. »Sie arrangierte ein Treffen mit ihrer frisch geschiedenen Tochter«, erzählte Hunt, der später für seine Rolle in Nixons Watergate-Skandal 32 Jahre im Gefängnis sitzen sollte. »Dass ich bereits verheiratet war, konnte ich nicht zugeben. Da ich also der Tochter keine Avancen machte, fühlte sich die Mutter in ihren Vermutungen bestätigt. Das war gut, so war ich als Geheimagent noch besser geschützt.« Das Haus steht heute nicht mehr. ■

New-World-Küche

Küchenchefs in Greater Miami kreierten, inspiriert durch die kulinarischen Traditionen der diversen hier angesiedelten Nationalitäten, eine Küche, deren Schlüsselbegriffe »Frische« und »Bekömmlichkeit« sind und zu deren Hauptzutaten Früchte gehören – je exotischer, umso besser. Man findet sie in Obstsalaten, Salsas, Chutneys, Kompotten und Desserts. Sie werden für Brot, in Eiscreme und Mousse verwendet, in Soßen und Brotaufstriche gerührt und sogar Weinen zugesetzt. Key-Limonen, Mangos und Kumquats gehören zu den bekannteren Stars dieser innovativen Cuisine.

Weniger geläufige Früchte sind:
Acerola – die »Barbados-Kirsche« schmeckt wie eine säuerliche Erdbeere. Eine hat 20- bis 50-mal so viel Vitamin C wie eine Orange.

Atemoya – herzförmig oder rund mit hellgrüner, unebener Haut und saftigem, weißem Fruchtfleisch, schmeckt nach Piña Colada.

Bignay – eine süßsaure Frucht, die weißen Trauben ähnelt. Sie enthält viel Vitamin A und wird zu Wein verarbeitet.

Black sapote – ein grüner Vetter der Dattelpflaume, manchmal wegen des süßen, schokoladenbraunen Fleischs auch Schokopudding-Frucht genannt. Wird oft nur mit Vanille- oder Zitronensoße serviert, aber auch für Mousse und Eiscreme verwendet.

Calomondin – der Verwandte der Kumquat ähnelt einer kleinen Orange und hat eine essbare Schale. Schmeckt ähnlich wie eine Zitrone, beliebt für Eingemachtes.

Carambola – aufgrund ihrer Form, wenn man sie in Scheiben schneidet, auch Sternfrucht genannt. Die goldene Frucht macht sich als Garnierung hervorragend. Je nach Sorte schmecken Karambolen nach Apfel, Traube oder Zitrone, manchmal süß, manchmal herb.

Ciruela – eine dekorative rote oder orangefarbene Frucht in Größe und Form einer Eiertomate. Das cremefarbene oder rote Fleisch erinnert geschmacklich an Erdnüsse.

Guava – das große Mitglied der Beerenfamilie ist in Greater Miami sehr gebräuchlich. Guaven gibt es in vielen Formen und Sorten mit weißer, gelber, grüner oder rosafarbener Haut. (Die gelbe Sorte ist die süßeste.) Das Fruchtfleisch erinnert manche an Erdbeeren, andere an Ananas oder auch Zitronen. Auf Miamis Speisekarten findet man Nektar, Eingemachtes, Soßen und Desserts aus Guaven. Es gibt sie in Dosen oder als Paste in Tuben zu kaufen. Damit können Sie daheim Ihre eigenen *pastalitos* backen.

Jackfruit – die Jackfrucht ist die größte Baumfrucht der Welt und wiegt bis zu 40 Kilogramm. Die ovale Frucht mit unebener Haut ist gelb oder braun, wenn sie reif ist; ihr Fleisch erinnert an Melonen, Mangos und Papayas. Manchmal wird sie wie Gemüse gegart, die nach Kastanien schmeckenden Samen werden geröstet und als Gewürz verwendet.

Kiwi – eine Grundzutat in der New-World-Küche, oft als Garnierung verwendet. Die eigroße Frucht mit brauner, haariger Haut hat grünes Fleisch mit kleinen, schwarzen, essbaren Samen und schmeckt wie eine Mischung aus Banane, Pfirsich und Erdbeere. Sie wird in Obstsalaten, Kompotten, Eiscreme und Eingelegtem serviert.

Monstera – gurkenförmige Frucht, die während der Reifung hellgrüne Schuppen verliert. Ihr weiches Fleisch ist süßsauer und wird oft in Desserts verarbeitet oder pur gegessen.

Muscadine grape – die in Florida heimische Traube ist größer als die meisten anderen Traubensorten, hat hellgrüne, braun gesprenkelte Haut und ein moschusartiges, fruchtiges Aroma. Sie wird für Saft und Eingemachtes verwendet und zu Wein (*scuppernong*) gekeltert.

Papaya – in Greater Miami ist die kleine, gelbliche, birnenförmige Solo-Papaya am gebräuchlichsten. Ihr süßes, aromatisches Fleisch erinnert entweder an Pfirsiche, Aprikosen oder Beeren. Serviert wird sie mit etwas Zitronensaft oder in Salaten, Salsas und Desserts.

Sugar apple – die Haut des herzförmigen Zuckerapfels ist mauve- oder cremefarben oder gelbgrün und bricht auf, wenn die Frucht reif ist. Innen finden sich zitronenähnliche Spalten mit cremigem, süßem Fleisch (manchmal weiß, manchmal gelb). Die Frucht wird häufig für Eiscreme verwendet. (Fragen Sie nach dieser Spezialität bei King's Ice Cream, siehe S. 52.) ∎

Kunstvolle Präsentation gehört zu Miamis moderner Küche, die Augen und Gaumen gleichermaßen erfreut

Drei kubanische Kunstgalerien

IN DEN LETZTEN JAHREN HABEN SICH KUNST UND KÜNST-
ler in Little Havana ausgebreitet. Es gibt zwar nicht den typischen
Miami-Stil, doch die aufkeimende Kunstrichtung erinnert nostal-
gisch an das alte Kuba und andere lateinamerikanische Länder.

Die **Xavier Cortada Art
Gallery** präsentiert Werke dieses
Künstlers. Cortada verbindet die
kubanische Moderne, eine Art
Expressionismus, mit schwarzen
Umrissen und kräftigen,
tropischen Farben. Seine Themen
reichen vom amerikanischen
Traum bis zum alten Kuba, von
Aids bis Sport. Außer in seiner
eigenen Galerie sind seine Arbeiten
in Washington (Weißen Haus,
Weltbank-Gruppe), in Floridas
Oberstem Gerichtshof, im Miami

Art Museum und – als Wandgemälde – in ganz Little Havana zu
sehen.

Das **Latin Quarter Cultural
Center of Miami** zeigt südamerikanische Kunst. Außerdem will
das Zentrum auch den Stolz der
Gemeinde fördern, insbesondere
durch Programme für Kinder und
Senioren.

Jeweils am letzten Freitag im
Monat ist *vierne culturale*, dann
sind von 19 bis 23 Uhr Calle Ochos
Straßen eine Art Freiluftgalerie.
Die Feier mit über 100 Künstlern
verschiedenster Genres und
Medien, mit Musikern und Imbissständen besuchen regelmäßig etwa
3000 Leute.

In der **Molina Fine Art
Gallery** *(1634 S.W. 8th St.,
Tel. 305/642-0444, Eintritt frei)*
können Besucher die farbenfrohen Ölgemälde und Drucke des
Kubaners Luis Molina betrachten
und erstehen. Molina ist für seine
afrokubanischen Folklore-Arbeiten
bekannt, auf denen sich Mulatten-
Bauern sowie Papageien, Hähne
und andere Tiere tummeln.
Santeria, die Religion, in der
afrikanische Gottheiten und
katholische Heilige zusammen-
treffen, ist ein wichtiges Thema
seiner Werke. Außerdem ist er
Mitglied der »Voices For
Freedom«, welche Dutzende von
Intellektuellen unterstützen, die
Castro 2003 inhaftieren ließ. ∎

Xavier Cortadas *Bishop Verot*
**hängt in seiner kleinen Galerie in
Little Havana**

Máximo Gómez Park

Ernsthafte
Dominospieler
vor einem
Wandgemälde
amerikanischer
Staatsmänner

WENN SIE IN DIESEM PARK AN DER ECKE CALLE OCHO UND S.W. 15th Avenue den Dominospielern zuschauen, werden Sie vielleicht Zeuge, wie inmitten des Klapperns der hölzernen Spielsteine – einer beliebten kubanischen Freizeitbeschäftigung – über Kubas Vergangenheit und Zukunft diskutiert wird. Der kleine Park, auch Domino Park genannt, ist zwar nicht sehr eindrucksvoll, aber ein beliebtes Denkmal für Little Havanas Gründergeneration.

Den Dominospielern, zumeist älteren Männern in weiten Hemden oder *guayaberas*, schauen Regierungschefs aus Nord-, Mittel- und Südamerika über die Schulter. Sie wurden auf die Wände gemalt, nachdem sich die Porträtierten 1994 in Miami zum Amerika-Gipfel getroffen hatten.

An der Südwestecke von W. Flagler Street und S.W. 17th Avenue, auf der **Plaza de la Cubanidad**, trägt ein Brunnen die Inschrift *Las palmas son novias que esperan* (»Die Palmen sind wartende Geliebte«). Die Worte stammen von José Martí, dem kubanischen Dichter des 19. Jahrhunderts, bekannt für seinen Widerstand gegen die spanische Kolonialmacht. Palmen symbolisieren nach wie vor die Sehnsucht nach einer Insel ohne Gewaltherrschaft. ■

Eine Tasse José

Wenn Sie Koffein mögen, sollten Sie unbedingt in eine von Little Havanas Straßen-Cafeterias auf einen *café Cubano* gehen. Für dieses starke Gebräu wird Zucker schon zu den gemahlenen Bohnen gegeben, der fertige, espressoartige Kaffee wird dann nochmals gezuckert. Wenn Sie auf Englisch einen *coffee* bestellen, bekommen Sie eine *colada*, einen Espresso in einer schnapsglasgroßen Tasse. Wollen Sie mehr als den Standard-*Norteamericano* »*cuppa Joe*«, bitten Sie um *café con leche* aus einem Teil kubanischem Kaffee und zwei Teilen Milch. ■

Máximo Gómez Park
⚠ Karte S. 51

El Crédito Cigar Factory

AM 3. FEBRUAR 1962 VERBOT US-PRÄSIDENT JOHN F. KENNEDY jeglichen Handel mit Kuba. Er wollte damit Castros angespannte Wirtschaftslage schwächen und Kubas Bestreben, die Revolution nach Amerika zu »exportieren«, behindern.

**El Crédito Cigar
Factory**

◭ Karte S. 51

✉ 1106 S.W. 8th St.

☎ 305/858-4162 oder
800/726-9481

🕓 Geschl. So

Das Embargo war fatal für Floridas Zigarrenindustrie, die damals ausschließlich auf kubanischen Tabak angewiesen war. Der Tabak in den Lagerhäusern reichte noch zehn Monate – dann verloren ca. 6000 Zigarrenarbeiter ihre Jobs. (Am Tag bevor er das Embargo bekannt gab, schickte Zigarrenfan Kennedy einen Mitarbeiter los, um in und um Washington seine Lieblingszigarren aufzukaufen.) In Südflorida gingen viele Zigarrenproduzenten bankrott. Zu jenen, die nicht schließen mussten, gehörte Calle Ochos El Crédito Cigar Factory, in der die aromatischen Zigarren von Hand gefertigt werden – die Tabakblätter werden mit gerundeten Klingen geschnitten, vorsichtig gerollt und in Schraubstöcken gepresst –, so wie es seit der Firmengründung in Havanna im Jahr 1807 gemacht wird.

Dies ist Miamis größte Zigarrenfabrik mit ca. zwei Dutzend Beschäftigten, die aus dominikanischem Tabak mithilfe von Plastikpressen hoch geschätzte Zigarren wie *La Gloria Cubana* herstellen. Im Fabrikladen kann man die Zigarren einzeln oder en gros kaufen. 2003 feierte El Crédito sein 35-jähriges Bestehen in Miami. ◼

Den Zigarrendrehern, hier in der Fabrik El Crédito, wurde einst von einem Kollegen vorgelesen, damit die Zeit schneller verging

Wie raucht man eine Zigarre?

• Knipsen Sie mit einem Zigarrenschneider oder einem Messer das Endstück nahe der Bauchbinde ab.

• Beschädigen Sie nach Möglichkeit das Deckblatt nicht.

• Zum Anzünden halten Sie die Zigarre waagerecht und drehen das Ende über einem Streichholz, bis es gleichmäßig glüht.

• Nehmen Sie die Zigarre in den Mund und ziehen Sie leicht daran.

• Inhalieren Sie den Rauch nicht, sondern nehmen Sie ihn in den Mund auf und lassen ihn wieder ausströmen.

• Halten Sie die Zigarre nur mit den Lippen fest.

• Achten Sie darauf, die Zigarre nicht zu sehr mit Speichel zu befeuchten.

• Rauchen Sie langsam, nicht mehr als zwei Züge in der Minute.

• Das Rauchen einer Zigarre dauert zwischen einer halben und eineinhalb Stunden – etwa 50 Züge.

»Der echte Raucher«, verfügte August Barthélemy, Verfasser von *L'Art de fumer pipe et cigare* (1849), »sieht davon ab, den Vesuv zu imitieren.«

Zur Verfügung gestellt von Barnaby Conrad III., Autor von *The Cigar* (Chronicle Books, 1996). ◼

Dieses Boot aus Steinblöcken und Holzbalken auf dem Campus der Florida International University ist nicht seetüchtig, macht aber Eindruck

Weitere Sehenswürdigkeiten

FROST ART MUSEUM IN DER FLORIDA INTERNATIONAL UNIVERSITY

Das Kunstmuseum wurde 1977 auf dem Campus der Universität bei Sweetwater als Studentengalerie gegründet. 30 Jahre später befindet sich in dem nüchternen, jedoch eindrucksvollen Betonbau eines der bestgeführten Museen für latein- und nordamerikanische Kunstwerke des 20. Jahrhunderts. (In den letzten Jahren wählten die Leser von Miamis alternativer *New Times* es mehrmals zu einem der besten Museen Miamis.) Die Sammlung mit Künstlern aus Kuba und Florida gehört zu den interessantesten im ganzen Staat.

Bei einem Spaziergang durch den Skulpturenpark sieht man Monumentalwerke von Alexander Calder, Anthony Caro, Willem de Kooning, Isamu Noguchi und anderen Meistern. Die Website des Museums (*www.frostartmuseum.org*) präsentiert die Fülle seiner Exponate, die es größtenteils den großzügigen Spenden privater Sammler verdankt. Planen Sie bei der Erkundung von Little Havana unbedingt einen Besuch des Museums – auf der S.W. Eighth Street 20 Minuten Autofahrt – ein.

🅰 32 A2 ✉ FIUs University Park Campus, S.W. 107th Ave. und 8th St. ☎ 305/348-2890 🕐 täglich, außer beim Wechsel der Ausstellungen 💲 Eintritt frei

LITTLE HAVANAS ALLJÄHRLICHE BLOCK-PARTY

Wenn Sie Ende Februar, Anfang März in Miami sind, haben Sie Gelegenheit, den Carnaval Miami International zu erleben, das größte hispanische Kulturfestival im ganzen Land. Neun Tage lang steigen Konzerte, Paraden und Wettkämpfe, z. B. ein Golfturnier auf dem faszinierenden Platz des Biltmore Hotel in Coral Gables. Schlusspunkt bildet das von Little Havanas Kiwanis Club gesponserte Straßenfest mit Kunst, Tanz, Musik und kulinarischen Genüssen, bei dem Tausende die Calle Ocho zwischen der 4th und 27th Avenue bevölkern.

Wenn Sie daran teilnehmen wollen, fahren Sie mit dem MetroMover zur Eighth Street. Von hier aus müssen Sie zwar ein bisschen laufen, aber Sie vermeiden Staus und Parkplatzsuche. Der Metrobus Nr. 8 fährt von der Kreuzung Miami Avenue/Flagler Street (gleich östlich vom Miami-Dade Cultural Center,

siehe S. 38f) ins Herz von Little Havana.
Steigen Sie am besten auf der Calle Ocho,
Ecke 36th Avenue, aus, wo die Leute auf
einen Tisch auf der Terrasse des Restaurants
Versailles *(3555 S.W. 8th St., Tel. 305/445-
7614)* warten. Informationen über die Party
erhalten Sie unter der Telefonnummer
305/644-8888 (Bandansage) oder auf der
Website der Salsaweb Internet Company
(www.carnavalmiami.com).

MIAMI RIVER

Auf dem Fluss, der sich malerisch durch
Little Havana schlängelt, verkehren Schlepper,
kleine karibische Frachter, Fischerboote und
Luxusliner, am Ufer liegen Bootswerften,
Fischereien, Speicherhäuser und Yachthäfen.
Hier lebt sogar eine kreative Künstlerge-
meinde in Hausbooten. Die Entwässerung
im frühen 20. Jahrhundert schnitt den Miami
River von seiner Quelle in den Everglades, die
damals bis zur heutigen 32th-Avenue-Brücke
reichten, ab. Heute wird er von Kanälen
gespeist. Östlich der 24th Avenue folgt der
Fluss noch seinem ursprünglichen Lauf. Die
öffentlichen Parks am Flussufer sind voller
Spaziergänger und Radfahrer, die die gelegentlich passierenden exotischen Boote bewundern. Eine der schönsten Grünanlagen ist der
zugewucherte **Sewell Park** am Südufer auf
Höhe der 17th-Avenue-Brücke. Picknicktische
und Miamis einzige öffentliche Bootsrampe
bietet der **Curtiss Park** flussaufwärts am
Nordufer *(N.W. 20th St. gen Westen zur N.W.
22th Ave.)*.

Wenn Ihnen dieser Teil der Stadt gefällt,
suchen Sie das hübsche kleine Miami River
Inn (siehe S. 245) auf, eine Bed-and-Breakfast-
Pension am South River Drive. Es besteht aus
mehreren restaurierten Schindelhäusern aus
dem frühen 20. Jahrhundert mit Holzböden
und Garten. Die altmodischen Gästezimmer
sind voller Antiquitäten, es gibt sichere Parkplätze, einen Pool, und die Gäste können das
Fitnesscenter des nahen YMCA nutzen.

🅐 33 E3
Miami River Inn ✉ 118 S.W. South River Dr.
Ecke S.W. 4th Ave. ☎ 305/325-0045

ORANGE BOWL

Von 1935 bis 1996 feierten an jedem Neujahrs-
wochenende Football-Fans im berühmten
Stadion der University of Miami den Football-
Klassiker Big Eight – nur selten war das huf-
eisenförmige 74 000-Plätze-Stadion, das nicht
so recht in die Umgebung Little Havanas
passt, nicht ausverkauft. Die University of
Miami Hurricanes spielen noch immer hier,
aber der Wettkampf im Januar findet nun
25 Kilometer nordwestlich der Downtown im
Pro Player Stadium statt.

Bis 1986 war die Orange Bowl 20 Jahre
lang Heimatstation der Profi-Footballer
Miami Dolphins, ehe sie ins Pro Player um-
zogen. Die Anzeigetafel der Orange Bowl ist
zwar regelmäßig defekt, und die Toiletten
sind häufig unter Wasser gesetzt, doch noch
immer lieben Miamis Bewohner das rostige
Relikt und sein Spielfeld mit echtem Gras –
schließlich hatte es in den finsteren Jahren
der Depression Miami in die Liga der
amerikanischen Footballzentren gebracht
und Hoffnung geschürt. Es ist vielleicht
eine Schrulle des Sports, aber tatsächlich
konnte das hiesige Universitätsteam hier
jahrelang nicht verlieren, weil die geradezu
elektrisierende Spannung unter den Fans
ihrer Mannschaft zum Sieg verhalf und bei
gegnerischen Mannschaften ein Gefühl der
Aussichtslosigkeit bewirkte. Spielpläne und
weitere Informationen liefert z. B. die Website
des Stadions.

🅐 Karte S. 51 ✉ 1501 N.W. 3rd St., zwischen
7th St. und Flagler St. sowie zwischen 12th Ave.
und 17th Ave., Miami, FL 33125 ☎ 305/643-
7100; www.orangebowlstadium.com
💲 $$–$$$$$

TOWER THEATER

Das Kino an der Kreuzung beim Máximo
Gómez Park in Little Havana spielte für
viele kubanische Emigranten, die ab 1959
nach Miami kamen, eine wichtige Rolle.
Das 1926 errichtete und 1931 sowie 2000
umgebaute und kürzlich renovierte Art-
déco-Gebäude hat eine klassische Anzeigen-
Markise und einen zwölf Meter hohen,
beleuchteten Stahlturm auf dem Dach.
Nach der Renovierung entwickelte es sich
zum kulturellen Treffpunkt. In den zwei
Kinosälen laufen fremdsprachige und
Independent-Filme.
✉ 1508 S.W. 8th St. ☎ 305/237-6180
(City of Miami) ∎

Ein Segelboot am Rand des Golfstroms vor North Miamis Golden Beach

North Miami

Nördlich der Flagler Street in Downtown Miami tragen die Straßennamen das Präfix »North«. Die Straßen auf der Bay-Seite der Miami Avenue gelten als »Northeast«, jene auf der Everglades-Seite als »Northwest«. Tatsächlich sind aber die Grenzen zwischen Miamis nach Himmelsrichtungen eingeteilten Bezirken nicht präzise – müssen sie auch nicht sein (es sei denn, man will Straßenkarten lesen …).

Müssten Sie die Nordgrenze Miamis bestimmen, würden Sie wenig Widerworte hören, wenn Sie von der Biscayne Bay eine Linie gen Westen nach Aventura, Golden Beach und Golden Shores zögen, der Grenze zwischen den Countys Dade und Broward bis Florida's Turnpike und dann dieser Mautstraße in südwestliche Richtung, zwischen Hialeah und den Everglades hindurch und dann gen Süden nach Sweetwater folgten. Innerhalb dieses Viertelkreises liegt Nordwest-Miami. Es verläuft von der I-95 etwa 14 Kilometer nach Westen, wo Industriegebiete schließlich in Farmland übergehen, das den Everglades abgewonnen (Umweltschützer sagen: gestohlen) wurde.

Hialeah und Opa-locka sind die bekanntesten Gemeinden im Nordwesten. Ersteres, ein Patchwork aus Wohn- und Gewerbegebieten, ist den meisten Nicht-Floridianern nur wegen der berühmten Rennbahn für Vollblutpferde ein Begriff. Nördlich von Hialeah liegt Opa-locka, dessen fantasiereiche maurische Architektur der Faszination zu verdanken ist, die ein Bauherr bei Richard F. Burtons *Arabian Nights* – Nacherzählungen von nahöstlichen Fabeln, die das Alltagsleben mit romantischen Fantasien vermischen – empfand. Westlich von Opa-lockas Flughafen liegen die Miami Lakes, wo das Zurückdrängen der Everglades eine Ebene mit Seen hinterließ, die inmitten von Golfplätzen und Privatanwesen schimmern.

Miamis nordöstlicher Quadrant ist viel kleiner und überwiegend ein Wohngebiet, dessen Bauten von Bungalows aus den Tagen des Landbooms bis zu Apartmenthochhäusern reichen, mit Blick auf Golfplätze sowie die von Yachten befahrene nördliche Biscayne Bay und den Atlantik. Um zu North Miamis Parks, Museen, Wohnviertel und Kuriositäten zu gelangen, brauchen Sie einen Wagen – dabei wird Ihr erster Eindruck, dass diese Gegend nur Golfplätze und Schnellboote zu bieten hat, schnell widerlegt. ∎

Ein Künstler in North Miami macht eine Pause von seiner kreativen Arbeit

Miami Arts & Design District

WIE HÄUFIG IN AMERIKANISCHEN STÄDTEN, SO HABEN Künstler auf der Suche nach preisgünstigen Ateliers dem Teil von Nordost-Miami, der etwa von N.E. Second Street bis N. Miami Avenue und zwischen 36th und 41st Street liegt, zu einem Aufschwung verholfen. Noch vor etwa zehn Jahren galten die blumengeschmückten Straßen vor allem nachts als gefährlich, doch wie in New Yorks East Village haben Maler und Bildhauer, Medienkünstler und Fotografen sie vor weiterem Verfall bewahrt.

Arts & Design District

🗺 33 F3

Zu der Zeit, als F. Scott Fitzgerald (1896–1940) in St. Paul, Minnesota, seinen ersten Roman schrieb, war dieser Stadtteil als Decorators Row bekannt, wo Innenarchitekten und Dekorateure sich in Fachgeschäften mit Material eindeckten. Heute können hier alle in den Antiquitäten- und Stoffläden, Möbelschreinereien und Fabrikläden einkaufen. An der Fortieth Street zwischen N.E. Second und N. Miami Avenue findet man eleganten Schnickschnack und Exotika. Wenn Sie an Antiquitäten interessiert sind, besuchen Sie den **Evelyne Poole Showroom** *(3925 N. Miami Ave., Tel. 305/573-7463)* oder **Artisan Antiques** *(110 N.E. 40th St., Tel. 305/573-*

5619). In kleinen Cafés zwischen den Läden debattieren Designer die Bedeutung beispielsweise von Le Corbusier oder der Bauhaus-Gruppe. Der blumengeschmückte Hof des **District Restaurant & Lounge** *(35 N.E. 40th St., Tel. 305/573-8221)* bietet Ruhe vom Straßenlärm, ebenso **Grass Restaurant & Lounge** mit eher karibisch-indonesisch anmutendem Ambiente *(28 N.E. 40th St., Tel. 305/573-3355).*

Die meisten Galerien und Schauräume schließen bei Sonnenuntergang. Doch am letzten Freitag im Monat haben alle Galerien, Läden, Ateliers und Bistros von 19 bis 22 Uhr geöffnet, oftmals fallen in diese Zeit auch Vernissagen. ■

Museum of Contemporary Art

IN MIAMI NENNT MAN DAS 1996 ERÖFFNETE, 2130 QUADRAT-meter große Museum nach seinen Initialen MoCA, und die Stadt ist sehr stolz auf dieses schon heute renommierte Museum.

Museum of Contemporary Art
www.mocanomi.org
🅰 33 F5
✉ 770 N.E. 125th St. zwischen N.E. 7th Court & 8th Ave., bei I-95
☎ 305/893-6211
🕐 Geschl. Mo
💲 $–$$

Wie das Original-MoCA in Los Angeles hat die Hauptgalerie dieses Museums das Ambiente eines zum Atelier umgebauten Lagerhauses – jene Art von Arbeitsraum, die Künstler suchen

Mexikanerin Frida Kahlo, ihrem Gatten Diego Rivera und dem weltweit bekannten Frank Stella.

Ob die Ausstellungen nun Ihrem Geschmack entsprechen oder nicht – den roten Faden

und mögen. Der große Raum verkörpert die »erste Liga« und stellt unterschiedliche Werke aus nah und fern aus. Ein etwas kleinerer Raum präsentiert das Neueste vom Neuen, häufig von einheimischen Künstlern.

Die Ausstellungen repräsentieren insbesondere die Avantgarde der ganzen Welt, zuweilen Multimedia-Installationen und Fotografien, die die Definition von Kunst erweitern, vornehmlich aber Gemälde und Skulpturen von Meistern wie z. B. dem Neoexpressionisten Julian Schnabel.

Die Hauptausstellungen des MoCA widmen sich jeweils dem Werk von Kunstlegenden wie der

bilden immer hohe Qualität und ernsthaftes Bemühen. Das Museum widmet sich auch den Arbeiten lateinamerikanischer Künstler und Regisseuren, deren Filme neben anderen Avantgardestreifen im ansprechenden Innenhof gezeigt werden.

Auch wenn Sie wenig Zeit haben, besuchen Sie den exzellenten Museumsladen mit seinem ausgesuchten Sortiment an Kunstbüchern, Ausstellungskatalogen und Werken der Dauerausstellung im Postkartenformat. Das Museum bietet auch spezielle Architekturführungen durch North Miami, z. B. durch das Morningside-Viertel (siehe S. 64). ■

Neue Kunst ist die Spezialität des MoCA

Morningside

GLEICHZEITIG MIT DEM AUFSCHWUNG DES DESIGN DIS-
trict begann das Interesse an Miamis älteren Wohnvierteln, vor allem
an jenen, die im Boom der 1920er-Jahre und in den ersten Jahren der
Depression entstanden. Morningsides Bungalow-Enklaven am Biscayne Boulevard waren zuvor nahezu in Vergessenheit geraten.

In den 1920er-Jahren hatte man
eine Vorliebe für architektonische
Spielereien. Es genügte nicht mehr,
einfach ein Haus zu bauen – es
musste ein Thema haben. Vorherr-
schend waren z. B. der Missionsstil,
der die spanischen Kolonialkirchen
im weit entfernten Kalifornien
nachahmte, und der mediterrane
Stil: Kopien verschiedenster Häuser
des Mittelmeerraumes. Diese Bau-
weisen waren zu der Zeit, als man
in Morningside baute, in ganz
Amerika modern.

Die Themenhäuser in Morningside sind der starken Hand der
Stadterneuerung entkommen, und
heute werden sie von designbe-
wussten Leuten hoch geschätzt.
Vor einigen Jahren bemühten sich
Restaurierungsbefürworter erfolg-
reich darum, Morningside zur
historisch wertvollen Stätte erklären

zu lassen. Zu den schönsten Wohnhäusern gehören das mediterrane
John Nunnally Home und ein
frühes Beispiel für den Missionsstil
am 5940 N.E. Sixth Court, zwischen
N.E. 59th und N.E. 60th Street,
beide in Privatbesitz.

Man kann zwar durch Morningside fahren, doch hier und da
sperren Blockaden die Zufahrten
vom Biscayne Boulevard zu den
hübschen Straßen ab. Am besten
parken Sie den Wagen irgendwo
am Biscayne Boulevard und gehen
zu Fuß weiter. Morningside ist
nicht besonders groß, es reicht von
der Küste bis etwa zum Biscayne
Boulevard bzw. von der N.E. 60th
bis zur N.E. 50th Street. (Das
Museum of Contemporary Art –
siehe S. 63 – bietet gelegentlich
Architekturführungen durch
Morningside an.) ∎

El Portal Burial Mound

**El Portal Burial
Mound**

 33 F4

✉ 500 N.E. 87th St.

IN EINEM WEITEREN VIERTEL NORTH MIAMIS, BEKANNT als El Portal, ist die historische Architektur weitaus älter. Seit Jahren graben Hausbesitzer und Stadtarbeiter Pfeil- und Steinspitzen, Tonscherben und Stücke von Muschelwerkzeugen aus – Zeugnisse vom Leben der Indianer vor etwa 1800 Jahren. Hier soll eines der etwa Dutzend Tequesta-Dörfer gelegen haben, die man im Dade County bisher identifizieren konnte. In dem hiesigen öffentlichen Park befindet sich ein Friedhof der Tequesta; in den gesamten USA sind nur zwei öffentlich zugänglich.

Erwarten Sie nicht zu viel; Ihre Vorstellungskraft ist gefordert, wenn Sie vor dem harmlosen grünen Hügel namens Little River Mound stehen. (Der kleine Bach, der hier vorbeiplätschert, ist Teil eines der vielen Kanäle Miamis.) Der ca. 1,20 Meter hohe Hügel mit einem Umfang von 15 Metern war die erste Stätte im Dade County, die Archäologen erforschten.

Dennoch weiß man nicht wirklich viel darüber. Archäologen im Dienst des Dade County preisen die Stätte, die sie für einen Platz für Begräbnisrituale halten und die wohl zu einem Tequesta-Dorf gehörte, das vermutlich um 500 v. Chr. gegründet wurde.

Der Hügel wurde später, vermutlich zwischen 1200 und 1500 n. Chr., auf einem Gelände angelegt, auf dem man dafür Bäume fällte.

Wissenschaftler spekulieren bis heute über die Herkunft der Tequesta. Einige meinen, sie kamen vor rund 3000 Jahren nach Südflorida, gestehen aber ein, dass es hier schon viel früher menschliche Behausungen (nicht unbedingt der Tequesta) gab. Die spärlichen archäologischen Funde, zumeist Tonscherben und Muscheln, geben jedoch kaum Aufschluss darüber.

Den Grabhügel nahe dem Little River, östlich der I-95 bei der 79th Street und North Miami Avenue, kann man kostenlos besichtigen. Eine weitere archäologische Stätte sieht man von der Brickell-Avenue-Brücke aus, wenn man Richtung Süden blickt. ■

**Im Schatten von
Bäumen wurden
auf dieser jahr-
hundertealten
Stätte Tequesta-
Indianer beige-
setzt**

Architektonische Fantasien

Zu Beginn der 1920er-Jahre entstand Floridas erster bekannter Architekturstil: der neomediterrane Stil. Wie der Mittelmeerraum selbst reflektiert er verschiedene Kulturen – toskanische, venezianische, spanische, andalusische, maurische und römische – und leiht sich sogar Elemente des alten Griechenlands und aus dem Frankreich der Renaissance. Die Bungalows gleichen nicht selten kleinen Palazzi.

Miami, eine Stadt, die sich rühmt, einem unwirtlichen Gelände aus Sumpf und Dünen abgetrotzt worden zu sein, wollte eine Architektur, die der Fantasie entsprang. Dies war schließlich ein Land, das in Europa von den Konquistadoren bekannt gemacht worden war, die als romantische Helden galten und La Florida eine dauerhafte Einladung auf den Kostümball der historischen Fantasien versprachen.

Das Charakteristikum des neomediterranen Stils war »scheinbares Alter«. Außenmauern wurden so gefärbt, dass sie denen in Rom glichen. Dachschindeln und Bodenfliesen ähnelten jenen in Sizilien. Für Architekten bot der Stil die Chance, in Holz und Stuck zu schwelgen. Das Zauberwort hieß Täuschung – die Residenz eines Millionärs sah z. B. aus wie ein verfallenes spanisches Kloster. Balken wurden in Salzwasser gelegt, mit Säure geätzt und mit Meißeln bearbeitet. Eisenobjekte wurden verbeult und Beton mit Waschsoda behandelt. Aufgrund von Miamis Wunsch nach falschem Altertum entstanden Mal- und Gipstechniken, die noch heute verwendet werden. Fabriken wurden gegründet, die Innenarchitekten mit »Stilmöbeln«, Schmiedeeisen, Kacheln und sogar Buntglasfenstern belieferten, »Orientteppiche« und »mittelalterliche« Gobelins wurden gewebt. Viele Häuser schienen mit Gegenständen spanischer Konvente eingerichtet zu sein.

Die besten unter Miamis »Traumhändlern« schufen in Wohnhäusern nahezu theatralische Kulissen. Ein Anwaltsbüro wurde zur Suite eines venezianischen Aristokraten aus dem 16. Jahrhundert, das Wohnzimmer eines Bankiers war ein spanischer *ranchero*. Diese Mode bestimmte die Roaring Twenties und ebbte in der Depression ab, als Architekten in die Knechtschaft von Moderne und Streamline gerieten, die die neuen Technologien symbolisierten, die Amerika vor dem wirtschaftlichen Crash retten sollten.

Etwa zu der Zeit, als der Mittelmeerstil florierte, bewegten die Visionen von Miamis anderem heimischem Architekturstil die Gemüter des Bauherrn und früheren Flugzeugdesigners Glenn Curtiss, Erfinder des Doppeldeckers Curtiss Jennie. Der »Krieger der Lüfte«, der 1910 mit einem Fluggerät von Albany nach New York City geflogen war, nutzte seinen Prominentenstatus, um Investoren aufzutreiben. Der Flieger und sein Architekt Bernhardt Muller hatten eine Schwäche für die arabischen Märchen aus The Arabian Nights. In Hollywood wurden im Zuge des Arabien-Booms 1916 *A Princess of Baghdad*, 1917 *Aladin und die Wunderlampe* und 1917 *Ali Baba und die 40 Räuber* gedreht. Frauen fielen 1921 in Ohnmacht, als Rudolph Valentino in *Der Scheich* seine dunklen Mandelaugen blitzen ließ, und sogar Männerherzen schlugen höher, als Douglas Fairbanks sen. 1924 in *Der Dieb von Bagdad* von Dach zu Dach sprang. In Russland schuf Ballettimpresario Sergej Diaghilew *Scheherazade*, in Amerika komponierte sein Landsmann Nikolaj Rimskij-Korsakow eine sinfonische Suite gleichen Namens.

Curtiss und Muller erdachten einen Themenpark mit ständigen Bewohnern. Sie wählten dafür einen Platz nordwestlich von Miami, den die Seminolen *Opatishawockalocka* (»hölzerner Hügel«) nannten, und kreierten den angeblich »arabisch-persischen« Namen Opa-locka. Ihre Zentrale, heute Opa-lockas Rathaus, sah wie der Palast eines saudi-arabischen Herrschers aus. Eine Bank glich einem verfallenen ägyptischen Tempel, eine Tankstelle hatte eine Kuppel und Minarette, an Ali Baba Avenue, Sharazad Boulevard und Aladdin Street standen einstöckige Wohnhäuser mit Kuppeldächern. Kaufinteressenten kamen in Scharen, und Architektur-Fans kommen noch heute, trotz Opa-lockas maroder Wirtschaft, um die Relikte einer Zeit zu betrachten, als kühne Fantasien den Alltag mit Romantik verschönerten. ■

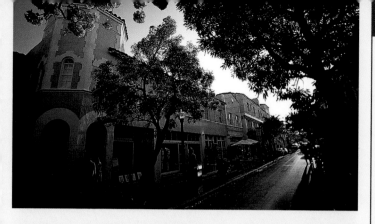

Oben: Neomediterrane Architektur am Española Way in South Beach. Unten links: Traditionelle Elemente und kühne Designereinfälle zeigt dieses spanische Kolonialhaus in Coral Gables

Oben rechts: Das italienisch anmutende Vizcaya. Unten: Opa-lockas Rathaus ist Greater Miamis bestes Beispiel für Floridas Vernarrtheit in Fantasiebauten

Ancient Spanish Monastery

Dieses 800 Jahre alte Gotteshaus überstand seinen Abbruch, die Reise über den Atlantik und den Wiederaufbau – ein gelöstes Puzzle

DAS IM 12. JAHRHUNDERT ERRICHTETE KLOSTER IST DAS BEI Weitem älteste Bauwerk Nordamerikas – doch ursprünglich stand es in Spanien. Nachdem er etwa 700 Jahre lang zu einer Zisterzienserabtei gehört hatte, diente der Kreuzgang des Klosters St. Bernhard von Clairvaux als Getreidelager und Stall.

Ancient Spanish Monastery
www.SpanishMonastery.com
- 🅰 32 G6
- ✉ 16711 W. Dixie Hwy. zwischen N.E. 167th & 171st Sts.
- ☎ 305/945-1461
- 💲 $–$$
- 🕐 Geöffn. Mo–Fr 9–17 Uhr; an Wochenenden manchmal geschlossen

Der Zeitungszar William Randolph Hearst erwarb das Gebäude 1925 für 500 000 Dollar für sein Anwesen Xanadu in Kalifornien. Er ließ es abbauen und in 11 000 nummerierten, mit Stroh ausgekleideten Kisten nach New York verschiffen. Das Stroh vereitelte alles: Zollbeamte glaubten, es trüge Keime der Maul- und Klauenseuche. Sie packten die Steine aus und verbrannten das Stroh, brachten aber die Stücke und Kisten hoffnungslos durcheinander. Hearst ging empört von dannen. Die Kisten lagerten 26 Jahre lang in einem Brooklyner Speicherhaus, bis neue Besitzer für 1,5 Millionen Dollar die Steine hier 1952 als Besucherattraktion zusammensetzen ließen. Zehn Jahre später erwarb die Episkopalkirche den Kreuzgang als Gotteshaus, Museum frühgotischer und romanischer Architektur, Lager für sakrale Artefakte und Erholungsort. Im Souvenirladen hängt *La Gracia* des spanischen Meisters Julio Romero de Torres.

Das Bauwerk ist beliebte Kulisse für Hochzeiten, weshalb sich hier am Wochenende häufig extravagant gekleidete Gäste tummeln. ■

Oleta River State Recreation Area

Obwohl er von dicht bebauten Wohngebieten wie North Miami Beachs luxuriösem Bal Harbour umgeben ist, bietet der Park die Chance, sich eine Weile von der Welt zurückzuziehen und mit dem Auto, dem Rad oder zu Fuß Mangrovenwälder und sich schlängelnde Lagunen zu erkunden. Wenn Sie zu Fuß unterwegs sind, treffen Sie auf Watvögel, und eventuell sehen Sie (vor allem morgens oder abends) die Schnauze eines Schweinswals aus dem Wasser ragen. Das seltsamste aller Wassersäugetiere Floridas, die schwerfällige Seekuh, erspäht man seltener, doch diese freundlichen, vom Aussterben bedrohten Lebewesen fliehen zuweilen vor dem Schiffsverkehr an der Flussmündung in den ruhigen Park.

Sie können ein Rad mieten und auf dem 2,4 Kilometer langen Weg (auf dem auch Jogger unterwegs sind) fahren oder ein Kanu oder Paddelboot ausleihen und damit die 1,2-Kilometer-Kanustrecke bewältigen. Anwohner essen hier ihren Lunch und lesen im Schatten von Pavillons, sie waten am 360 Meter langen Sandstrand im warmen Wasser und werfen von einem Pier, der sich 30 Meter weit in den Fluss erstreckt, ihre Angeln aus.

Man kann sich angesichts der Skyline von Hochhäusern kaum vorstellen, dass auf der kleinen Halbinsel noch vor 150 Jahren Bären, Hirsche, Panther, Rotluchse, Wölfe und Alligatoren und im Wasser unzählige Seekühe lebten. In den 1890er-Jahren befanden sich hier, beim Dorf Ojus, Ananas- und Gemüsefarmen. All das ist Geschichte. Die sieben Picknickpavillons kann man reservieren – oder man versucht es auf gut Glück. Fragen Sie einen Parkwächter, wo Sie den kostenlosen Führer über Floridas 145 State Parks bekommen, oder bestellen Sie ihn telefonisch unter 850/488-9872. ∎

Oleta River State Recreation Area
www.floridastateparks.org/oletariver
🅰 32 G6
✉ 3400 N.E. 163rd St./Sunny Isles Blvd., E of Biscayne Blvd.
☎ 305/919-1846 (Picknickpavillons reservieren)
🅂 $

Greynolds Park

Franklin Roosevelts Civilian Conservation Corps verwandelte einen alten Steinbruch (der einem gewissen A. O. Greynolds gehörte) in einen der beliebtesten öffentlichen Parks Miamis. Die Firma hinterließ einen maroden Maschinenpark (darunter Bahnschwellen und eine Dampflok), den die Jungs vom CCC mit Steinen und Sand aufschütteten und so einen zwölf Meter hohen Hügel schufen, auf dessen Gipfel noch immer der Aussichtsturm steht, den sie erbauten. Der Steinbruch selbst wurde zum See, auf dem man Ruderboot fahren kann. Ende des 19. Jahrhunderts lag hier ein Handelsposten der Seminolen, heute kann man im Park Golf spielen, joggen und an Tischen oder auf der Wiese picknicken. Die zahlreichen Watvögel und Eulen – in Greater Miami eine Seltenheit – locken Vogelbeobachter in die **Greynolds Park Rookery**. Behelmte Mountainbiker können über einen 2,5 Kilometer langen Weg rasen, gemächlichere Radler sind auf einem hübschen Rundweg unterwegs. Für Autos muss man am Wochenende eine kleine Gebühr entrichten. ∎

Greynolds Park
🅰 33 G7
✉ 17530 W. Dixie Hwy., N. Miami Beach
☎ 305/945-3425
🅂 Eintritt in der Woche frei, an Wochenenden $ für Kraftfahrer

Miamis russische Gemeinde

Club Pearl
www.clubpearl.com
✉ 1710 E. Hallandale Beach Blvd.
☎ 954/454-4464
🕐 Göffnet tägl. für Mittags- und Abendshows
$ $$$–$$$$

Sugar Rush
✉ 18090 Collins Ave.
☎ 305/792-4459
$ $–$$
🕐 Ab 17 Uhr geöffnet

ZU DEN BÜRGERN AUS DER EHEMALIGEN SOWJETUNION gehörten Moskauer Bürokraten, Schamanen aus Sibirien, Muslime aus Zentralasien, buddhistische Mönche, persisch sprechende Hausfrauen und unzählige andere Gruppen – North Miamis »russische« Gemeinde scheint diese Vielfalt zu spiegeln. Südfloridas Tennisstar und Model Anna Kournikova kommt hierher, ebenso der Popsänger Philip Kirkorov, eine Mischung aus Michael Jackson und Freddie Mercury.

Der **Club Pearl**, ein Cabaret mit Schwertschluckern, Jongleuren und Tänzerinnen in paillettenbesetzten Bikinis, ist der Mittelpunkt der Abendunterhaltung in der russischen Gemeinde. Das hervorragende Essen ist gleichsam eine Metapher für die alte Heimat: eingelegtes russisches Gemüse, Fleisch aus Kaukasien, Kaviar aus Aserbaidschan, Kiew-Huhn aus der ukrainischen Hauptstadt und sibirische *pelmeni* (Ravioli). Zu trinken gibt es z.B. Wodka, armenischen Cognac und georgischen Wein.

Am Strand liegt das Einkaufszentrum »The Russian Plaza« mit russischen Buchhandlungen, Reisebüros und dem Café **Sugar Rush**. Wenn Sie sich mit russischer Küche nicht auskennen, fragen Sie die Bedienung um Rat. Russischer Kaffee ist dem türkischen sehr ähnlich.

Fahren Sie auf der A1A (Collins Avenue) gen Norden, und biegen Sie links in den Hollywood Boulevard ab: Das beliebte russische Lokal **Chocolada Bakery & Café** *(1923 Hollywood Blvd., Tel. 954/920-6400)* bietet jeden Abend Livemusik. ∎

Der Club Pearl
in der russischen
Gemeinde
bietet Essen,
Tanz und fabelhaftes Cabaret

Opa-locka

DIESES UNGLAUBLICHE PHÄNOMEN MAURISCHER FANTA-sie-Architektur ist eine traurige Erinnerung an die wunderbaren Visionen von Glenn Curtiss (siehe S. 66), der hier, im »„Bagdad des Dade County", zum Kalifen aller Unternehmer Floridas werden wollte. Er wünschte sich, inmitten der Reichen zu wohnen, doch der Ort, den er auserkor, ist tatsächlich arm – ein wirtschaftliches Getto, in dem vor allem afroamerikanische Familien und neu zugezogene karibische und lateinamerikanische Immigranten leben.

Nördlich des Miami International Airport und westlich des Autobahnkreuzes 13 der I-95 erheben sich Opa-lockas Kuppeln, Minarette, Zinnen, Hufeisenbogen und Halbmondmotive vor einfallslosen Gebäuden, die nach dem Baubeginn vor über 70 Jahren entstanden.

Besuchen Sie unbedingt das **Rathaus**, in dem Curtiss unter blauen und weißen, in Mauve und Gold übermalten Kuppeln seinen Firmensitz hatte. Auch der Rest des Bauwerks ist heute in Goldtönen gehalten. In dem nachgebauten Moscheenpalast (als *Thematic Resource* im *National Register of Historical Places* verzeichnet) zeichnete der Architekt Bernhardt Muller Hunderte von Plänen für die »schönste Stadt an der Ostküste«

voller Flammen- und Eukalyptusbäume, Bambusbüschen und Kokospalmen. Passenderweise findet man im Gebäude ein Regal mit Büchern über *The Arabian Nights*.

Ein Muss ist auch das kleinere **Hurt Building** mit Bogen, Kuppeln und Minaretten. Nach einem Brand wurde der Bahnhof der Stadt 2002 als wunderbares maurisches Kunstwerk wiederaufgebaut.

Bei einem Bummel durch Opalockas Nebenstraßen sehen Sie viele der ca. 100 verwirklichten Entwürfe Mullers. Seine Ideen können noch immer zu Tränen rühren: Jeden September kommen Leute aus ganz Miami zum **Arabian Nights Festival**, einer Kostümparty auf dem Rathausgelände, um Opa-lockas Anfänge als Fantasiewelt zu feiern. ■

Von den Mini-Minaretten des Hurt Building, einem Bürogebäude, ertönt kein Ruf zum Gebet

Opa-locka
🅰 33 E6

City Hall
✉ 777 Sharazad Blvd.
bei Ali Baba Ave.
☎ 305/688-4611
🕐 Geschl. Sa–So

Hurt Building
🅰 33 E6
✉ 490 Opa-locka Blvd.

Arabian Nights Festival
☎ 305/688-4611
Wichtig:
Telefon. nachfragen;
wegen fehlender
Geldmittel fiel der
Event 2001 aus

Hialeah Park

Hialeah Park

32 D4

2200 E. 4th Ave.

305/885-8000

Geschl. So

ETWA ZUR SELBEN ZEIT, ALS CURTISS UND MULLER OPA-locka entwarfen (siehe S. 71), wurden sie auf ein unscheinbares Gebiet an Miamis nordwestlichem Rand aufmerksam. Hier errichteten sie 1925 Hialeah Park, dessen Mittelpunkt eine weitere im *National Register of Historic Places* verzeichnete Curtiss-Kreation ist: eine altmodische Rennbahn für Vollblutpferde, die sich auf fast 93 Hektar erstreckt und als eine der schönsten Amerikas gilt.

Auf der Fläche innerhalb der Hialeah-Rennbahn, einem der ungewöhnlichsten Wildnisgebiete des Landes, leben sogar Flamingos

Neben dem Oval gab es eine Achterbahn, einen Jai-alai-*fronton* und sogar ein »echtes« Miccosukee-Indianerdorf. Geblieben ist allein die Rennbahn, aber das letzte Rennen lief bereits 2001 – die Konkurrenz des Gulfstream Park und Calder Race Course war zu stark. Heute finden in Hialeah Konzerte, private Bankette und

(kostenlose) Führungen statt. Das Clubhaus im klassischen französisch-mediterranen Stil ist ganzjährig geöffnet, weil es einfach zu schön ist, um es zu schließen.

Auf der von der Audubon Society für Naturschutz gestalteten, gepflegten Grünanlage innerhalb der Rennbahn befinden sich Brunnen, Statuen und Teiche, in denen eine Kolonie von 400 rosa Flamingos lebt.

Die anmutig stolzierenden Vögel wurden in den 1930er-Jahren aus Kuba hierhergebracht.

Hialeah hat auch die außergewöhnliche Ehre, eine der besten Bibliotheken mit Büchern über Rasseperderennen zu besitzen.

Heute erstreckt sich Hialeah ohne scharfe Abgrenzung von der Le Jeune Road gen Westen und vom Miami Canal gen Süden. Lange Zeit wurde Curtiss' Plan einer harmonischen Architektur wenig beachtet, doch innerhalb dieser vagen Grenzen liegt die zweitgrößte Gemeinde des Dade County mit überwiegend kubanischen Bewohnern.

Viele ernst zu nehmende Kritiker sagen, es gebe zu viele Einkaufszentren und langweilige Ladenstraßen – das stimmt zwar, aber dafür findet man hier auch günstige Wohnungen.

Der **Amelia Earhart Park** ist eine familienorientierte Grünanlage mit fünf Seen, an denen man angeln kann, einem Laden, Plätzen zum Hufeisenwerfen,

Hialeah Park Racetrack

Die 1925 eröffnete Hialeah-Park-Pferderennbahn wurde schnell als eine der schönsten der Welt berühmt. Die Rennbahn mit eleganten Einrichtungen und dem konstant guten Wetter wurde Winterheimat vieler der schnellsten Pferde des 20. Jahrhunderts, darunter War Admiral, Citation und Seattle Slew. Zu den Besuchern zählten Winston Churchill, der Bankier J. P. Morgan, Harry Truman und mehrere Kennedys. Doch da in den letzten Jahren viele anglo-amerikanische Anwohner und Touristen gen Norden zogen, verlor die Rennbahn Einkünfte und wird seither nicht mehr so gut gepflegt; das letzte Rennen fand 2001 statt. Es gibt zuweilen Pläne, wieder Rennen zu veranstalten und im Clubhaus Spielautomaten aufzustellen, aber Hialeahs Grande Dame wird wohl bald dahinscheiden. ■

Über 25 000 Fans verfolgten 1942 an der Pferderennbahn des Hialeah Park das mit 50 000 Dollar dotierte Widener Handicap

einer Spielinsel für Kinder und einer Scheune mit Hoftieren zum Streicheln, und Kids dürfen auf Ponys reiten.

Der nicht eben schicke, aber freundliche Park ist nach der berühmten Frauenrechtlerin und Fliegerin benannt, die 1937 bei ihrem fehlgeschlagenen Versuch, die Welt zu umfliegen, auf Opa-lockas Flughafen, damals ein Militärflugplatz, landete. ■

Amelia Earhart Park

🅰 32 D5
✉ 401 E. 65th St.
☎ 305/685-8389
💲 $ Sa–So, freier Eintritt Mo–Fr

Weitere Sehenswürdigkeiten

MIAMI SPRINGS

Miamis jüngste Geschichte prägten Unternehmer, deren Namen auf vielen Straßenschildern zu lesen sind: Flagler, Brickell, Tuttle und Curtiss, nach dem ein Drive und ein Parkway benannt sind. Doch abgesehen von einigen stolzen Hausbesitzern mit historischem Bewusstsein, die in Glenn Curtiss' *Pueblo*-Häusern in Miami Springs wohnen, ahnen die meisten Anwohner nicht, dass ihre kleine Gemeinde südlich von Hialeah und nördlich des Miami International Airport der lebhaften Fantasie eines Fliegers entsprang.

Die *Pueblo*-Mode breitete sich im ganzen Land wie ein Lauffeuer aus. Die klimabedingten Ursprünge der roten Schindeldächer, der dicken Adobemauern und großen, schattigen Veranden waren den amerikanischen Fans gleichgültig. Glenn Curtiss mochte diesen Baustil – und der Vorhang für Miami Springs, das Santa Fe der Subtropen, hob sich.

Miami Springs erkundet man am besten mit dem Auto, da die meisten Anwesen privat und für Besucher geschlossen sind. Gleichwohl ist es echtes Miami. Beginnen Sie am Curtiss Parkway, der zwischen Okeechobee Road und N.W. 36th Street verläuft und den Miami Springs Golf Course kreuzt. Achtung, Fälschung: Die Adobebungalows beim Parkway sind in Wahrheit Holz und Teerpappe, mit Gips überzogen; die sichtbaren Balken tragen, auch wenn es so aussieht, die Dächer nicht wirklich.

Vor oder nach der Tour sollten Sie am Parkway die **Miami Springs Pharmacy** (*Tel. 305/888-5259*) besuchen: Sie ist in einem schönen *Pueblo*-Haus eingerichtet, in dem sich eine kleine geschichtliche Ausstellung und ein kurioses pharmazeutisches Archiv befinden. Ganz in der Nähe steht ein weiteres *Pueblo*-Juwel: das Fairhavens Retirement Home, einst Curtiss' Country Club Hotel. In den hiesigen Cafés können Sie darüber nachsinnen, ob Sie lieber wie ein spanischer Kolonist im 18. Jahrhundert oder wie ein Stummfilmstar in einer arabischen Filmkulisse residieren möchten.

🅰 32 C4

SHERWOOD FOREST HOUSE

Auch das Sherwood Forest House im Tudorstil sollten Sie sich ansehen. Es ist ein Denkmal für die zerbrochenen Träume des Unternehmers D. C. Clarke, der 1925 Miamis schönstes Wohnviertel bauen wollte. Vielleicht wäre es ihm geglückt – das Land war bereits mit tropischen Pflanzen verschönert worden –, doch der Sturz der Immobilienpreise beendete das Projekt. Alles, was davon noch zeugt, ist dieses Fachwerkhaus.

🅰 33 F4 ✉ 3301 N.E. 86th St. Ecke N.E. 3rd Ave.

SHORES THEATRE

Das Shores Theatre war eines der letzten großen Art-déco-Bauwerke in Südflorida. Es ist auch eines der wenigen erhaltenen Kinos, die die Filmgesellschaft Paramount Pictures in vielen amerikanischen Städten errichten ließ. Harold Steward aus Miami entwarf es in den späten 1930er-Jahren, als die Art-déco-Mode dem Ende zuging, doch wegen des Kriegs wurde es erst 1946 fertiggestellt.

Heute ist es ein Zentrum für darstellende Kunst, in dem ortsansässige Truppen auftreten. Man kann Teile des Interieurs besichtigen, aber von außen ist es interessanter, weil es an Amerikas große Filmtheater von einst erinnert.

🅰 33 F5 ✉ 9806 N.E. 2nd Ave. Ecke N.E. 98th St., Miami Shores ☎ 305/751-0562
🆂 $

VILLA PAULA

Wenn Sie mit dem Auto unterwegs sind, gelangen Sie auch an abgelegene Plätze, die ein Gefühl für Miamis Geschichte und Kultur vermitteln. Das neoklassizistische alte kubanische Konsulat, eine in den 1920er-Jahren erbaute, säulengestützte Matrone namens Villa Paula, gehörte einst zu den nobelsten Anwesen nördlich der Brickell Avenue. Heute ist sie Privatresidenz. Benannt ist sie nach der Frau des ersten Bewohners, eines Diplomaten aus Havanna. Sie soll hier unter mysteriösen Umständen gestorben sein, und natürlich heißt es, in diesem typischen kubanischen Patrizierhaus jener Zeit spuke nun ihr Geist.

🅰 33 F4 ✉ 55811 N. Miami Ave. Ecke N.E. 58th St. ∎

Gut gekleidete Damen bummeln durch Miamis haitianisches Viertel

Little Haiti

Die Enklave mit etwa 34 000 haitianischen Immigranten liegt fünf Kilometer nördlich von Miamis Central Business District. Einst war dies ein von Zitrusgärten umgebenes Geschäftsviertel namens Lemon City. Heute sind die vielen finanzschwachen Läden auf die Bedürfnisse der Anwohner, die hier zu überleben versuchen, und auf Touristen ausgerichtet, die allerdings wegen Little Haitis kriminellen Rufs (und seiner Verbindung mit den Rassenunruhen in den 1980er-Jahren in Liberty City und Overtown einige Kilometer südlich) lieber daran vorbeifahren.

Östlich der I-95 erstreckt sich Little Haiti ein paar Blocks gen Westen, etwa vom Arts & Design District um die N.E. 36th Street bis El Portal um die N.E. 85th Street. Seine Hauptstraße ist die N.E. Second Avenue. Das Gebiet ist faszinierend, denn hier gibt es haitianische Compas-Musik (*Compas =* Rhythmen), handgeschriebene Schilder in französischem Kreolisch und Englisch; fantasievolle Wandgemälde, Frauen mit breiten Strohhüten und schmucken Baumwollkitteln, intensive Düfte von Schweinefleisch und Knoblauch und alte Schindelhäuser in lebhaften Farben (Gelb, Blau, Grün, Magenta, Flamingorosa), die noch aus Lemon Citys Seefahrertagen stammen.

Sollte es jemals ein Musical über das Leben in Little Haiti geben, so wird eine Szene sicherlich in einem Klassenzimmer einer Abendschule spielen, in dem Kreolisch als Brücke zum Englischlernen dient. In einer anderen Szene wird sich jemand, der seine Familie in Port-au-Prince unterstützen muss, über das beschwerliche Leben in Miami beklagen. Es wird eine Tanznummer in einem Café geben, und zweifellos wird jemand ein melancholisches Lied über den/die Geliebte(n) singen, der/die die Odyssee über den Golfstrom nicht überlebt hat. Mehrere Tausend Haitianer riskierten die Überfahrt in offenen Segelbooten, um dem grausamen, despotischen Regime in ihrer Heimat zu entkommen. ■

Little Haitis Zentrum

Neue Welt, alte Bräuche: Auf der Suche nach einem besseren Leben werden bei einer haitianischen Voodoo-Zeremonie in Miami Musik, Tanz und religiöse Rituale kombiniert

LASSEN SIE IHREN SCHMUCK, IHRE WERTVOLLE ARMBANDuhr und Ihre Handtasche im Hotelzimmer, parken Sie Ihren Wagen und beginnen Sie mit der Erkundung Little Haitis an der N.E. 54th Street zwischen N.E. Second und Miami Avenue. Bummeln Sie zwischen Kitsch, Lebensmitteln und Exotika umher, für die mit bebilderten, handgeschriebenen Schildern, die selbst schon Sammlerobjekte sind, geworben wird. Kaufen Sie sich in einem Plattenladen eine CD mit *compas*, einer melodischen, flotten karibischen Musik, die in Little Havanas und Little Haitis Nachtclubs extrem populär ist.

Central District

🅰 33 F4

Halten Sie an der Kreuzung von N.E. 54th Street und Miami Avenue nach dem **Haitian Refugee Center,** Little Haitis politischem Zentrum, und nach **Veye Yo** (»**Schau ihnen zu**«) Ausschau. Letzteres bietet abends Vorträge, zumeist über haitianische Politik und Immigranten. (Wenn sie auf Kreolisch gehalten werden, über-

setzt sicher jemand für Sie.) Bringen Sie auch Appetit mit, denn Little Haitis Küche ist zwar absolut zwanglos, aber so lecker wie überall in der Karibik. Sie hat nichts von »Nouvelle« oder »New World«; die brutzelnden Fisch- und Schweinefleischgerichte sind echt haitianisch.

Am Wochenende verwandelt sich die Kreuzung von N.E. 54th

werfen Sie einen Blick auf die lebhaften Buntglasfenster, die die Geschichte von Pierre Toussaint (1746–1803) illustrieren. Toussaint war ein frommer Haitianer, der der Sklaverei entfloh und Konsul von Haiti, spiritueller Führer und Anwärter auf Heiligsprechung wurde. An einer anderen Wand porträtiert ein Gemälde die Odyssee haitianischer Flüchtlinge nach Amerika. Sie können sonntags die Morgen- und Abendmesse mit afrikanisch angehauchtem karibischem Gesang besuchen, zu denen die Haitianer ihr bestes Gewand anlegen.

Von hier aus sind Sie in wenigen Minuten im wunderbaren **L. C. Books and Record Shop** (*N.E. 2nd Ave. Ecke N.E. 79th St., Tel. 305/ 754-8452*), in dem Sie im riesigen Sortiment an Büchern, Zeitungen und Musikaufnahmen stöbern und dabei haitianisches Gebäck und Kaffee genießen können. Es gibt Platten, Tonbänder und CDs mit Musik vergangener Zeiten aus jedem Genre, das jemals in der Karibik angesagt war, von Jazz und Cha-Cha-Cha bis Reggae, Calypso, Merengue, Compas, Mazurka und dem in Trinidad besonders populären Marsch (Road March).

Es gibt auch einladende Speiselokale, darunter farbenfrohe Hütten mit Tischen im Hinterhof. Das Essen ist einfach, billig und gut, und die meisten Gäste sind Anwohner, die alle Mahlzeiten hier einnehmen. Die kreolischen Namen der Gerichte klingen mysteriöser, als sie tatsächlich sind: *Lambi* sind Muscheln, *griot* ist gebratenes Schweinefleisch (siehe auch S. 263f). Außerdem gehören gebratener Fisch, Hühnchen, eingelegtes Gemüse und karibische Beilagen wie Reis, Bohnen und gebratene Kochbananen zum Angebot. Eine köstliche Art, haitianische Kultur kennenzulernen. ∎

HAITIANISCHE IMMIGRANTEN

Entgegen irreführender Mediendarstellungen sind Miamis haitianische Einwanderer selten Analphabeten oder Hilfsarbeiter. Wie die meisten Immigranten haben sie bessere Lebensläufe als ihre Landsleute in der Heimat und repräsentieren häufig Haitis Mittel- und Oberschicht. Die meisten von Miamis Haitianern flohen zunächst in Enklaven im Nordosten des Landes, wo sie das College besuchten, ehe sie hierherkamen. Heute stellen sie Little Haitis führende Köpfe in Business und Politik und geben Grund zur Hoffnung auf eine bessere Zukunft. ∎

Street und N.E. Second Avenue zum Freiluftmarkt, auf dem man alles kaufen kann, was man in der Karibik isst. Der Versuch, an N.E. Second Avenue und N.E. 60th Street einen ständigen karibischen Markt einzurichten, schlug leider fehl, obwohl ein Nachbau von Port-au-Princes jahrhundertealtem Iron Market 1991 für sein innovatives Design und die schöne Farbgebung mit einem Preis des American Institute of Architects ausgezeichnet wurde. Heute liegt der Platz nahezu verlassen da – ein Opfer der maroden Wirtschaft Little Haitis.

In der Nähe des Marktplatzes, an der N.E. Second Avenue, steht die **Church of Notre Dame d'Haiti**, einst Cafeteria einer katholischen Mädchenschule. Wenn die Kapelle geöffnet ist und nicht gerade eine Messe gehalten wird,

Weitere Sehenswürdigkeiten

Ausschnitt einer haitianischen Gebetsfahne

BUENA VISTA EAST

Wenn Sie von alter Architektur noch nicht genug haben, gehen oder fahren Sie durch Little Haitis Buena Vista East, ein weiteres altes »Motto-Viertel« Miamis. Die Bauten, von denen die meisten zur Zeit der neo-mediterranen Mode in den 1920er-Jahren entstanden, sind unkonventionell, fantasiereich oder auch gewöhnlich. Das Besondere an diesem Viertel ist sein Kader von Hausbesitzern, einer multikulturellen Gruppe, die die Liebe zu diesen kleinen Hutschachteln und der Entschluss, sie zu erhalten, eint.

🗺 33 F4 ✉ Zwischen N.E. 2nd Ave. und Miami Ave.

Botanicas

Diese wohlriechenden Läden verkaufen Arzneibücher und Zeremonienzubehör für Voodoo und Santeria, Religionen, die bei den westafrikanischen Yoruba entstanden und durch den Sklavenhandel in die Karibik kamen. In den Läden statten sich Gläubige mit Heilkräutern, Kerzen, Statuen, Bildern und anderen Utensilien für ihre Rituale aus. *Botanicas* sind weder Kuriositäten- noch Souvenirshops, sondern religiöse Stätten, in denen man sich entsprechend zu verhalten hat. Widerstehen Sie dem Drang, über Dinge wie Kruzifixe aus Knochen oder mit Stecknadeln »gespickte« Voodoo-Puppen zu lachen. Für viele Bewohner Little Haitis ist all dies heilig. ∎

CHURCHILL'S HIDEAWAY

Der englische Pub namens Churchill's Hideaway (der Namensgeber war hier nie zu Gast) ist absolut nicht karibisch, steht aber mitten in Little Haiti. Essen und Bier sind britisch, nicht aber unbedingt die Musik. Das Churchill's gilt seit Mitte der 1980er-Jahre als Miamis führende Rock-'n'-Roll-Kneipe. Koryphäen der Musikbranche und prominente Briten trinken hier ihre Pints, essen typische Pub-Kost wie Würstchen mit Kartoffelpüree oder *shepherd's pie* und schauen sich im Fernsehen britische Fußball- und Rugbyspiele an.

🗺 33 F4 ✉ 5501 N.E. 2nd Ave.
☎ 305/757-1807; www.churchillspub.com

RAY'S FARM

Ray's Farm ist ein Stückchen Landleben mitten in Miami. Sie wirkt wie ein Ort ohne festen Tagesablauf, am Samstagabend jedoch geben sich hier im Restaurant-Bistro Avantgardemusiker ein Stelldichein. Rufen Sie an, oder kommen Sie tagsüber her, um sich darüber zu informieren. Die Farm selbst ist auch ein recht häufiges Exkursionsziel von Schul- und Collegeklassen und einigen Gartenclubs sowie ein schönes Zeugnis der Blumenkinder-Ära.

🗺 33 F4 ✉ 7630 N.E. 1st Ave.
☎ 305/754-0000 💲 $-$$ ∎

Die Menschen und Bauwerke, die Miami Beachs gesell-schaftliches Mosaik bilden, geben dieser Barriereinsel eine Multikulti-Persönlichkeit, deren Temperament und Stil sich von der ebenso viel-fältigen Stadt jenseits der Bucht deutlich unterscheiden.

Miami Beach

Detail eines 1955er-Cadillac, der unter den stilbewussten Bewohnern South Beachs als todschick gilt

Miami Beach

WOLLEN SIE EIN ODER ZWEI WOCHEN IN MIAMI VERBRINGEN, HABEN SIE wohl am meisten davon, wenn Sie in South Beach absteigen. Wenn Ihr Urlaub länger ausfällt, könnten Sie auch die fünf Gemeinden auskundschaften, die den größten Teil der elf Kilometer langen Küste südlich der Grenze zum Broward County ausmachen. Jede hat ihren Reiz – Surfside und Sunny Isles locken jene, die mehr aufs Geld achten müssen.

SOUTH BEACH

Zwischen 5th und 41st Street liegt der bekannteste District von Miami Beach. Hier finden Sie die meisten der 800 Art-déco-Gebäude der Insel, die meisten der auf die Jungen und Schönen ausgerichteten Vergnügungsorte und die bekanntesten Strände.

SÜDLICH VON SOUTH BEACH

Die Gegend südlich der Fifth Street wurde in den letzten Jahren umfassend saniert. Die neu errichteten oder restaurierten Gebäude behielten jedoch ihr multikulturelles, unkonventionelles Künstlerflair.

NÖRDLICHES MIAMI BEACH

Nördlich der Stelle, wo der Julia Tuttle Causeway die Insel mit Miami verbindet, liegt eine Mischung aus Wohn- und Geschäftsstraßen. Trendig ist diese Gegend nicht gerade, sie bietet aber schöne Strände und einige Superlativen des Dade County, so z. B. das MoJazz Café (928 71st St., Tel. 305/865-2636) mit aktueller, häufig improvisierter Musik. Erst wenn Sie nach Surfside gelangen, wird die Architektur so ansprechend wie in SoBes Art Deco District. Wer shoppen möchte, ist in der Mall von Bal Harbour richtig.

FAHRT NACH MIAMI BEACH

Fünf Dämme verbinden die Insel mit Miami. Hinsichtlich Aussicht und Sehenswürdigkeiten ist der MacArthur Causeway, der von Downtown Miami nach South Beach führt, am interessantesten. Sie sehen z. B. das kleine Walton Island mit zwei Attraktionen.

Wenn Sie in östlicher Richtung, gen Miami Beach, unterwegs sind, sehen Sie links den kleinen Japanese Garden. Außerdem haben Sie Sicht auf den Parrot Jungle (www.parrotjungle.com), den man 2003 von South Miami hierherverlegte. Das Vogel-gehege ist voller kreischender, flatternder gefiederter Freunde aus den Dschungeln der ganzen Welt – vor allem Papageien und Aras. Einige Vögel geben Vorstellungen, obwohl man auch meinen könnte, sie gehen nur von links nach rechts, um das angebotene Futter zu erhaschen. Gegenüber dem Parrot Jungle liegt das Miami Children's Museum (980 MacArthur Causeway, Tel. 305/373-5437), das 2003 ein neues Gebäude bekam. Auf 5300 Quadratmetern findet man zwölf Galerien, Unterrichtsräume, ein Archiv für Eltern und Lehrer und einen Hörsaal mit 200 Sitzplätzen.

PORT OF MIAMI

Dodge Island und Lummus Island, die beiden großen Inseln im Süden, bilden zusammen den Port of Miami, den weltweit größten Hafen für Kreuzfahrtschiffe, in dem jedes Jahr mehr als drei Millionen Passagiere die Gangways zu diesen schwimmenden Vergnügungsmeilen hochgehen. (Vom Biscayne Boulevard, nahe dem Bayside Marketplace, führt ein separater Damm zum Hafen.) Abends erstrahlen die Schiffe hell wie Las-Vegas-Kasinos.

DREI ENKLAVEN DER REICHEN

Wenn Sie in Richtung Miami Beach fahren, sehen Sie links (im Norden) Brücken zu den Inseln Palm, Hibiscus und Star, an deren kerzengeraden Küsten Segelbootmasten und luxuriöse Villen (in denen teilweise Prominente wohnen) auszumachen sind. Diese privaten Gemeinden können, wenn sie wollen, die Zufahrt beschränken. Der Causeway endet beim Miami Beach Marina (300 Alton Rd., Tel. 305/673-6000), einem parkähnlichen, öffentlichen Hafen mit 400 Liegeplätzen für bis zu 76 Meter lange Boote. ■

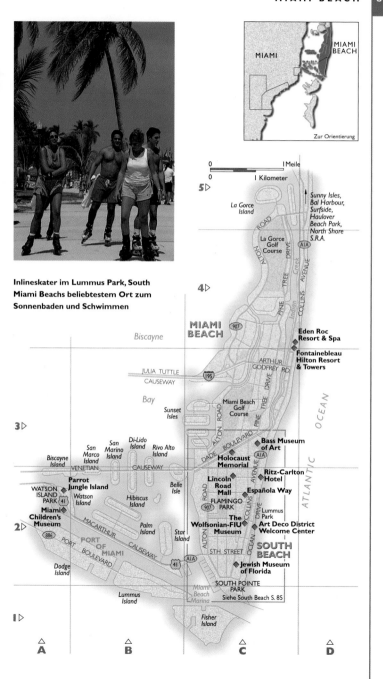

Inlineskater im Lummus Park, South Miami Beachs beliebtestem Ort zum Sonnenbaden und Schwimmen

Zur Orientierung

0 ——————— I Meile
0 ——————— I Kilometer

Sunny Isles,
Bal Harbour,
Surfside,
Haulover
Beach Park,
North Shore
S.R.A.

La Gorce
Island

La Gorce
Golf
Course

ALTON ROAD

PINE TREE DRIVE

Indian Creek

COLLINS AVENUE

A1A

MIAMI
BEACH

907

Eden Roc
Resort & Spa

Fontainebleau
Hilton Resort
& Towers

Biscayne

JULIA TUTTLE
CAUSEWAY

195

ARTHUR
GODFREY RD

Bay

Sunset
Isles

Miami Beach
Golf
Course

OCEAN

Di-Lido
Island

Rivo Alto
Island

San
Marino
Island

San
Marco
Island

Biscayne
Island

VENETIAN CAUSEWAY

Bass Museum
of Art

DADE BOULEVARD

ALTON ROAD

Holocaust
Memorial

A1A

Ritz-Carlton
Hotel

Parrot
Jungle Island

WATSON
ISLAND
PARK

Watson
Island

Belle
Isle

Hibiscus
Island

Lincoln
Road
Mall

Española Way

FLAMINGO
PARK

Miami
Children's
Museum

41

886

MACARTHUR CAUSEWAY

Palm
Island

Star
Island

907

COLLINS AVENUE

OCEAN DRIVE

Lummus
Park

The
Wolfsonian-FIU
Museum

Art Deco District
Welcome Center

ATLANTIC

PORT
OF
MIAMI

PORT BOULEVARD

5TH STREET

ALTON ROAD

SOUTH
BEACH

Dodge
Island

A1A

41

Jewish Museum
of Florida

SOUTH POINTE
PARK

Lummus
Island

Miami
Beach
Marina

Siehe South Beach S. 85

Fisher
Island

5 ▷

4 ▷

3 ▷

2 ▷

I ▷

△
A

△
B

△
C

△
D

South Beach

Miami Beach besteht selbstverständlich nicht nur aus South Beach, aber das seit Langem vorherrschende Bild der Insel als amerikanische Riviera ist zweifellos in diesen 40 Häuserblocks zwischen 5th und 41st Street am deutlichsten. Hier findet man Cafés, restaurierte Hotels und Apartmenthäuser im Streamline- und Moderne-Stil, Restaurants, Läden, Boutiquen, Museen, Strände und fotogene Anwohner, die in so vielen Reisemagazinen abgebildet sind.

South Beach, kurz SoBe, ist wirklich außergewöhnlich und auch für die Anwohner, von denen sehr viele homosexuell sind, spannend. Auch Künstler, Schriftsteller, Musiker und Entertainer haben hier ihren Wohnsitz. Es ist eine angenehme Gemeinde, die man leicht zu Fuß erkunden kann und die an der Atlantikseite mit einem der schönsten Strände Südfloridas gesegnet ist.

Der **Ocean Drive**, eine von Palmen und farbenfrohen Hotels mit Neonlichtern gesäumte Promenade am Meer, ist SoBes meistfotografierte Straße. Zwischen 5th und 14th Street tummeln sich die Schönen, deren Lebenssinn der Müßiggang zu sein scheint. Doch hinter dem trägen Flair liegt eine flotte Ökonomie, die vor allem von rührigen Gastronomen, Hoteliers, Ladenbesitzern und Bauträgern gestützt wird.

Am Wochenende kann man abends, wenn an die 30 000 Leute des Nachtlebens wegen über die Bucht nach SoBe kommen, hier kaum Auto fahren. Suchen Sie sich auf jeden Fall rechtzeitig einen Parkplatz; einen kleinen öffentlichen Platz mit Zehn-Stunden-Parkuhren gibt es an der Ecke Tenth und Washington (gegenüber dem Astor Hotel und der Wolfsonian Foundation). Sie brauchen nur ein oder zwei Rollen Vierteldollarmünzen. Die Politessen sind flink – riskieren Sie kein Bußgeld von 20 Dollar oder mehr für zu langes Parken.

Wenn Sie wenig Zeit haben, essen Sie in einem der Straßencafés oder -restaurants eine Kleinigkeit und gehen Sie dann rüber zum Strand des Lummus Park, um wenigstens an den Füßen das herrlich warme Golfstromwasser zu spüren.

Für die zehn Blocks mit Art-déco-Bauten braucht man eine knappe Stunde. Am Anfang, Ecke Fifth und Ocean, steht das **Bentley Luxury Suites Hotel** von 1939. Zu behaup-

Die viel fotografierten Strandhotels und Cafés am Lower Ocean Drive symbolisieren SoBes hedonistischen Lebensstil

ten, irgendein Ocean-Drive-Café garantiere einen Blick auf SoBes Archetypen, wäre vermessen, aber wenn Sie bei Eistee und Sandwich vor dem **Colony Hotel** *(736 Ocean Dr.)* sitzen, promeniert vielleicht eine der gertenschlanken Schönheiten oder einer der hohlwangigen Männer von den Modeplakaten vorbei. Das **News Café** *(8th St., Tel. 305/538-6397, siehe S. 249)* wird gern als Stammkneipe der Berühmten beschrieben, weshalb hier immer Touristen auf Promisuche sind. Das News ist auch eines der besten Speiselokale in SoBe. Zwischen Eighth und Ninth steht das farbenfrohe kubanische Restaurant **Larios on the Beach** *(Tel. 305/532-9577; siehe S. 248)* der Sängerin Gloria Estefan. In einem weiteren kubanischen Bistro, **Mango's Tropical Café** *(Tel. 305/673-4422)* Ecke Ocean und Ninth, ertönt abends karibische Musik, und Singles suchen Salsa-Partner.

Abends lebt SoBes jugendliche Clubszene auf. Türsteher lassen nur die Schönsten und Trendigsten rein – wenn Sie eingelassen werden, finden Sie drinnen oftmals nur hohle Attitüden, selbstbewusste Posen, ohrenbetäubende Musik, die Sie zum Lippenlesen zwingt, und planlosen (und überteuerten) Service.

Natürlich gibt es auch wirklich elegante Orte wie z. B. das **Escopazzo** *(1311 Washington Ave., zwischen 13th und 14th St., Tel. 305/674-9450)*.

Wenn Sie sich dem harten gesellschaftlichen Darwinismus der Clubszene stellen wollen, tun Sie es im **Mynt** *(1921 Collins Ave., Tel. 786/276-6132)*, einem der »„erwachseneren“ Clubs, die bis in die Morgenstunden geöffnet haben. Mit ähnlichem Elan werden Jazz und Spirituosen im **Jazid** *(1342 Washington Ave., Tel. 305/673-9372)*, einer netten, bei Anwohnern wie Touristen beliebten Bar, geboten. Das Jazid gehört zu den cooleren, relaxteren Lokalen in South Beach und bietet jeden Abend Livemusik. Hinsichtlich Ausstattung ist die durchgestylte Bar im **Hotel Astor** *(956 Washington Ave., bei 10th St., Tel. 305/531-8081; siehe S. 246)* in diesem Teil der Stadt kaum zu toppen.

Ehe dies Miami Beach wurde, war es Ocean Beach, wohin Miamis Einwohner zunächst per Boot, später über die Zugbrücke fuhren, um im kühlen Passatwind zu picknicken und im warmen Golfstrom zu schwimmen. Die Strände, die sich über 25 Kilometer von der County-Grenze bis zu Miami Beachs Spitze erstrecken, sind der Grund, weshalb man die Gegend auch die Costa del Sol des östlichen Amerika nennt.

South Beachs Atlantikstrand von der 5th bis zur 15th Street ist ein öffentliches Er-

Auf den Bürgersteigen in SoBe trifft man freundliche Exzentriker

holungsgelände namens **Lummus Park** mit weißem Sand, sanfter Brandung und seichtem Wasser, in dem man weit ins Meer waten kann – das einst Kolumbus in der Neuen Welt willkommen hieß.

Beim Ocean Drive stehen im Park Bänke, auf denen Sie Volleyballspielen zuschauen, dem Rascheln der Palmwedel lauschen und im Schatten von Strohdächern entspannen können. Den betonierten Fußgängerweg im Park bevölkern Inlineskater. Es gibt kaum organisierte Strandaktivitäten, aber informieren Sie sich bei der Parkverwaltung über Veranstaltungen (*Tel. 305/673-7730*).

SOUTH POINTE PARK

Der Name des Parks verweist schon auf seine Position an der Südspitze der Insel, am Ende der Washington Avenue. Die Gegend unterhalb der Fifth Street hat seit Kurzem teil am Aufschwung des nördlich gelegenen Gebiets, doch sein 6,8 Hektar großer, auf Familien zugeschnittener Park ist eine schöne Rückzugsoase. Es gibt einen hübschen Strand, grüne Wege, einen Aussichtsturm mit Blick auf die Kreuzfahrtschiffe, einen Kinderspielplatz, Picknickpavillons und Holzkohlegrills sowie einen 45 Meter langen Angelpier. Freitagabends finden im Amphitheater kostenlose Konzerte und ein Handwerksmarkt statt.

Wochentags, wenn Lummus Park überfüllt sein kann, ist South Pointe zumeist ruhiger, am Wochenende jedoch wird der Park von Familien schier überlaufen.

Fahren Sie auf dem Weg vom oder zum Park zur 5th Street Ecke Collins. Hier steht die Bronzestatue *The Paper Boy* (siehe S. 9) von Glenna Goodacre, die auch das Vietnam Women's Memorial beim Vietnam Veterans Memorial in Washington (D. C.) schuf. ■

Warum ist das Meer hier so blau?

In kälterem Klima, wo das kühlere Meerwasser mehr gelösten Sauerstoff und Kohlendioxid enthält, entstehen aufgrund der Nährstoffdichte viele kleine Pflanzen (Phytoplankton), von denen sich wiederum mikroskopisch kleine Tiere (Zooplankton) ernähren. Diese reichhaltige Suppe, die Basis der Meeresnahrungskette, lässt das kalte Wasser dunkel erscheinen. Südfloridas warmes Wasser enthält viel weniger gelöste Gase, weshalb es kaum Plankton gibt, das das blaue Licht ausfiltern könnte, das entsteht, wenn Sonnenlicht auf kristallklares Wasser fällt. ■

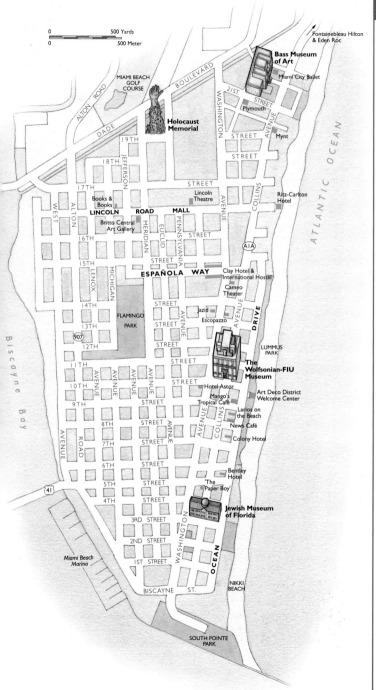

0   500 Yards
0   500 Meter

Fontainebleau Hilton
& Eden Roc

Bass Museum of Art

Miami City Ballet

MIAMI BEACH
GOLF
COURSE

BOULEVARD

21ST STREET

WASHINGTON AVENUE

Plymouth

Holocaust Memorial

Mynt

ALTON ROAD

DADE

19TH

STREET

18TH

STREET

JEFFERSON

17TH

STREET

Lincoln Theatre

Books & Books

LINCOLN ROAD MALL

COLLINS AVENUE

Ritz-Carlton Hotel

WEST

ALTON

Britto Central Art Gallery

MERIDIAN

EUCLID

PENNSYLVANIA

STREET

16TH

A1A

15TH

LENOX

MICHIGAN

ESPAÑOLA WAY

Clay Hotel & International Hostel

Cameo Theater

14TH

STREET

Jazid

13TH

FLAMINGO PARK

Escopazzo

AVENUE

DRIVE

907

12TH

STREET

LUMMUS PARK

11TH

STREET

AVENUE

AVENUE

AVENUE

The Wolfsonian-FIU Museum

10TH

STREET

Hotel Astor

Art Deco District Welcome Center

9TH

STREET

Mango's Tropical Café

COLLINS

Larios on the Beach

8TH

STREET

AVENUE

News Café

ROAD

7TH

STREET

Colony Hotel

AVENUE

6TH

STREET

Bentley Hotel

41

5TH

STREET

'The Paper Boy'

4TH

STREET

Jewish Museum of Florida

3RD STREET

WASHINGTON

2ND STREET

OCEAN

1ST STREET

Miami Beach Marina

BISCAYNE ST.

NIKKI BEACH

Biscayne Bay

ATLANTIC OCEAN

SOUTH POINTE PARK

Zu Fuß: Art Deco District

Allein der Miami Beach Preservation League, die sich dem Erhalt von Greater Miamis architektonischen Schätzen verschrieben hat, sind der Art Deco District (offiziell Miami Beach Art Deco National Historic District) und die Art-déco-Bauten zu verdanken.

Um einige der herausragenden Gebäude zu besichtigen, gehen Sie am Mittwoch, Samstag oder Sonntag um 10.30 Uhr oder am Donnerstag um 18.30 Uhr ins Art Deco District Welcome Center *(1001 Ocean Dr., Tel. 305/627-2014)*, wenn ehrenamtliche Mitarbeiter 90-minütige Führungen anbieten. Sie können die Tour aber auch an jedem Tag der Woche auf eigene Faust unternehmen: Leihen Sie sich dazu – gegen Vorlage der Kreditkarte oder Hinterlegung eines Pfands – im Center zwischen 11 und 16 Uhr einen Audioführer. Art-déco-Gebäude finden Sie allerdings auch leicht selbst, da in dem historischen Bezirk – von 6th bis 23rd Street – rund 800 solcher Bauwerke stehen.

Gehen Sie vom südlichen Ende des Ocean Drive zwischen Sixth und Seventh Street gen Norden. Zu den schönsten Bauten gehört hier das **Park Central Hotel ❶** *(630 Ocean Dr.)* von 1937. Seine Terrazzoböden und Eingangstreppen, die große Lobby und geätzten Glaselemente erinnern an die opulenten Kulissen von Hollywood-Musicals der Vorkriegszeit – nicht

zufällig, denn der Baustil wurde durch die Filme jener Zeit inspiriert.

Schauen Sie sich die prächtige Lobby des kleinen **Colony Hotel ❷** (736 Ocean Dr.) an, in der ein offener Kamin mit grünem Vitrolite und ein Wandgemälde von Ramon Chatov über südamerikanisches Landleben zu bestaunen sind. Ebenso wenig sollten Sie den schönen Terrazzoboden, die Decke und Lampen in der Empfangshalle des **Waldorf Towers Hotel ❸** *(860 Ocean Dr.)* versäumen.

Die Fassade des **Breakwater Hotel ❹** im nächsten Block, an Nr. 940, ähnelt einem mittelamerikanischen Mayatempel. Nachts schreiben blaue Neonlichter BREAKWATER auf den Turm. Das Breakwater teilt sich einen Pool mit dem mediterranen **Edison Hotel**, das 1935 nebenan eröffnete. Nun sind Sie am **Art Deco District Welcome Center ❺** angekommen, in dem Sie Karten und Informationen erhalten. Gehen Sie um das Gebäude herum: Die Rückseite ist wie ein Ozeandampfer gestaltet. Kubismus inspirierte die Architekten des **Victor Hotel ❻** (1144 Ocean Dr.) von 1937. Puristen

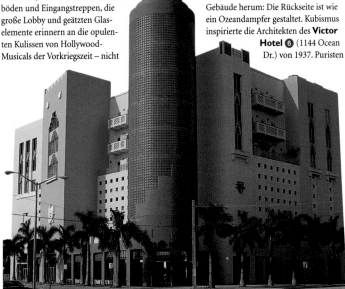

- 🅰 Siehe auch Karte S. 85
- ➤ Park Central Hotel, 630 Ocean Dr.
- ↔ 3,2 Kilometer
- ⊕ 1–2 Stunden
- ➤ The Hotel

UNBEDINGT ANSEHEN

- Park Central Hotel
- Miami Beach Main Post Office
- Astor Hotel
- The Hotel

lieben das dreistöckige **Leslie Hotel ❼** (1244 Ocean Dr.) wegen seiner klassischen Schlichtheit.

Für das **Carlyle** *(1250 Ocean Dr.)* von 1941 nutzte der Architekt das große Grundstück, um den Art-déco-Stil horizontal zu strecken. Im 1400er-Block stehen zwei der auffälligsten Art-déco-Gebäude nebeneinander: das **Crescent Hotel ❽** von 1932 und das **McAlpin Hotel** von 1940. Gehen Sie an der Kreuzung zur 15th Street links. Auf der anderen Seite der Collins Avenue sehen Sie das schönste Streamline-Gebäude von South Beach: die dreistöckige **Haddon Hall ❾** *(1500 Collins Ave.)*.

Auf der Collins gehen Sie gen Süden, dann rechts in die 13th Street. Gegenüber, an Nr. 1300 Washington Avenue, steht das 1939 eröffnete **Miami Beach Main Post Office ❿**, ein wunderbares Beispiel für den Federal-Stil. In der großen Rotunde ist ein schönes historisches Wandgemälde zu sehen. Folgen Sie der Washington Avenue gen Süden: Hier steht eine weitere Streamline-Schönheit, das **Astor Hotel ⓫** *(956 Washington Ave., Ecke 10th St.)*. Auf der Tenth Street gelangen Sie zur Collins Avenue zurück. Das **Essex House ⓬** *(1001 Collins Ave.)* im Stil der nautischen Moderne verkörpert die Liebe des Art déco zu den großen Ozeanriesen jener Zeit.

Weiter geht es die Collins runter zu **The Hotel ⓭** *(801 Collins Ave.)*. Mit seinem Metallturm und den Neonlichtern ist es eines der schönsten Beispiele des Art déco auf der Insel. Es wurde kürzlich als Luxuspension wiedereröffnet. ∎

Art-déco-Hotel an SoBes Ocean Drive

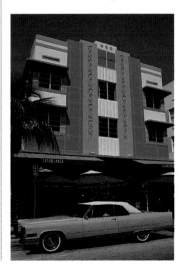

Española Way
ist nach wie vor
ein Ort der
Kreativität

Española Way

DER ARCHITEKT ROBERT TAYLOR NANNTE SEINEN 1925 fertiggestellten, einen Block langen neomediterranen Komplex »Zuflucht für Künstler und Schurken«. Nun, dann waren diese wohl vornehme Bohemiens, denn diese fantastische Alhambra aus Gassen und Höfen, Ateliers und Bogenportalen ist alles andere als schäbig.

Española Way
 81 C2

Die Markisen und Balkone des spanischen Dorfes finden Sie zwischen Washington und Drexel Avenue bzw. zwischen 14th und 15th Street. Taylors Idee regiert hier noch immer – in den Lofts der oberen Etagen wohnen und arbeiten tatsächlich Künstler. Unten befinden sich Cafés, Läden und Kunstgalerien.

Die Miami Beach Preservation League organisiert zuweilen am Samstag 45-minütige Führungen durch das Viertel, die meist um 14 Uhr am **Clay Hotel and International Hostel** *(1438 Washington Ave., Tel. 305/534-2988; siehe S. 247)* beginnen. In South Beachs einziger Jugendherberge – einer der coolsten der Welt – betrieb Al Capone seinen berüchtigten Spielerzirkel, und Desi Arnaz begründete hier den Rumba-Boom.

Das Clay war schon Kulisse für Filme und Videoclips mit Don Johnson, Sylvester Stallone und Elton John. Werfen Sie einen Blick in die Lobby – 406 Española Way –, und erkunden Sie dann die Gegend.

Als sich 1938 im **Cameo Theater** *(1445 Washington Ave., Tel. 305/531-5027)* erstmals der Vorhang hob, liefen hier ausländische Filme. Heute ist es ein Tanz- und Rockmusikclub mit einer jungen, hippen Gästeschar. Die Fassade mit einem Abschnitt aus Glasbausteinen ist purer Modernismus.

Sie erreichen Española Way mit dem South Beach Local Bus (siehe Seitenspalte). Unterwegs hält er am Holocaust Memorial (siehe S. 95), am Art Deco District Welcome Center (siehe S. 86) und am Jewish Museum (siehe S. 94). ▪

MIT DEM BUS UNTERWEGS
Durch South Miami Beach fährt alle 10 Minuten der South Beach Local. Er verkehrt auf der Washington Avenue zwischen 17th und 5th Street von der Mall zum Beach Marina (siehe S. 242). ▪

Lincoln Road Mall

DIE GESCHICHTE DER LINCOLN ROAD IST FÜR MIAMI Beachs bauliche Anfänge typisch: Aus einer Piste durch einen Mangrovensumpf schuf ein vorausblickender Unternehmer eine schicke Promenade, an der heute mehr als 300 Restaurants, Cafés, Kunstgalerien, Fachgeschäfte, Modeboutiquen und Ateliers stehen.

Lincoln Road Mall

 81 C2

Britto Central Art Gallery
www.britto.com

✉ 818 Lincoln Rd.

☎ 305/531-8821

New World Symphony
www.nws.org

☎ 305/673-3331
(Ticketschalter)

Als Carl Fisher, Erbauer des Indianapolis Speedway, Pläne für die »Fifth Avenue des Südens« ankündigte, besaß Miami Beach kein Geschäftsviertel. Die Bewohner mussten zum Einkaufen über die alte Zugbrücke zu den Kaufhäusern in Downtown Miami fahren. Der Platz, den Fisher für sein Shopping-Mekka wählte, hatte den Nachteil, dass er unterhalb des Meeresspiegels lag. Unerschrocken ließ er ihn mit Sand aus der Biscayne Bay aufschütten, baute die Straße aus und benannte sie nach seinem Idol Abraham Lincoln. Er ersetzte die Kokospalmen (von denen zuweilen Nüsse auf die Passanten fielen) durch Königspalmen und verkaufte Grundstücke an prestigeträchtige Firmen wie Saks Fifth Avenue, Bonwit Teller, Packard und Chrysler. Schon bald galt die Lincoln Road als Nobelmeile.

Die Lincoln reicht von der Alton Road bis zum Atlantik. (Die Fußgängerzone liegt zwischen Washington und Lenox Avenue.) Stellen Sie Ihren Wagen am Parkplatz in der 17th Street ab. Wenn Sie vor dem Kino **Regal South Beach 18** *(1100 Lincoln Rd., Tel. 305/674-6766)* eine Menschenmenge sehen, geht bald die Vorstellung los.

Das landesweit auftretende, 90-köpfige Orchester **New World Symphony**, das sich der Ausbildung 21- bis 30-jähriger Musiker verschrieben hat, ist im auffälligen **Lincoln Theatre** *(555 Lincoln Rd.)* zu Hause, das

Wometco im Jahr 1936 als Kino eröffnete. Zwischen den Konzerten ist das Gebäude meist geschlossen, doch auch die Fassade ist schön anzuschauen.

Für geistige Anregung sorgt **Books & Books** *(933 Lincoln Rd., Tel. 305/532-3222)*. In der beliebten Buchhandlung mit dem ein-

ladenden Café Russian Bear finden abends häufig Autorenlesungen und Signierstunden statt.

Bildende Kunst bietet die **Britto Central Art Gallery**. Die fröhlichen Werke des brasilianischen Pop-Art-Künstlers Romero Britto sind überall zu bestaunen: vom Weißen Haus bis zu Absolut-Vodka-Flaschen.

Samstags findet ein kleiner Antiquitätenmarkt statt, sonntags ein Bauernmarkt. ■

Café an der für Autos gesperrten Lincoln Road

Art déco

D er Baustil ist nach der *Exposition Internationale des Arts Décoratifs et Industriels Modernes* benannt, einer 1925 in Paris veranstalteten Ausstellung zum Thema Moderne im Maschinenzeitalter. Eine Gruppe brillanter amerikanischer Designer, Architekten und Industrieller dekorierte bald Automobile (wie den Chrysler Airflow, einen Misserfolg), Flugzeuge (wie die DC-3, einen Erfolg) und sogar Küchengeräte mit modernistischen Schnörkeln.

Der schnittige Schnellzug Manhattan–Chicago mit dem Namen *20th-Century Limited* war der Inbegriff des landesweiten Fortschrittsglaubens. Designer beschrieben ihre Entwürfe als Moderne, Streamline, Wolkenkratzer und »Jazz Age«, ein Begriff, den F. Scott Fitzgerald erfand. »Arts déco« blieb jedoch ein französischer Terminus, den man zumeist in Bezug auf geometrische Reliefmuster anwendete: parallele Geraden, Zickzacklinien, Bogen und stilisierte Blumenmotive.

Ironischerweise erhielt die Déco-Mode durch die Depression ihren stärksten Aufwind. Bankenpleiten, Armut und Fabrikschließungen hatten dazu geführt, dass die Amerikaner Institutionen nicht mehr vertrauten. Sie wollten ermutigend, erhebend wirkende Bauwerke, vor allem öffentliche wie Bürogebäude, Postämter und Bahnhöfe. Diese Herausforderung nahm Howard Cheney an, als er Ende der 1930er-Jahre den Auftrag für Miami Beachs neues Postamt *(1300 Washington Ave.)* bekam. Das Resultat war umwerfend.

Doch was war hier für die extreme Popularität des Art déco verantwortlich? Manche meinen, seine Leichtigkeit gefiel Miamis hart arbeitenden, wintermüden Urlaubsgästen. Andere glauben, dass Europäer, die sich hier niederließen oder Ferien machten, von den klassischen Grundlagen des Stils angesprochen wurden, während die durch und durch amerikanische Look sie daran erinnerte, dass sie weit vom Horror des europäischen Faschismus entfernt waren.

Art déco hat eine bestimmte Attraktivität, die viele mit Elan und Zuversicht verbinden. Die Theatralik sogar kleiner Hotels wie des »seetüchtigen« Essex *(1001 Collins Ave.)* oder des »Mayatempels« Breakwater *(940 Ocean Dr.)* mit ihren Türmen und Neonschriftzügen verströmen ein ansprechendes, jugendlich-heiteres Flair. 1940, als Franklin Roosevelts Sozialpläne die Dinge zu wenden schienen, übernahm der Architekt Anton Skislewicz die heroischen Säulen der die Zukunft preisenden Tempel der Weltausstellungen jener Dekade für sein luxuriöses Hotel Plymouth *(336 21st St.)*. Spielte es eine Rolle, dass man kein Star war, wenn man in einem Apartmenthochhaus wie Robert Collins' Helen Mar am Lake Pancoast – so elegant wie nur irgendwas in Hollywood – leben konnte, zudem an einem

ART-DÉCO-STIL

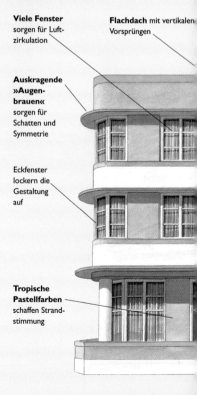

Viele Fenster sorgen für Luftzirkulation

Flachdach mit vertikalen Vorsprüngen

Auskragende »Augenbrauen« sorgen für Schatten und Symmetrie

Eckfenster lockern die Gestaltung auf

Tropische Pastellfarben schaffen Strandstimmung

Meer, das blauer und wärmer ist als der kühle Pazifik an Kaliforniens Küste?

Neben allem schönem Schein war Art déco aber auch praktisch. Die Gebäude aus Beton, glattem Stein und Metall hielten Südfloridas schwülem subtropischem Klima einfach besser stand. Die dekorativen Elemente – aus Terrakotta, Spiegeln, Edelstahl, Glas, Bakelit, Vitrolite, Glasuren, Aluminium und Stahlrohren – waren ebenso widerstandsfähig. Miamis Bauträger hatten eine große Palette zur Auswahl, die sie nutzten, um unzählige Art-déco-Juwelen zu schaffen. ■

Oben rechts: Marines Relief, Marlin Hotel

Terrazzo

Die meisten Architekten, die hier Artdéco-Gebäude errichteten, verwendeten Terrazzo – für den Steinplättchen in Mörtel gesetzt und poliert werden – für Böden und Treppen. (Andernorts werden die Muster mit Linoleumeinlagen nachgeahmt.) Nach Ansicht von Architekturhistorikern besitzt der Art Deco District die weltweit größte Sammlung dieser dekorativen Kunst. ■

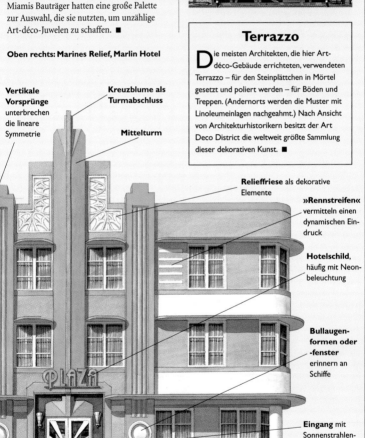

Vertikale Vorsprünge unterbrechen die lineare Symmetrie

Kreuzblume als Turmabschluss

Mittelturm

Relieffriese als dekorative Elemente

»Rennstreifen« vermitteln einen dynamischen Eindruck

Hotelschild, häufig mit Neonbeleuchtung

Bullaugenformen oder -fenster erinnern an Schiffe

Eingang mit Sonnenstrahlen-Motiv

Oben: Das spanisch-maurische Wolfsonian-Museum

Das Wolfsonian-FIU Museum

The Wolfsonian
www.wolfsonian.fiu.edu
🅰 81 C2
✉ Washington Ave. & 10th St.
☎ 305/531-1001
🕐 Geschl. Mi
💲 $–$$

FÜR VIELE LEUTE IST DIESES AUSSERGEWÖHNLICHE MUSEUM aufgrund seiner fesselnden, schwer zu erklärenden Themen unglaublich faszinierend. Offiziell behandelt das Wolfsonian »dekorative und Propagandakunst« sowie »Materialkultur«, was so aussagekräftig ist, als würde man sagen, *Krieg und Frieden* sei ein Buch über Russland. Das Museum in einem siebenstöckigen, im spanisch-maurischen Stil erbauten ehemaligen Lagergebäude besitzt über 70 000 Objekte, vorwiegend aus Nordamerika und Europa, die »die kulturellen, politischen und technologischen Veränderungen in der Welt des Jahrhunderts vor dem Zweiten Weltkrieg widerspiegeln«.

Mitchell Wolfson jun., Erbe des Wometco-Theater-Vermögens, verbrachte mehrere Jahre damit, die Möbel, Gemälde, Skulpturen, Gebäudemodelle, Poster, Bücher, Glas-, Keramik- und Metallarbeiten sowie Kuriositäten zusammenzutragen – gleichsam ein Abbild der modernen Psyche, der schönen wie der schrecklichen Natur des Menschen. Die Exponate sind aufsehenerregend und vielseitig: Jazz-Age-Küchengeräte, die so sehr »Streamline« sind, dass sie heroisch wirken; eine schmeichelhafte Bronzebüste von Mussolini; ein Flipperautomat, an dem amerikanische Kids Axis-Kriegsherren töten müssen, oder eine handgefertigte Blindenschrift-Version von Hitlers *Mein Kampf*. In dem 1927 errichteten Gebäude mit 4800 Quadratmetern Fläche lagerten die Wertsachen reicher Einwohner, wenn diese in den Norden reisten. Im modernisierten Inneren werden Feuchtigkeit und Temperaturen sorgfältig kontrolliert, um die vielen seltenen Bücher und empfindlichen Dokumente zu erhalten. Der Museumsshop führt Bücher, Museumspublikationen und herausragende Designer-Objekte. ∎

Dudley Vaill Talcotts Aluminiumstatue *Ringer* von 1929

Bass Museum of Art

**Bass Museum
of Art**
www.BassMuseum.org

🅰 81 C3

✉ 2121 Park Ave.

☎ 305/673-7530

🕐 Geschl. Mo

💲 $$

WIE DAS GEBÄUDE DES WOLFSONIAN-MUSEUMS, SO HATTE
dieser im Maya-Stil gehaltene Bau, in dem sich heute die europäische
Kunstsammlung der Familie Bass (Stifter des Museums) befindet,
ursprünglich eine andere Funktion: als Miami Beach Library and Art
Center. Das Gebäude besteht aus Key-Gestein – dem groben, ge-
sprenkelten, grauen Gestein, das über Äonen hinweg durch Korallen-
bauten entstand und im Boden fast ganz Südfloridas zu finden ist.

Das Bass ist das einzige Museum
für schöne Künste auf der Insel. Zu
seinem Bestand gehören einige alte
Meister und interessante sakrale
Werke, die als die schönsten
Südostfloridas gelten. Erwarten Sie
keine international bekannten
Gemälde. Dennoch werden Sie
durchaus Arbeiten großer Namen
wie Peter Paul Rubens, Albrecht
Dürer und Henri Toulouse-Lautrec
finden. Außergewöhnlich sind die
riesigen flämischen Gobelins aus
dem 16. Jahrhundert.

   Das Museum wird mit
Bedacht geführt und nutzt
seine begrenzte Fläche sehr
gut. Neben den wechselnden
Ausstellungen werden im
Vorführraum Filme zum
jeweiligen Thema gezeigt.
Das Bass steht auf einem
Grundstück, das der Stadt-
vater John Collins (nach
dem die Collins Avenue
benannt ist) der Gemeinde
Miami Beach schenkte.
Collins' Enkel, der Architekt
Russell Pancoast, entwarf das
Gebäude, das 1930 fertigge-
stellt wurde.

   Schauen Sie sich die drei
Reliefs über dem Museums-
portal an, die Gustav
Bohland schuf, Mitglied
einer hiesigen Architekten-
gruppe, deren Werke oft-
mals die fantastischen
Moden von Floridas Boom-
jahren reflektierten. Das
Relief in der Mitte zeigt

einen stilisierten Pelikan vor einer
schönen Art-déco-Kulisse mit
Palmen, Mangroven und Meer.
In der Außenmauer kann man
im Key-Gestein Fossilien aus-
machen. ∎

**Botticellis und
Ghirlandaios
Krönung der Maria
(1492), eines der
wertvollen
sakralen Werke
im Bass Museum**

Jewish Museum of Florida

Jewish Museum of Florida
www.jewishmuseum.com
- 81 C2
- 301 Washington Ave., bei 3rd St.
- 305/672-5044
- Geschl. Mo und in den jüdischen Ferien
- $$

JEWISH MUSEUM OF FLORIDA: HOME OF MOSAIC – EIN sperriger Name für ein wirklich beachtliches Archiv zur facetten-reichen, über 230 Jahre langen Geschichte von Floridas jüdischer Bevölkerung. Das Museum befindet sich in einem Art-déco-Gebäude von 1936, ehemals orthodoxe Synagoge für Miami Beachs erste jüdische Gemeinde Beth Jacob. 1995 wurde sie zum Museum umge-staltet, wobei der schräge Boden erhalten blieb, der die Akustik verbesserte, sodass der Rabbi besser verstanden wurde.

Die Sonne scheint durch die Menora in diesem Bunt-glasfenster von Miami Beachs erster orthodoxer Synagoge, heute Museum

80 Buntglasfenster tauchen den Innenraum in sanftes Licht. Das Wort »MOSAIC« bezieht sich auf die Dauerausstellung »Jewish Life in Florida«, den Mittelpunkt der kulturellen Dokumentation des Museums. Eine der faszinierendsten Geschichten ist jene über die Juden in Kuba, die mit Castros Macht-ergreifung zu Ende ging.

Man muss kein Jude oder mit dem Judentum vertraut sein, um vom persönlichen Ansatz des Museums angetan zu sein – dazu tragen Familienfotos bei (etwa vom Baby *Felix Glickstein auf einem ausgestopften Alligator in Jackson-ville, 1916*, oder von *Miss Florida Mena Williams in Tallahassee, 1885*), Erbstücke wie ein Passah-Porzellanservice aus der Mitte des 19. Jahrhunderts, ergreifende Dokumente wie der kubanische

Pass von Elisa Gerkes, die 1917 als Kind von Polen nach Havanna auswanderte, und natürlich Florida-Typisches wie ein mit Muscheln besetztes Kleid, das Fannie Moss 1916 für ein Purim-fest nähte.

Andere Erinnerungsstücke machen betroffen, darunter alte Fotos von Schildern »Nur für Nichtjuden« vor Miami Beachs Hotels. Dies hat einen besonders sarkastischen Beigeschmack, da Miami Beach bald die größte und lebendigste jüdische Gemeinde im Südosten Amerikas werden sollte. Schauen Sie sich auf jeden Fall das historische Video an – eine Chronik ab dem Jahr 1763, als sich in Pensacola die ersten Juden niederließen. ■

Familienerbstücke im Museum

Das Jewish Museum of Florida sammelt ständig neues Mate-rial über die jüdische Geschichte in Florida, um sie künftigen Generationen nahezubringen. Die Ausstellungen des Museums wechseln dreimal im Jahr. Jüdische Einwohner Floridas, die dem Museum Erbstücke, Objekte oder Fotos überlassen wollen, können sich an den Archivar wenden.
305/672-5044, Nebenstelle -15 ■

Holocaust Memorial

Holocaust Memorial

www.holocaustmmb.org

▣ 81 C3

✉ 1933–45 Meridian Ave., zwischen 19th St. & Dade Blvd.

☎ 305/538-1663

🕐 Geöffnet tägl.

💲 Freier Eintritt

MIAMI BEACH, WO EINE DER GRÖSSTEN GEMEINDEN VON Holocaust-Überlebenden in den USA lebt, besitzt ein Denkmal für die sechs Millionen europäischen Juden, die während der Schreckensherrschaft der Nationalsozialisten ums Leben kamen. Das 1990 im Beisein des Nobelpreisträgers Elie Wiesel eingeweihte Denkmal ist voller Symbolkraft – jedes Detail repräsentiert einen emotionalen, historischen oder philosophischen Aspekt des Holocaust – und trägt die dreifache Last, an die Opfer zu erinnern, die Überlebenden zu trösten und dafür zu sorgen, dass jüngere Generationen nicht vergessen, was damals geschah.

Das ergreifende Holocaust-Mahnmal in Miami Beach

Mitte der 1980er-Jahre begann man nahe der Kreuzung Dade Boulevard und Meridian Avenue mit der Konstruktion des Denkmals, das überwiegend aus rosa Jerusalem-Stein besteht. Von Weitem sieht man die große Bronzehand, die sich 13 Meter hoch aus einem Wasserbecken streckt. Kommt man näher, erkennt man Details, die der Architekt und Bildhauer Kenneth Treister schuf. Auf drei Tafeln, Teil einer halbrunden, schwarzen Granitwand, ist ein tabellarischer Überblick über die Ereignisse von Hitlers Machtübernahme 1933 bis zu seinem Selbstmord in den Ruinen Berlins ein Dutzend Jahre später eingemeißelt.

Beim Lesen gelangt man in einen schreinähnlichen Raum, der in einen engen Tunnel führt: An seinen Wänden stehen die Namen der Konzentrationslager, wie Auschwitz, Dachau, Bergen-Belsen. Die Decke wird immer niedriger; Treister wollte damit darstellen, wie klein sich die Opfer fühlten – sie bekamen Nummern statt Namen, sie verloren allen Besitz, ihre Liebsten, die Freiheit, die Heimat und schließlich das Leben. Aus dem Tunnel tritt man auf einen runden Platz heraus, auf dem sich die Bronzehand gen Himmel streckt. Auf dem Unterarm sind an die 100 gequälte Menschen, in Familien zusammengehäuft, zu sehen. Außerdem ist eine Häftlingsnummer eingemeißelt (den realen Häftlingen wurde sie mit blauer Tinte eintätowiert). Danach kommt man zu einer Mauer, auf der Namen von Opfern stehen und die gleichsam die Verbindung zwischen den Lebenden und den Toten darstellen soll. Die Namen wurden von Menschen vorgeschlagen, die sich an die Opfer erinnern und sie ehren. ■

Miamis jüdisches Erbe

Miamis jüdische Gemeinde – nach jener in New York die zweitgrößte Amerikas – entstand durch ein seltsames Zusammenspiel gesellschaftlicher Kräfte und historischer Wendungen. Juden kamen aus ähnlichen Gründen nach Florida wie in andere südliche Bundesstaaten: mildes Klima und die Chance, in einer jungen, sich gerade erst formenden Ökonomie Fuß zu fassen. Einige ließen sich im 19. Jahrhundert in Key West nieder, wo sie am boomenden Handel mit Waren von gesunkenen Schiffen teilnahmen; andere fanden vor den Pogromen in Europa Zuflucht auf Kuba und gründeten später Miamis jüdische Gemeinde.

Unter den ersten jüdischen Immigranten waren Kaufleute, die sich im Nordosten bereits etabliert hatten und den Eisenbahnbau an Floridas Golfküste durch Henry Flagler und seine Rivalen als Zeichen einer expandierenden Wirtschaft sahen. 1912 erbaute Miamis

jüdische Enklave die erste Synagoge der Stadt, Beth David (ursprünglich B'nai Zion).

Die meisten Einwanderer aus dem Nordosten, die zu Miamis Ruf als jüdische Pensionärsgemeinde beitrugen, kamen zwischen den Weltkriegen. Die schwindelerregende Aufwärtsspirale der Immobilienpreise lockte viele hierher, und in der wachsenden Wirtschaft entstanden neue Arbeitsstellen. Hinter allem stand natürlich auch Miamis Aura als »tropische« Stadt mit gesundem Klima.

Die andernorts kalten Winter begründeten Miamis Tourismusindustrie, und neben anderen Urlaubern kamen mit der Eisenbahn auch Juden aus New York und New Jersey sowie aus Chicago. Die Tradition, in Miami den Winter zu verbringen, führte zum Bau vieler kleiner Hotels in Miami Beach. 1927 wurde der Reform Temple Israel, einer der schönsten der USA, eingeweiht, 1929 folgte Beth Jacob, Miami Beachs erste Synagoge, in

der sich heute das Jewish Museum of Florida (siehe S. 94) befindet.

Doch mit dem Aufschwung kam auch der Antisemitismus: Restriktive Verordnungen verboten Juden, Hotelzimmer zu mieten oder in bestimmten Gegenden Häuser zu kaufen (in den 1950er-Jahren hob der Oberste Gerichtshof diese Verbote wieder auf). Vor Restaurants hingen Schilder mit der Aufschrift »Keine Hunde, keine Schwarzen, keine Juden«. Oberschicht-Enklaven wie der Nautilus Club gaben kund, dass sie keine Juden aufnehmen. Doch ebenso gut hätten sie versuchen können, den Golfstrom aufzuhalten – jüdische Familien kamen zu Tausenden und checkten in Miami Beachs neuen Art-déco-Hotels ein. Ironischerweise wurde schließlich an der Stelle des Nautilus-Club-Polofelds eine Synagoge errichtet.

In Miamis Zeit als militärisches Ausbildungszentrum kamen im Zweiten Weltkrieg Tausende von Soldaten und Offiziersanwärter aus dem ganzen Land hierher. Die Uniformierten (darunter auch Nichtjuden) wurden an Feiertagen in jüdische Häuser eingeladen. Nach dem Krieg erinnerten sie sich an diese unvermutet freundliche Gemeinde und ließen sich hier nieder.

Inzwischen wuchs Miami Beachs Popularität als Winterurlaubsort, und in den 1950er-Jahren zogen viele jüdische Familien weg, in andere Viertel und die Küste hoch. Wenig bekannt ist die Tatsache, dass nach Fidel Castros Machtübernahme etwa 10 000 kubanische Juden ihre Heimat verließen – die meisten zogen nach Miami und Miami Beach.

Heute, zu Beginn des 21. Jahrhunderts, teilt sich Miamis jüdische Gemeinde Greater Miami mit Kubanern und anderen karibischen Immigranten. Die Generationen gehen vorüber, doch noch immer sind sich Miamis ältere jüdische Bewohner bewusst, dass sie eine Zeit überlebten, in der so viele ums Leben kamen, und dass sie eine Odyssee hinter sich haben, die sie an einen sicheren Ort in der Sonne gebracht hat, wo sie sich erinnern und Dank sagen. ∎

Eine jüdische Hochzeitsgesellschaft im Eden Roc Resort, North Miami Beach

Ferienanlagen und Hotels

Fontainebleau
www.fontainebleau-hilton-
resort.aboutmiami-
beach.com/index.html

🅰 81 C3

✉ 4441 Collins Ave.,
zwischen 44th &
45th Sts.

☎ 305/538-2000
oder 800/548-8886

**Sonnenaufgang
über dem riesigen
Pool des Ritz-
Carlton, South
Beach**

UNTER DEN HOTELHOCHHÄUSERN AN DER COLLINS
Avenue nördlich der 23rd Street in Miami Beach fallen das Fontaine-
bleau Hilton und das Eden Roc besonders auf. Diese Ikonen der
Resort-Ära schufen und definierten einen Stil in der amerikanischen
Architektur, der mit Begriffen aus dem Standardlexikon der meisten
Kritiker nicht zu beschreiben ist. Eine starke Konkurrenz zu diesen
etablierten Stars bildet das neue Ritz-Carlton Hotel etwa eineinhalb
Kilometer weiter südlich.

FONTAINEBLEAU HILTON RESORT & TOWERS

Seine geschwungenen Linien und
bonbonfarbenen Zimmer wurden
schon von Amerikas kritischsten
Dokumentarfilmern aufgenommen.
Autoren haben bei der Beschreibung
dessen, was es repräsentiert, mit den
Worten gekämpft: eine dekadente
Kultur im Niedergang? Eine ver-
gangene Zeit, um die man trauern
sollte? Die Cheopspyramide des
Kitsch? Das 1954 erbaute Hotel ist
nach wie vor beliebt, teuer und
gepflegt und gilt noch immer als
Ikone des zuversichtlichen, kühnen
Nachkriegs-Amerika. Für andere
ist der Gigant mit zwei Türmen,
17 Etagen, 920 Zimmern und acht
Hektar Fläche einfach ein großes,

übertrieben dekoriertes Hotel. Vermutlich ist es all das: sensationell, prächtig und durch und durch kompromisslos, ersonnen von dem Bauunternehmer Ben Novak und dem Architekten Morris Lapidus, der am Anfang seiner Karriere Kaufhausinterieurs entwarf. Trotz mancher kritischer Töne wurde er zum Architekten des American Dream.

Wenn man zum Fontainebleau fährt, passiert man Miami Beachs Golfplätze und Nobelvillen am Indian Creek, Yachten und Segelboote. Wenn Sie keinen Parkplatz finden, stellen Sie Ihren Wagen in der Hotelgarage ab. Besichtigen Sie die Lobby mit Lapidus' Wahrzeichen: seltsam geformte Deko-Elemente, die er *woggles* nannte. Die im Retrostil gestaltete Empfangshalle lockt jüngere Gäste in ein Hotel, das sonst

eigentlich mit älteren Urlaubsgästen assoziiert wird. Die pseudotropische Lagune ist in der Anfangsszene des James-Bond-Films *Goldfinger* von 1964 zu sehen, in der Sean Connery sich umblickt und sagt: »Gut, das ist das Leben.«

EDEN ROC RENAISSANCE RESORT & SPA

Das 18-stöckige Eden Roc, eine weitere Lapidus-Kreation, Zeitgenosse und Rivale des benachbarten Fontainebleau, leidet darunter, dass es weniger Popularität, weniger Erfolg, weniger von allem hat als sein Nachbar. Die Linien des Roc verweisen auf seine Errichtung Mitte des 20. Jahrhunderts, doch die fröhlichen Farben – Resultat einer mehrere Millionen Dollar teuren Renovierung, die eine neue Generation von Stammgästen anziehen sollte – verleihen ihm ein mehr als flamboyantes Flair. Im Fontainebleau fallen in die Zimmerdecken geschnittene Löcher und verschnörkelte Säulen auf; im Eden Roc ist es die karibische Farbpalette, die man in der ballsaalgroßen Lobby sofort bemerkt. In der ganzen Anlage mit 349 Zimmern findet man Spritzer, Streifen und wahre Farbexplosionen.

DAS RITZ-CARLTON

Die ehrwürdige Ritz-Carlton-Hotelkette eröffnete in den letzten Jahren drei Häuser in Miami, von denen keines so nobel ist wie dieses in South Beach. Die imposante Anlage mit 376 Zimmern debütierte nach einer umfassenden Renovierung des Hotels DiLido von Morris Lapidus. Doch statt in rigorosem Art déco ist es im Moderne-Stil mit klaren Linien und minimalem Dekor gestaltet. Es hat einen schwarzen Terrazzoboden, eine »Luftblasen-Wand« in der Lobby und Treppengeländer aus Aluminium. ■

Eden Roc
www.edenrocresort.com

🗺 81 C4

✉ 4525 Collins Ave., zwischen 44th & 45th Sts.

☎ 305/531-0000 oder 800/327-8337

Ritz-Carlton
www.ritzcarlton.com/resorts /south_beach/

🗺 81 C2

✉ 1 Lincoln Rd.

☎ 786-276-4000

Weitere Sehenswürdigkeiten

BAL HARBOUR

Die 100 Hektar große Luxusenklave Bal Harbour ist größtenteils für Besucher gesperrt. Den hiesigen Lebensstil lernen Sie beim Bummel durch die Bal-Harbour-Shops *(9700 Collins Ave.)* kennen. Diese noble Mall wurde an der Stelle einer Militärkaserne des Zweiten Weltkriegs erbaut und bietet heute

»Warnung« vor Nacktbadenden am Haulover Beach

Weitere Architektur-Touren

Die Miami Design Preservation League bietet Exkursionen zu einzigartigen Wohnvierteln wie Surfside. Es gibt Busausflüge zum Thema Interieur und Genres des Art déco wie Tropical Deco, der an die Ozeanriesen von einst wie den Passagierdampfer *Bremen* erinnert.

Bei manchen Touren kommt man in Apartment- und Privathäuser, bei anderen besucht man die versteckte Welt üppiger tropischer Privatgärten.

Tourbeschreibungen und Zeitpläne finden Sie unter www.mdpl.org. ■

internationale Mode- und Schmuckläden wie Prada, Hermès, Louis Vuitton, Tiffany und Christian Dior. Bestaunen Sie die teure Designerkleidung, und besuchen Sie dann eines der Restaurants, in denen die Reichen vorgeben, nicht mit ihren Einkäufen protzen zu wollen …

🅰 81 D5 ☎ 305/866-0311

HAULOVER BEACH PARK

Der weiche Sand, das warme Wasser und der Blick auf South Miami Beach – all das ist in diesem ruhigen Park nördlich von Bal Harbour kostenlos. Apartmenthäuser stehen versteckt hinter dichter Vegetation.

In den letzten Jahren sieht man hier immer mehr FKK-Anhänger. (Es ist legal, und jeder hier benimmt sich schicklich, doch es lockt natürlich auch Gaffer an.) Mit Leihkanus kann man den nahen Oleta River befahren.

🅰 81 D5 ✉ 10800 Collins Ave. ☎ 305/947-3525

NORTH SHORE STATE RECREATION AREA

Nahe Surfside, zwischen 79th und 87th Street, liegt dieses ländliche, 16 Hektar große Naturschutzgebiet, das zahlreiche Dünen und die einheimische Meertraube (eine Baumart) als Sehenswürdigkeiten zu bieten hat. Zahlreiche gepflegte Plankenwege führen zu verschiedenen Habitaten, Picknicktischen, Grills und Radwegen. Rettungsschwimmer wachen über die Badenden.

🅰 81 D5 ☎ 305/673-7730

SURFSIDE & SUNNY ISLES

Im altmodischen Surfside liegt der **Harding Townsite Historic District**, Heimat des verstorbenen jüdischen Schriftstellers Isaac Bashevis Singer, der im Jahr 1978 beim Frühstück im Sheldon's Drugstore *(Harding Ave. Ecke 95th St., Tel. 305/866-6251)* erfuhr, dass ihm der Nobelpreis für Literatur verliehen worden war.

Einen Blick auf frühere Zeiten gewährt auch Sunny Isles Beach, in dessen Strandhotels überwiegend ältere Stammgäste absteigen (siehe S. 70, Miamis russische Gemeinde).

🅰 81 D5 ■

Diese zwei Barriereinseln
mit ihren Muschelstränden,
üppig grünen Parks und Ferienanlagen erreicht man von Downtown Miami aus über den Rickenbacker Causeway in wenigen
Minuten – und doch sind sie eine
andere Welt.

Key Biscayne und Virginia Key

**Rote Mangroven,
Key Biscayne**

In den Wäldern in Key Biscaynes Süden versteckten sich einst Piraten und Schmuggler

Key Biscayne und Virginia Key

DER BLICK VOM RICKENBACKER CAUSEWAY AUF MIAMIS SKYLINE GEHÖRT zu den schönsten überhaupt, auch wenn Sie ihn wohl nicht zu ausgiebig genießen werden, ehe Sie sicher auf Virginia Key angelangt sind. Dort fahren Sie links von der Straße ab, dann sehen Sie die City gegenüber. Noch schöner sind die Keys selbst, die sich weit in die Biscayne Bay hinein erstrecken und trotz der Bebauung an der Küste noch natürlich und wild wirken.

Für die Überfahrt über den Causeway müssen Sie einen Dollar bezahlen (Rückfahrt inklusive). Der Damm ist nach seinem Erbauer Eddie Rickenbacker, Amerikas Fliegerass des Ersten Weltkriegs, benannt. Rickenbacker fuhr Autorennen und war im Krieg Chauffeur von General John Pershing. Letzterer war Kampfflieger und kam mit 26 Siegen als Held in die Heimat zurück. In Miami gründete er 1926 die Florida Airways Corporation und kurz darauf die Eastern Airlines, die 60 Jahre lang zu Amerikas führenden Fluglinien gehörte. Er verlangte eine Mautgebühr, die damals wie heute als Schnäppchenpreis gilt, um zu Greater Miamis besten Stränden und Küstenparks zu gelangen.

Keiner dieser Parks liegt jedoch auf Virginia Key, und die Straße vom Causeway gen Nordosten auf die Insel selbst ist nicht gerade einladend. Nur wenige Schilder geben an, wo

Rettungsschwimmer

Es sieht vielleicht aus, als hätten sie einen angenehmen Job, doch die Strandwächter der Miami-Dade County Parks müssen Herz-Lungen-Reanimation, Rettungsschwimmen und Erste-Hilfe-Techniken, Unterwassersuche und -bergung sowie Tauchen beherrschen; einige sind sogar zertifizierte Rettungssanitäter. Sie halten nach Gefahrenquellen auf dem Wasser Ausschau. Fragen Sie sie nach den für den jeweiligen Strand speziellen Risiken – starke Strömungen, plötzliche Untiefen, Quallen –, und befolgen Sie ihre Anweisungen. ■

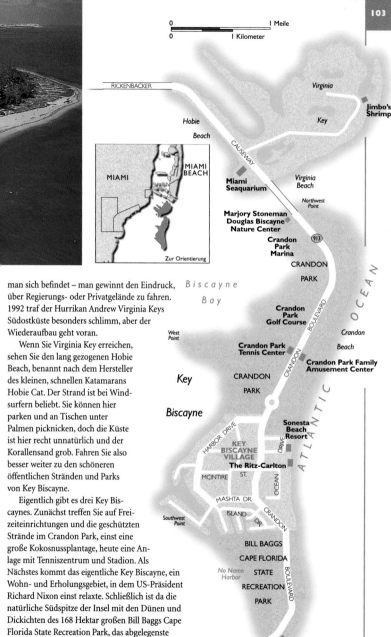

| 0 | | | | 1 Meile |
| 0 | | | | 1 Kilometer |

RICKENBACKER

Virginia

Jimbo's
Shrimp

Hobie

Key

Beach

CAUSEWAY

MIAMI
BEACH

MIAMI

Miami
Seaquarium

Virginia
Beach

Zur Orientierung

Northwest
Point

Marjory Stoneman
Douglas Biscayne
Nature Center

Crandon
Park
Marina

(913)

CRANDON

PARK

OCEAN

man sich befindet – man gewinnt den Eindruck, über Regierungs- oder Privatgelände zu fahren. 1992 traf der Hurrikan Andrew Virginia Keys Südostküste besonders schlimm, aber der Wiederaufbau geht voran.

Biscayne

Bay

Crandon
Park
Golf Course

West
Point

BOULEVARD

Crandon

Beach

Wenn Sie Virginia Key erreichen, sehen Sie den lang gezogenen Hobie Beach, benannt nach dem Hersteller des kleinen, schnellen Katamarans Hobie Cat. Der Strand ist bei Windsurfern beliebt. Sie können hier parken und an Tischen unter Palmen picknicken, doch die Küste ist hier recht unnatürlich und der Korallensand grob. Fahren Sie also besser weiter zu den schöneren öffentlichen Stränden und Parks von Key Biscayne.

Crandon Park
Tennis Center

CRANDON

Crandon Park Family
Amusement Center

Key

PARK

Biscayne

ATLANTIC

HARBOR DRIVE

Sonesta
Beach
Resort

KEY
BISCAYNE
VILLAGE

The Ritz-Carlton

MCINTIRE

OCEAN DRIVE

CRANDON BOULEVARD

ST.

Eigentlich gibt es drei Key Biscaynes. Zunächst treffen Sie auf Freizeiteinrichtungen und die geschützten Strände im Crandon Park, einst eine große Kokosnussplantage, heute eine Anlage mit Tenniszentrum und Stadion. Als Nächstes kommt das eigentliche Key Biscayne, ein Wohn- und Erholungsgebiet, in dem US-Präsident Richard Nixon einst relaxte. Schließlich ist da die natürliche Südspitze der Insel mit den Dünen und Dickichten des 168 Hektar großen Bill Baggs Cape Florida State Recreation Park, das abgelegenste Stückchen Land Greater Miamis, das man auf dem Landweg erreichen kann. ∎

MASHTA DR.

Southwest
Point

ISLAND

BILL BAGGS
CAPE FLORIDA
STATE
RECREATION
PARK

No Name
Harbor

Cape
Florida

Cape Florida
Lighthouse

Biscayne Bay

**Marjory Stoneman
Douglas Biscayne
Nature Center**

www.biscaynenature
center.org

🅰 Karte S. 103

✉ 6769 Crandon Blvd.,
in Crandon Park
bei Key Biscayne

☎ 305/361-6767

💲 Parken ($); Park ist
frei

DIE ERSTEN EUROPÄER AUF DIESEN INSELN WAREN SPANIER
unter dem Kommando von Juan Ponce de León, dessen Schiffe 1513
ihre Wasservorräte in der Nähe auffüllten. Bis zum 18. Jahrhundert
hatten aus der Alten Welt eingeschleppte Krankheiten die heimischen
Tequesta-Indianer ausgelöscht. Piraten schlugen hier ihr Lager auf,
bis sie in den 1820er-Jahren von der US-Marine vertrieben wurden.
Den Rest des Jahrhunderts gingen in der Bucht Schildkrötenjäger
und Schwammtaucher ihrem Gewerbe nach, während Bauern mit
dem Anbau von Ananas, Key-Limonen, Tomaten und Grapefruits
inmitten der Mahagoniwälder (die bis ins frühe 20. Jahrhundert vollständig abgeholzt waren) wenig Erfolg hatten. Ein verheerender
Hurrikan beendete 1906 die Landwirtschaft gänzlich, seitdem
tummelten sich in den Hammocks Miamis Yachtenbesitzer und,
während der Prohibition, Rumschmuggler.

Nach dem Zweiten Weltkrieg wurde
angesichts der Baumaßnahmen auf
den Keys die Sorge laut, die Korallenriffe (die einzigen lebenden
Korallenriffe in den USA), Meerestiere und Vögel in der Bucht sowie
die für die Tiere lebenswichtige
Küstenvegetation seien bedroht.
Die Lage spitzte sich zu, als eine
Müllkippe am Ufer 45 Meter hoch
wuchs und somit den zweifelhaften
Ruhm als höchster Berg im Dade
County einheimste. Nur wenige erkannten, wie gefährdet das Ökosystem der Bucht war und bemerkten,
dass es von den 175 Vogelarten, besonders Kormoranen und Pelikanen,
immer weniger gab. Zu denen, die

**Die palastartigen
Residenzen auf
künstlich ange-
legten Inseln in
der Biscayne Bay
kosten Millionen**

es publik machten, gehörte Marjory Stoneman Douglas.

Sie widmete ihr Leben als Journalistin und Autorin dem Erhalt der Feuchtgebiete westlich der Stadt. Ihr 1947 veröffentlichtes Buch The Everglades: River of Grass war eine Warnung vor den Schäden, die Baumaßnahmen und falsch angelegte Projekte zur Überflutungskontrolle anrichteten. Es rüttelte Umweltschützer wach, die sie im Kampf um die Everglades zu ihrer Sprecherin kürten. Als sie 1998 mit 108 Jahren starb, nannten Zeitungen sie die »Schutzheilige der Florida-Everglades«.

Ihr Anliegen reichte jedoch über das Sumpfgebiet hinaus. Die nördliche Biscayne Bay war für sie »eine der bedeutendsten Ansammlungen natürlicher Lebensräume im ganzen Land«. Deshalb trägt das **Marjory Stoneman Douglas Biscayne Nature Center** im **Crandon Park** ihren Namen. Das täglich geöffnete Zentrum (der Causeway geht auf Key Biscayne in den Crandon Boulevard über) informiert über die natürliche Welt in der Bucht. Es bietet z. B. die Führung Seagrass Adventure entlang der Atlantikküste von Key Biscayne unter Leitung eines Naturforschers. Die Teilnehmer ziehen Netze durch das seichte Seegras, in denen sich verschiedenste Meerestiere fangen: Garnelen, Krabben, Seegurken und sogar Seepferdchen, die untersucht und wieder freigelassen werden.

Daneben liegt der **Crandon Park Marina**, ein Hafen für Tauchunternehmen und Fischerboote (Tel. 305/361-1281). Die Straße hinunter findet man den **Crandon Park Golf Course** (6700 Crandon Blvd., Tel. 305/361-9129, $$$$$ Greenfee) mit 18 Löchern und 72 Par. Mit sieben Salzwasserseen, vielen Sandlöchern, Mangrovendickichten und Dogleg-Gruben ist der beliebte öffentliche Platz

anspruchsvoll genug, damit die Senior PGA Tour hier Halt macht. Eines der Tees gehört zu den größten der Welt. Topsportler kommen auch zum **Crandon Park Tennis Center** mit 27 Plätzen und einem Stadion mit 7500 Sitzplätzen.

Die Hauptattraktion des Parks ist der 3,2 Kilometer lange Strand, der zu den Top Ten Amerikas gehört (Tel. 305/361-5421). Hier findet man weichen Sand, warmes Wasser, eine Promenade, Picknickareale und Parkplätze. Der Strand ist ein sogenannter Lagunenstrand mit einer Wassertiefe von sehr seicht bis 3,50 Meter – je nach Gezeiten. Im **Crandon Family Amusement Center** gibt es ein Karussell von 1949 und neben weiteren alten Fahrgeschäften auch eine altmodische Rollschuhbahn. ∎

Die Biscayne Bay ist von Natur aus höchstens vier Meter tief; für Kreuzfahrtschiffe grub man deshalb eigens Kanäle

Bill Baggs Cape Florida State Recreation Park

www.floridastateparks.org/
capeflorida/

- Karte S. 103
- 1200 S. Crandon Blvd.
- 305/361-5811
- $–$$

Cape Florida Lighthouse

- Karte S. 103
- Führungen außer Di und Mi. Unbedingt 30 Min. vorher da sein: die Gruppe ist auf 10 Personen beschränkt (über 8 Jahre)

Bill Baggs Cape Florida State Recreation Park

NIEMAND WEISS, WIE VIELE SCHIFFE IN DEN UNTIEFEN VOR dem Cape of Florida (den Namen gab Ponce de León dem Südende Key Biscaynes) liegen. Am flachen, sandigen und ruhigen Kap glaubt man nicht, welche Gefahren auf dem offenen Meer lauern, die für zahllose Unfälle sorgten: Riffe und Sandbänke, starke Strömungen, schnell drehende Winde, plötzliche Böen und Hurrikans. Als Florida 1821 US-Territorium wurde, baute man erst einmal einen Leucht-turm. Seine Öllampe wurde 1825 angezündet, und obwohl Seeleute behaupteten, das Licht sei so schwach, dass man Gefahr liefe, bei der Suche danach auf Grund zu laufen, signalisierte es Südfloridas Ende als umstrittenen und gefährlichen Grenzbereich.

Der weiß getünchte, 29 Meter hohe Leuchtturm verschwindet immer wieder hinter den Bäumen, wenn Sie zum Park fahren. Er ist nach dem Herausgeber des *Miami Herald* benannt, der die Kampagne zur Ernennung des Kaps zum Schutzgebiet anführte.

Der Park ist angesichts seiner Nähe zu den Apartmenthäusern Key Biscaynes doppelt erfreulich: eine kaum gezähmte, jedoch un-gefährliche Wildnis – das, was als »das echte Florida« gilt. Oberstes

Ziel der Verwaltung von Floridas Schutzgebieten ist es, sie nach Möglichkeit so wiederherzustellen, wie sie die ersten Europäer einst entdeckten.

Heute führen malerisch ver-witterte Plankenwege durch die Vegetation zu langen Stränden, und ein Naturpfad schlängelt sich durchs Gebüsch.

Da die Hauptstraße durch den Park zum Leuchtturm und zur Südspitze der Insel näher an der Atlantik- als der Biscayne-Bay-Seite

verläuft, kann man zwischen den Parkplätzen und der Mauer, die die tief liegende Inselspitze vor Stürmen schützt, leicht das Dickicht übersehen.

Ein Rad- und Fußweg durch dieses Wäldchen beginnt beim nördlichsten Parkplatz des Parks und windet sich gen Westen, folgt der Mauer und endet bei dem Parkplatz und dem Fischerpier unweit des Leuchtturms. Der angenehme Spaziergang dauert etwa 30 Minuten.

Schön war es hier wohl auch im Sommer 1836, doch auch gefährlich. Der Zweite Seminolenkrieg – ein Aufstand gegen das Vordringen der Siedler und die erzwungene Umsiedlung in westlich gelegene Reservate – wütete in seinem zweitem Jahr. Key Biscayne war zur Enklave für Siedler geworden, die ihre Dörfer auf dem Festland verlassen hatten. Die Seminolen kamen in Kanus und besetzten den Leuchtturm, und bei dem Versuch, ihn niederzubrennen, töteten sie einen der beiden Leuchtturmwärter. 1842 stellte man den Turm wieder in Dienst, im Bürgerkrieg schlossen ihn die Konföderierten bis 1866, seither warnt er wieder die Seeleute vor dem Meeresgrab vor der Küste.

Der Strand endet bei diesem alten Backsteinturm. Im Osten, jenseits des Meeres, liegt Afrika; im Süden erscheint die größtenteils unbewohnte Mangroveninsel des Biscayne-Nationalparks dunkel am Horizont. Wie die Küste des Crandon Park weiter nördlich zählt auch dieser Strand laut Touristen-Umfragen zu den schönsten Amerikas.

Unter der wachsamen Aufsicht der Strandwache kann man schnorcheln, weiter draußen tauchen, und Familien picknicken in den 18 Pavillons. Alternativ isst man im netten Lighthouse Café mit Tischen im Freien. Im Nachbargebäude kann man Räder, Inlineskates, Ruderboote, Kajaks und Surfboards ausleihen sowie Filme, Sonnencreme und die typischen Florida-Souvenirs – T-Shirts – kaufen.

Wenn Sie übers Wasser hierherkommen, können Sie Ihr Boot im **No Name Harbor** anlegen und dem Leuchtturm einen Besuch abstatten. ∎

Der Leuchtturm von Cape Florida überstand seit 1825 Kriege, Brände und Hurrikans

Hobie Beach bis Key Biscayne

HOBIE BEACH IST ZWAR WEDER ABGESCHIEDEN NOCH besonders hübsch, aufgrund seiner Lage jedoch bei Familien beliebt, die die Picknicktische bevölkern. Auf dem Stück Land zwischen dem Rickenbacker Causeway und dem Wohngebiet Key Biscaynes gibt es zahlreiche Verleihfirmen, die Fahrräder, Surfbretter, Jetskier und – etwas weiter die Straße hoch an der Key Biscayne Marina – Segelboote anbieten, die groß genug sind, dass bei einem Törn zu den ein Stück südlich gelegenen Inseln des Biscayne-Nationalparks eine ganze Gruppe darin übernachten kann.

Links: Leihbretter warten am Hobie Beach, einem beliebten Trainingsplatz für Anfänger, auf Windsurfer

Beständige Brisen machen Hobie Beach ideal fürs Windsurfen. Niemand behauptet, dieser wunderbare Sport sei einfach zu erlernen. Das Schöne daran aber ist, dass es nicht gefährlich ist, und auch wenn Sie ins Wasser fallen (was häufig passiert), können Sie sich doch immer am Brett festhalten. Wenn Sie einen Neoprenanzug haben, nehmen Sie ihn mit.

Der Meeresboden ist hier ein maritimer Friedhof, und das warme, seichte Wasser macht das Wracktauchen einfach und sicher. Divers Paradise an der Crandon Marina *(4000 Crandon Blvd., Tel. 305/361-1281)* auf Key Biscayne bietet Tagesausflüge mit Tauchgängen zu den Wracks.

Die Biscayne Bay, deren Barriereinseln das Festland vor Überschwemmungen schützen, ist ideal für Möchtegern-Seeleute. Nehmen Sie Segelunterricht: Nach einer nur einstündigen Einweisung stehen Sie schon an der Ruderpinne.

Eine gute Segelschule – auch für Behinderte – ist Shake-A-Leg Miami in Coconut Grove. Die sehr versierten Lehrer informieren über Grundlegendes wie die Dynamik von Booten, die Sicherheit an Bord, Wenden und Halsen sowie Wetter- und Umweltkunde. Individuell zugeschnittenen Einzelunterricht gibt es nach Voranmeldung *(2620 South Bayshore Drive, Tel. 305/858-5550).* ∎

Key Biscayne

Karte S. 103

Rechts: Ein Fischer ordnet an der Crandon Park Marina auf Key Biscayne sein Netz. Der Fisch im Hintergrund wirbt für Angeltörns

Weitere Sehenswürdigkeiten

JIMBO'S SHRIMP

Die Fischer gehören zu den am härtesten arbeitenden Menschen auf den Inseln. Und unter diesen zur See fahrenden Unternehmern hat niemand einen längeren Arbeitstag als jene, die in Floridas Gewässern nach dem rosa Gold fischen – *Crago vulgaris*, die essbare, sehr schmackhafte Sorte der kleinen, rückwärts schwimmenden Meeres-Zehnfüßer namens Garnelen.

Garnelenfischer sind in Südflorida das, was Trüffelsucher in Frankreich sind, und einer der angesehensten von ihnen in Miami ist James Luznar – bekannt als Jimbo –, der seit fast 50 Jahren Jimbo's Shrimp führt.

Es befindet sich abgelegen auf Virginia Key, an einer der namenlosen Straßen. Nun gut, die Straße zu Jimbos Firmensitz an einem überwachsenen Mangrovenkanal hat zwar einen Namen, aber keinen vielversprechenden: Sewerline – »Abwasserkanal« – Road, aber das erwähnt hier niemand.

Was einstmals als Abladehafen für Fischerboote begann, ist heute ein Ein-Dollar-pro-Bier-Lokal mit einem Hof zum Bocciaspielen und einer Lachsräucherei, in der die Filets für hiesige Restaurants und jeden, der den Weg über die Schotterstraße findet, geräuchert werden.

Haben Sie keine Bange: Was wie ein Lager von Hausbesetzern aussieht, ist in der Tat ein malerischer Ort, an dem schon viele Film- und TV-Szenen gedreht wurden, z. B. für den Jack-Nicholson-Film *Ein tödlicher Cocktail*.

Alex Gates (Nicholson) kommt hier ums Leben – aber nicht durch den Verzehr der Lachse, die Jimbo mit aromatischen Holzsorten perfekt räuchert. Kaufen Sie sich einen Fisch und ein Bier, setzen Sie sich an den Picknicktisch auf der Veranda, und genießen Sie die Plauderei mit Jimbo und seinen Kumpeln, die hier oft ihre Freizeit verbringen – neben Miamis Elite, die das Authentische schätzt. Wenn Jimbo Sie zu einem Bocciaspiel auffordert, spielen Sie lieber nicht um hohe Einsätze, denn er verliert nur selten.

🗺 Karte S. 103
✉ Sewerline Rd., Virginia Key
☎ 305/361-7026

MIAMI SEAQUARIUM

Es heißt, noch nie habe ein Killerwal tatsächlich einen Menschen angegriffen, und es gibt New-Age-Gerüchte, denen zufolge die schwarz-weißen Fleischfresser sogar Ertrinkende gerettet haben sollen – dokumentiert ist das jedoch nicht. Gleichgültig, was nun stimmt: Wenn die Orcas in den riesigen Salzwasserbecken des Miami Seaquarium auf Geheiß junger Trainer an die Wasseroberfläche schießen, mit schwerfälliger Anmut Bogen in der Luft beschreiben und in ihre blaue Unterwasserwelt zurückplatschen, erkennt man sofort, dass sie Ehrfurcht gebietend, stark und sehr intelligent sind.

Sie sind die Stars dieser renommierten Sehenswürdigkeit, zu deren Ensemble außerdem Seelöwen, Tümmler und Seekühe gehören. Einige Einrichtungen sind vielleicht etwas altersschwach, doch das mindert nicht

Ein Tümmler befolgt die Anweisungen seines Trainers im Miami Seaquarium

die Attraktion des 15 Hektar großen Seaquarium, zu dessen interessanten Mereshabitaten ein Korallenriff gehört. Die Eintrittsgebühr gilt für den ganzen Tag. In Miamis heißer, schwüler Nebensaison empfiehlt sich eine Abendshow.

🗺 Karte S. 103 ✉ 4400 Rickenbacker Causeway ☎ 305/361-5705;
www.miamiseaquarium.com 💲 $$$$ ∎

Im Jahr 1873 ließen sich Pioniere, angelockt durch das Versprechen auf kostenloses Farmland, in einer Siedlung namens Jack's Bight an der Biscayne Bay nieder und beantragten die postalische Eintragung unter dem Namen Coconut Grove – Miamis erster Vorort war geboren.

Coconut Grove und Umgebung

Ballsaal im kürzlich restaurierten Charles Deering Estate

Coconut Grove & Umgebung

DIE GEGEND HIER WAR LÄNDLICH-VERSCHLAFEN, BIS FLAGLERS EISENBAHN
Miami erreichte und scharenweise Wintertouristen brachte. (Ehe die Schienen verlegt
wurden, kamen sie via Key West, dessen Tiefwasserhafen für Passagierschiffe leichter zu
befahren war, und fuhren dann in Segelbooten nach Miami weiter.) Viele Urlauber zogen
später hierher; ihre Häuser ließen sie von bahamaischen Handwerkern bauen, die von
jenen britischen Inseln nicht nur Schiffsbau- und Zimmermannstechniken, sondern
auch ihre Familien mitbrachten.

Das englische Ehepaar Charles und Isabella
Peacock eröffnete 1884 das erste Hotel, das
Bay View House. Mitte der 1890er-Jahre hatte
Cocoanut Grove (so wurde es zunächst
geschrieben) einen Yachtclub, der den noblen
Ton angab, der noch heute hier herrscht,
während sich zur selben Zeit ein buntes
Einwohnergemisch entwickelte: Industrielle
aus dem Norden, ausgewanderte europäische
Adlige, vertriebene Südstaatler, die durch
die Niederlage der Konföderierten alles ver-
loren hatten und hier neu anfangen wollten,
und Fischer von den Bahamas, die mit ihren
Zimmermann-Landsleuten ein »Little
Bahamas« namens Kebo gründeten.

Anfang des 20. Jahrhunderts verlor
Cocoanut Grove sein »a«, behielt aber sein
Kleinstadtflair, das es vom geschäftigen
Miami unterscheidet. Fragt man die Einwohner, wo sie leben, antworten die meisten
»in Coconut Grove«, nicht »in Miami« –
obwohl es seit 1923 zu Greater Miami gehört.
Groves Grenzen sind nicht klar gezogen, zu
seinen Charakteristika gehören große, schöne, alte Korallengesteinhäuser, die an der
Brickell Avenue inmitten weiter Rasenflächen
stehen, üppig begrünte, abgeschiedene Seiten-
straßen und luxuriöse Residenzen in Gestalt
von Mayatempeln mit Blick auf den Segel-
mastwald der Dinner Key Marina, wo die
letzten Pan-Am-Clipper-Flugboote gen Südamerika abhoben.

Die schönsten Strecken von Downtown
Miami nach Coconut Grove führen über die
Brickell Avenue und die South Miami Avenue,
die nach der Auffahrt zum Rickenbacker
Causeway in den South Bayshore Drive übergehen. Die Route führt über einen kurvigen,
palmengesäumten Boulevard, von dem man
hier und da durch Grünanlagen bis zur
Biscayne Bay sieht. Einige Hochhäuser auf
der anderen Seite der Straße sind Miamis
beliebteste Wohnadressen: architektonisch
auffällige Anlagen, deren Design in ganz
Amerika nachgeahmt wurde.

Wenn Sie mit dem Wagen in Coconut
Grove unterwegs sind, gelangen Sie zwangs-
läufig in sein geschäftiges Shoppingviertel,
das heute der CocoWalk, ein dreistöckiger
Komplex mit Läden, Cafés, Boutiquen
und Bistros, dominiert. Das Angebot reicht hier von Kitsch

bis zu Sammlerstücken, während im anderen Einkaufszentrum, dem Streets of Mayfair, die Haute Couture zu Hause ist. Die Restaurants im CocoWalk spiegeln Greater Miamis Völkergemisch: Es gibt karibische, kubanische, mittel- und südamerikanische sowie italienische und französische Küche.

Abends reizt vor allem Coconut Groves Mischung aus Dolcefarniente und Schläfrigkeit. Dies war es wohl auch, was wohlhabende Nordstaatler veranlasste, sich zur Wende des 19. zum 20. Jahrhundert an der Brickell Avenue Villen zu bauen, von denen keine luxuriöser und charakteristischer für Südfloridas Residenzen ist als die des Industriellen James Deering. Sein Anwesen ist der ultimative Ausdruck des Wunsches nach einem exotischen, tropischen Zufluchtsort, der Millionen nach Florida lockte, seit die Peacocks ihr Porzellan und ihr Silber ausstellten und für Hotelgäste Kerzen anzündeten. ■

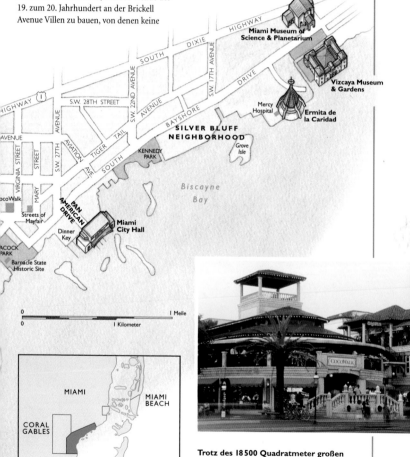

Trotz des 18 500 Quadratmeter großen CocoWalk mit seinen Läden, Restaurants und Theatern hat sich Coconut Grove sein Kleinstadtflair bewahrt

Vizcaya Museum & Gardens

Vizcaya Museum & Gardens
www.vizcayamuseum.org/
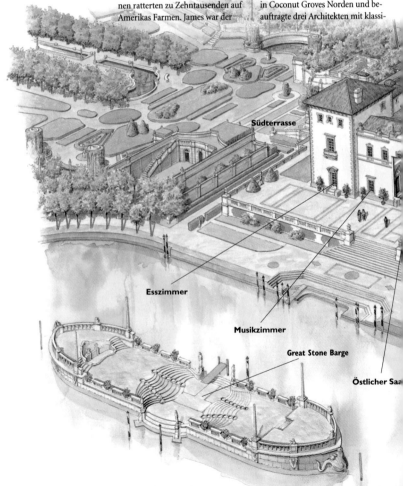
Karte S. 113
3251 S. Miami Ave.
305/250-9133
$–$$. Tonband-
führungen für
Sehbehinderte

EINST WAR VIZCAYA DIE PRIVATRESIDENZ EINES ALLEIN-
stehenden Mannes, heute hat es alljährlich rund 165 000 Besucher.
1994 fanden hier im Rahmen des Amerika-Gipfels Empfänge für die
34 Staatsoberhäupter statt. Das palastartige Anwesen hat noch
immer persönliches Flair, und in Sachen Einfallsreichtum kann
damit höchstens William Randolph Hearsts Enchanted Hill im kalifornischen San Simeon konkurrieren.

James Deering war pensionierter
Vizepräsident der International
Harvester Company, die sein Vater
gegründet hatte; seine Traktoren
und landwirtschaftlichen Maschinen ratterten zu Zehntausenden auf
Amerikas Farmen. James war der

Firmenerbe. Dank seines Vermögens
konnte der Junggeselle mit einer
Leidenschaft für die europäische
Renaissance tun, was er wollte. Er
erwarb 73 Hektar Land an der Bucht
in Coconut Groves Norden und beauftragte drei Architekten mit klassi-

Südterrasse

Esszimmer

Musikzimmer

Great Stone Barge

Östlicher Saa

scher Ausbildung, eine Villa im Stil der italienischen Renaissance, formal gestaltete Gärten, wie er sie auf seinen Europareisen gesehen hatte, sowie ein ganzes norditalienisches Dorf für seine Angestellten zu schaffen. Die Villa sollte aussehen, als lebten darin seit dem 16. Jahrhundert die Generationen einer italienischen Aristokratenfamilie. Als Namen wählte er ein baskisches Wort, das die Lage an der Biscayne Bay beschrieb: *Vizcaya* – »erhöhter Platz«.

Die Bauarbeiten begannen 1914, und als sie zwei Jahre später rechtzeitig zu Weihnachten abgeschlossen waren, staunten Deerings Feiertags-

gäste, was eine Armee aus 1000 Arbeitern – zehn Prozent der Bevölkerung Miamis – erbaut hatte. Deering führte sie durch seinen dreistöckigen Palast mit 34 Räumen voller Schätze aus dem 15. bis 19. Jahrhundert: Möbel, Gobelins, Teppiche, Wandtäfelungen, Deckengemälde, Kaminsimse, Schmiedeeisen, Skulpturen und Bilder. Die Betonmauern der Villa waren mit bemaltem Stuck und Kalkstein kaschiert worden. Der vier Hektar große, terrassierte Garten, der dem Mangroven- und Hartholzdschungel abgewonnen worden war, verband den Stil italienischer Hügelanlagen des 16./17. Jahrhunderts mit dem Stil französischer Parks des 17. Jahrhunderts – mit Springbrunnen, Wasserbecken und Skulpturenwegen, die erst 1921 fertiggestellt wurden. In der Bucht lag, flankiert von zwei Piers (einer ein Anlegeplatz für Yachten, der andere ein Teehaus), eine kunstvoll behauene Steininsel: Great Stone Barge, die an die Krö-

Angesichts der schönen natürlichen Wälder begrenzte Vizcayas Schöpfer seine formalen Gärten auf nur vier Hektar – ein Achtel des Geländes

Innenhof

Eingang

Salon

Wohnzimmer

Die Konzerte im Musikzimmer endeten zuweilen ohne den Gastgeber James Deering, dessen angeschlagene Gesundheit ihn oft zwang, früh schlafen zu gehen

nungsgondeln venezianischer Fürsten erinnert. Das Personal wohnte in Kammern im zweiten Stock und im italienischen Dorf, zu dem eine Farm mit Viehbestand gehörte. Ein verborgenes Telefonsystem ermöglichte es dem Mogul und seinem Majordomus, die Vorgänge in seiner künstlich geschaffenen Welt zu dirigieren.

Deerings Gesundheit war indessen angeschlagen, häufig war er zu schwach, um an den Mahlzeiten, die auf goldbesetztem Porzellan serviert wurden, teilzunehmen. Seine geliebte Residenz war gerade vollendet, als er 1925 starb. Einige Bedienstete sollten sich um das Anwesen kümmern. Im Jahr darauf wütete ein heftiger Hurrikan über Miami und beschädigte die Villa schwer. Die Wiederaufbau- und Unterhaltskosten wuchsen Deerings Erben über

den Kopf, und sie verkauften elf Hektar. 1952 übergaben sie es dem Dade County, im Austausch gegen eine Million Dollar in Staatsanleihen, und schenkten dem County die Kunst- und Möbelstücke der Villa. In den nächsten Jahrzehnten wurde Vizcaya umfassend restauriert, der Innenhof erhielt ein Glasdach, damit das ganze Haus mit einem Temperatur- und Feuchtigkeitskontrollsystem ausgestattet werden konnte.

BESICHTIGUNG

Am besten erkundet man Haus und Gärten – eine National Historic Landmark – im Rahmen einer Führung. Die Führer wissen alles über Vizcaya und vermitteln auf den 45-minütigen Touren nicht nur nüchterne Informationen, sondern auch den Geist, der hinter dem Anwesen steht. Wenn Sie lieber auf eigene Faust losziehen, nehmen Sie die Broschüre *Museum and Gardens Guide & Map* mit Grundrissen, Tourempfehlung und detaillierten Beschreibungen mit. Zu den Highlights gehören:

die **Eingangshalle**, deren Tapeten 1814 in Paris mit Holzblöcken bedruckt und in Handarbeit koloriert wurden;

die farbige Gipsdecke aus einem venezianischen Palast im **Empfangsraum**;

der **Salon** mit einem Kamin aus dem 16. Jahrhundert, einem sage und schreibe 2000 Jahre alten Marmordreibein und einem seltenen spanischen Teppich aus dem 15. Jahrhundert, von dem nur sehr wenige Exemplare existieren; außerdem noch die italienische Kassettendecke mit Terrakotta-Wappenfliesen im **Östlichen Saal**;

Wandbemalung und Deckentafeln im **Musikzimmer** mit Dekorationen aus dem Mailänder Palast der italienischen Aristokratenfamilie Borromeo, deren Sohn Carlo, ein Priester, ein katholischer Heiliger ist;

zwei Gobelins aus dem 16. Jahrhundert im **Esszimmer**, die einst den Dichtern Robert und Elizabeth Barrett Browning gehörten und das Leben des römischen Götterboten Hermes illustrieren. Der Marmortisch aus dem 1. Jahrhundert n. Chr. ist römisch;

der **Teesalon**, in dem Bronze-Schmiedeeisen-Türen in den Innenhof führen, der ebenfalls aus einem venezianischen Palazzo stammt;

die **Kammer des Butlers**, in der, für 1916 hochmodern, Vizcayas Porzellan- und Kristallpreziosen ausgestellt sind;

der im österreichischen k. u. k.-Stil (19. Jahrhundert) eingerichtete **Manin-Raum**;

der den fröhlichen, ländlichen venezianischen Stil des 18. Jahrhunderts spiegelnde **Pantaloon-Raum** (am Ende der Halle).

Das moderne Vizcaya Café ist zwar bei Weitem nicht so nobel wie die Villa, man kann sich hier aber nach dem vielen Treppensteigen nett ausruhen. Im Geschenkeladen gibt es italienisches Kunsthandwerk wie Keramik, Schmuck und Gobelins. Zuweilen ist der Garten ab 19.30 Uhr für Mondscheinspaziergänge geöffnet. ■

Ermita de la Caridad

UNTER JENEN, DIE DEERINGS ERBEN LAND ABKAUFTEN, war auch Miamis katholische Diözese. Gleich südlich von Vizcayas Eingang, beim Mercy Hospital, erinnert ein ergreifendes Denkmal an den »Verlust« Kubas – auch nach über 40 Jahren wären Miamis Exil-Kubaner sofort bereit, auf ihre Insel zurückzukehren und ihren konfiszierten Besitz einzufordern.

Ermita de la Caridad

🅰 Karte S. 113

✉ 3609 S. Miami Ave.

☎ 305/854-2404

Sie waren die treibende Kraft hinter der Errichtung der 27 Meter hohen, kegelförmigen Kirche Ermita de la Caridad (»Klause der Wohltätigkeit«). Sie sollte einer Bake ähneln und ist so ausgerichtet, dass die Gemeinde bei der täglichen Messe gen Kuba blickt – für die meisten Gläubigen eine Welt, die ihnen gestohlen wurde und 470 Kilometer südlich als Geisel gehalten wird. Ein Gemälde über dem runden Fundament illustriert Kubas turbulente Geschichte. Die Kirche steht auf einem schönen Fleckchen von Deerings altem Besitz und blickt auf einen wunderbaren Abschnitt der Biscayne Bay – ein herrlicher Ort für eine meditative Pause. ■

Deering Estate

Deering Estate
www.deeringestate.org

⛰ 134 C3

✉ 16701 S.W. 72nd
Ave., Cutler

☎ 305/235-1668

$ $–$$. Zusätzliche
Kosten für einige
Führungen

1913 ERWARB CHARLES DEERING SÜDLICH VON COCONUT
Grove (damals Cutler genannt) 170 Hektar Land an der Biscayne Bay.
Während sein Bruder James es sich im opulenten Vizcaya (siehe
S. 114ff) gut gehen ließ, schuf sich Charles ein eigenes Winterdomizil.
Auf dem Gelände stehen zwei von Cutlers ältesten Bauten: ein Wohn-
haus und ein Gasthof im Cottage-Stil.

**Der Bruder des
Erbauers von
Vizcaya ließ sich
eine eigene Villa
weiter unten an
Coconut Groves
Küste errichten**

Charles, wie sein Bruder ein Kunst-
sammler, baute sich aus Korallenge-
stein eine neomediterrane Residenz,
füllte sie mit Gemälden, Gobelins,
Antiquitäten, seltenen Büchern und
Wein und taufte sie auf den Namen
Stone House. Er ließ ein Wasser-
becken ausheben, das es ihm ermög-
lichte, die Familienyacht direkt vor
der Eingangstür anzulegen. In den
1980er-Jahren wurde das Anwesen
an den Staat Florida und das Miami-
Dade County verkauft.

1992 verwüstete Hurrikan Andrew
den Park, der aber restauriert und
wiedereröffnet wurde. Heute be-
findet sich neben den Gebäuden
auch eine Fossiliengrabungsstelle
mit 50 000 Jahre alten Knochen und
Zähnen von Mammuts, hundgroßen
Pferden, Tapiren, Jaguaren, Faultie-
ren und Bisons. Noch interessanter
sind die Relikte von Paläoindianern,
den frühesten bekannten Bewohnern
Nordamerikas, die hier vor ca. 10 000
Jahren gelebt haben sollen. Tequesta-
Spuren an dieser Stelle stammen aus
der Zeit Jesu.

Wenn Sie von Luxusresidenzen
genug haben, gehen Sie in dem
60 Hektar großen Pinienwald, ein
Zeugnis des alten Florida und eines
der letzten dieser uralten Öko-
systeme in den Kontinental-USA,
spazieren. Rundherum wachsen
seltene heimische Orchideen,
Bromelien, Farne, Eichen, Gumbo-
Limbo- und Mistelfeigenbäume
sowie 35 weitere Baumarten. Zum
Anwesen gehören ein 52 Hektar
großer Mangrovensumpf und die
Mangroveninsel **Chicken Key**, die
man auf einem Kanuausflug
(Anmeldung erforderlich) besuchen
kann. Es gibt Pläne, die Stilmöbel
und Kunstwerke im Stone House zu
restaurieren, ein Bootshaus zu
bauen, einen Plankenweg durch die
Mangroven anzulegen und die
Naturpfade zu verlängern. ■

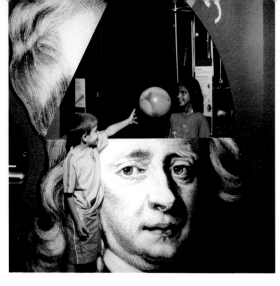

Kinder mögen
die Ausstellung
Newton's
Notions im
Miami Museum
of Science &
Planetarium

Miami Museum of Science & Planetarium

ELTERN, DIE IHRE KINDER IN DIE WELT DES NEUEN EIN-führen wollen, nehmen sie mit ins Miami Museum of Science & Planetarium, das sich der Naturgeschichte und dem kosmischen Zauber verschrieben hat. Es steht nahe Vizcaya, gleich südlich der Auffahrt zum Rickenbacker Causeway.

**Miami Museum
of Science &
Planetarium**
www.Miamisci.org

🅰 Karte S. 113

✉ 3280 S. Miami Ave.

☎ 305/646-4200

⑤ $$

Die alle drei Monate wechselnden Wanderausstellungen beginnen mit Grundlegendem – Erdanziehung, Licht, Ton – und arbeiten sich von Low- zu Hightech hoch. Das Museum ist auf Kinder ausgerichtet; Erwachsene ohne Kids finden es vielleicht seicht. Doch irgendetwas Interessantes findet hier jeder. Das Planetarium präsentiert in seiner 20 Meter hohen Kuppel täglich klassische Sternenshows: Man lehnt sich im abgedunkelten Raum zurück und schaut den Bewegungen der Sternenkonstellationen und der Entstehung des Universums zu. Am ersten Freitag im Monat findet eine bei Kindern sehr beliebte Lasershow über Raumfahrtfantasien statt. Freitagabends kann man bei klarem Himmel kostenlos durch Teleskope blicken. (Erkundigen Sie sich telefonisch, was geboten wird, da dies regelmäßig wechselt.)

Eine der Dauerausstellungen des Museums ist die *Smithsonian Expedition: Exploring Latin America and the Carribean*, in der Kinder nach Manier des Indiana Jones seltene Schätze entdecken, sowie *Newton's Notions: Force, Motion & You*.

Das Museum widmet sich auch Südfloridas Natur: In einem kleinen Wildgehege hält es mehrere Tiere, und im **Birds of Prey Center** werden verletzte Adler, Fischadler, Habichte, Eulen und Falken gepflegt. ■

Rund um Coconut Grove

FANS DES COCOWALK IN DER VIRGINIA STREET SAGEN, dieser mehrstöckige Jahrmarkt mit Essen, Trinken und Mode sei das wahre Zentrum Coconut Groves, während jene, deren Einkünfte vom Erfolg des Streets of Mayfair (zwischen Mary und Virginia Street) abhängen, diese Mall als Zentrum bezeichnen. Fragen Sie nach dem Weg zu Groves Ortskern, wird ein sachkundiger Führer Sie jedoch den South Bayshore Drive hinunter zum Kreisverkehr mit dem Main Highway (der in den Ingraham Highway übergeht) schicken. Coconut Groves Zentrum ist die Gegend um Main Highway und Grand Avenue mit unzähligen Restaurants und Läden. Man kann sie leicht zu Fuß bewältigen.

Abseits dieser Geschäftsstraßen empfiehlt sich jedoch ein Wagen; halten Sie einfach dort an, wo es Ihnen gefällt.

Fahren Sie ins Wohngebiet **Silver Bluff** am South Bayshore Drive, wo in den Blocks 1600 bis 2100 architektonisch interessante Residenzen aus der Zeit nach dem Ersten Weltkrieg stehen.

Sehen Sie sich Hütten an, die im 19. Jahrhundert in der Blütezeit

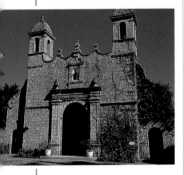

von Coconut Groves Bahamas-Gemeinde an der **Charles Avenue** *(zwischen S.W. 37th Ave. und Main Hwy.)* entstanden. Die Zimmer in den lang gezogenen, schmalen Gebäuden gehen von einem Flur ab, der von der Vorder- bis zur Rückseite reicht.

Besuchen Sie auch einen der herrlichsten Architekturschätze:

die im Missionsstil gehaltene **Plymouth Congregational Church** nahe dem Main Highway *(3400 Devon Rd., Tel. 305/444-6521)*. Dieses Werk eines spanischen Maurers wurde 1917 fertiggestellt, als dieser in Kalifornien entstandene Stil im ganzen Land Mode war.

Beachten Sie das Portal – handgeschnitzte Walnussholzbretter in Eichenholz eingepasst –, das aus einem Kloster (17. Jahrhundert) in den Pyrenäen stammt. Auf dem 4,5 Hektar großen Gelände stehen auch ein Pfarrhaus von 1926 und Dade Countys erste öffentliche Schule, die 1887 aus dem Holz von Schiffswracks gebaut wurde. 1970 wurde sie vom ursprünglichen Standort beim Peacock Inn (das es nicht mehr gibt) hierhergebracht.

Man übersieht sie leicht, aber die **Barnacle State Historic Site**, ein zwei Hektar großes Gelände mit heimischem Hartholz rund um das schöne Haus des Pioniers und Schiffsbauers Ralph Munroe, lohnt einen Besuch *(3485 Main Hwy., Tel. 305/442-6866; Fr–So)*.

Viele Architekten erachten das Haus als Schrein durchdachten Designs. Munroe, dessen Großvater Amerikas erste Bleistifte produziert hatte, sicherte das

Links: Die Plymouth Congregational Church in Coconut Grove ist Kaliforniens spanischen Kolonialkirchen aus dem 18. Jahrhundert nachempfunden

Haus gegen Hurrikans, indem er ein termitenfestes Kiefernholzfundament tief in der Erde versenkte.

Zusätzliche Sicherheit gaben kräftige Balken von Schiffswracks, die er ins Fundament schraubte. Ihr Respekt vor Munroes Fähigkeiten wächst noch, wenn Sie erfahren, dass das zweistöckige Haus ursprünglich ein Bungalow war, den er 1908 aufbockte, um darunter ein neues Erdgeschoss zu bauen.

Achten Sie auf die Oberlichter im Dach, die mit Seilen und Flaschenzügen geöffnet werden, um die Luft zirkulieren zu lassen; den Gründer des Biscayne Bay Yacht Club erinnerte dies an einen Krebs (*barnacle*) an einem Schiffsrumpf.

Auf der Website www.upbeat/ com/miaminet/ barnacle.htm finden Sie eine bebilderte Biografie von Ralph Munroe.

Gehen Sie schräg über die Straße zu einer weiteren Attraktion: 1927 wurde das spanisch angehauchte Gebäude als Kino erbaut, in den 1950er-Jahren jedoch zum **Coconut Grove Playhouse** *(3500 Main Hwy., Tel. 305/442-4000)* umgestaltet. Die Theatertruppe stellte ihren hohen Standard unter Beweis, als sie das Theater 1956 mit der Aufführung von Samuel Becketts *Warten auf Godot* eröffnete. Jedes Jahr sind hier acht bis zehn Produktionen zu sehen. ■

Damen wählen ihren Kopfputz für eine *Easter-Hat-Party* in Coconut Grove

Pan American Drive & Miami City Hall

EINE DER ROMANTISCHSTEN EPOCHEN IN DER AMERIKANI-
schen Luftfahrt fand am 9. August 1945 in Coconut Grove ihr Ende, als
der letzte »Clipper« – eine viermotorige Boeing 314 – der Pan American
Airways von der Dinner Key Marina zu seinem letzten Flug abhob.
Kaum jemand hatte geahnt, dass diese großen Flugboote so schnell als
veraltet gelten würden. Pan Ams erste B-314, der *Honolulu Clipper*, war
gerade mal sieben Jahre zuvor, im Januar 1939, ausgeliefert worden; der
zwölfte und letzte, *Capetown Clipper*, war erst vier Jahre alt.

Doch in den 46 Monaten, die
Amerika in den Zweiten Weltkrieg
verwickelt war, erfuhr das globale
Schlachtfeld enorme Veränderungen,
und bei Kriegsende waren überall,
von Brasilien bis Burma, in ehemals
beschaulichen Orten Flugplätze entstanden, die die wirtschaftlicheren
Landflugzeuge anfliegen konnten.
Die Blütezeit der »fliegenden Boote«
war vorüber.

Doch was war das für eine Zeit gewesen? Sie begann am 15. September
1930, als die Pan Am ihren Sitz von
der 36th Street (heute Miami International Airport) hierher verlegte,
um den Flugbootverkehr nach Südamerika aufzunehmen. Die Clipper
hatten etwas, das die Menschen
bezauberte – sicher auch Luxus, aber
auch die romantische Verheißung
auf weit entfernte Ziele. Die erste
Pan-Am-Zentrale in Coconut Grove

war ein zweistöckiges Hausboot,
doch Firmengründer Juan Trippe,
der eine globale Fluggesellschaft an-
strebte, die in Sachen Service, Luxus
und Stil keine Konkurrenz haben
sollte, beauftragte das New Yorker
Architekturbüro Delano & Aldrich,
die für New Yorks elegantes La
Guardia Marine Air Terminal verantwortlich zeichneten, ein weiteres Art-
déco-Meisterwerk am Dinner Key zu
schaffen. Die Sektkorken knallten am
27. Mai 1934, und Reporter erklärten
das Gebäude zum »schönsten
Wasserflughafen der Welt«. Miamis
Einwohner, die hier von Bänken aus
über die Armada aus Segelbooten
und Kreuzfahrtschiffen schauen,
halten ihn noch immer für den
schönsten – auch wenn die Beifalls-
rufe und das Getöse der Clipper
vom leisen Klicken der Seile gegen
Aluminiummasten ersetzt wurden.

Miami City Hall

⬛ Karte S. 113

✉ 3500 Pan
American Dr.

☎ 305/250-5300

🕐 Geschl. Sa–So

Kann man heute vom South Bayshore Drive über den Pan American Drive direkt zum Terminal (heute Miami City Hall) fahren, so war Dinner Key einst eine Insel. 1917 schütteten Marine-Arbeiter den Kanal zwischen der Insel und dem Festland auf, um einen Wasserflugzeug-Stützpunkt zu schaffen.

Parken Sie am Ende des Rundwegs, und gehen Sie über den Rasen zu dem Schild, auf dem Dinner Keys Geschichte erzählt wird. Links, über den Kanal, sehen Sie die Hangars, in denen die Clipper standen, und das Terminalgebäude mit seinen horizontalen Linien. Beachten Sie die Reihe von Globen, die früher den Schriftzug »Pan American World Airways« rahmten, heute »Miami City Hall« flankieren. In der Lobby, einst Wartesaal, befinden sich Arbeitsnischen und Miamis Rathaussaal. Gehen Sie zweimal links zu den Warenautomaten und den Modellen der Clipper-Wasserflugzeuge, die einst hier starteten, darunter die Sikorsky S-42 für 28 Passagiere, die Martin 130 (sie beförderte erstmals Passagiere über den Pazifik nach China) und die B-317, das luxuriöseste amerikanische Flugzeug aller Zeiten mit nur einer Klasse für seine 36 Fluggäste: der ersten.

Setzen Sie sich hinter dem Gebäude an die Promenade, und lauschen Sie dem Raschen der Palmen am Kanal, der sich im Südosten gen Karibik öffnet und auf dem die ersten Clipper von Key West nach Havanna abhoben, ohne Funkgeräte an Bord, dafür mit Brieftauben, die im Falle einer Bruchlandung Hilfe holen sollten. Wenn man über all das nachdenkt, gewinnt dieser Ort eine gewisse Zeitlosigkeit. ∎

Ein Sikorsky-Flugboot liegt Mitte der 1930er-Jahre hinter dem neuen Terminal der Pan American Airways. Heute geht die Art-déco-Diva Bürgerpflichten nach

Vom Main Highway bis zur Old Cutler Road

Old Cutler Road

🅰 134 D4

WENN SIE ZEIT ÜBRIG HABEN, FAHREN SIE VON VIZCAYA gen Süden. Die Strecke mit ihren subtropischen Attraktionen ist unvergesslich: von Efeu und Bougainvilleen überwucherte Wohnviertel, Mangrovenkanäle, die wie gekrümmte Finger ins Landesinnere reichen, kleine Marinas und Häuser am Ufer, wunderbar üppige Grünanlagen wie der Fairchild Tropical Garden sowie schöne öffentliche Parks wie der Matheson Hammock Park, in dem Sie an der Biscayne Bay im Schatten von Palmen picknicken, schwimmen, zu Mittag essen oder im nördlichen Teil des Biscayne-Nationalparks am Strand nach Muscheln suchen können.

Zwar kann man sich kaum verfahren, wenn man in der Nähe der Bucht bleibt, aber nehmen Sie dennoch eine Straßenkarte mit, mit deren Hilfe Sie sich auch auf Nebenstraßen orientieren und Ihren Ausflug planen kön-

Die Wasserstraßen zur Biscayne Bay erstrecken sich bis in die Gärten des Matheson Hammock Park südlich von Miami

nen. Von Vizcaya aus fahren Sie auf dem South Bayshore Drive gen Süden ins Zentrum von Coconut Grove, wo die Straße nach einem Kreisverkehr als Main Highway weiterführt.

Nahe Coconut Groves südlicher Grenze, neben einer Lagune bei 4013 Douglas Road, steht ein Haus, das in den 1870er-Jahren im Stil indonesischer Residenzen erbaut wurde. Das als **Kampong** bekannte Gebäude

des Bruders von Coconut-Grove-Hotelier Charles Peacock ging schließlich in die Hände von David Fairchild, Gründer des Fairchild Tropical Garden, über, der es mit exotischen Pflanzen ausschmückte. Heute fungiert Kampong als Forschungszentrum für tropische Flora. Es ist zwar privat, zuweilen finden aber öffentliche Veranstaltungen statt (*Tel. 305/445-8076*).

Fahren Sie auf dem Ingraham Highway weiter, vorbei an hübschen Wohngebieten, bis er auf die Le Jeune Road trifft. Biegen Sie in irgendeine Straße ab zu Häusern, die das Idealbild vom Leben in Südflorida darstellen, viele davon hinter überwucherten Mauern versteckt.

Der Ingraham wird zur Old Cutler Road, die zum **Matheson Hammock Park** (siehe S. 137) und zum **Fairchild Tropical Garden** (siehe S. 136) führt. Südlich davon bildet die Old Cutler mit der Red Road (Fla. 959) eine T-Kreuzung.

Hier können Sie die Rückfahrt antreten. Biegen Sie rechts in die Red Road ab, fahren Sie acht Kilometer bis ins Zentrum von Coral Gables, wo sich über die City Beautiful das unvergleichliche **Biltmore Hotel** (siehe S. 129) erhebt, dessen löwenfarbener Turm ein Nachbau der Giralda, des Glockenturms der Kathedrale von Sevilla, ist. ∎

George E. Merrick über-
nahm 1921 den Namen
seines rustikalen, aus Korallengestein errichteten Elternhauses in
einem Zitrushain für sein neues
Viertel mit neomediterranen
Wohnhäusern: Coral Gables.

Coral Gables

**Orchideen im Fairchild
Tropical Garden**

Coral Gables

MIAMIS LANDBOOM WAR IN DEN 1920ER-JAHREN IM VOLLEN SCHWUNG, UND innerhalb von fünf Jahren war George Merricks Coral Gables 40 Quadratkilometer groß. Er eröffnete das luxuriöse Biltmore Hotel, dessen Turm und Gebäude im spanisch-maurischen Stil sich, grandios wie ein Königspalast, an der Anastasia Avenue erheben und dessen Pool der größte in den USA war. Am Stadteingang Douglas Road errichtete man einen Turm mit einem zwölf Meter hohen Bogen – damit war jedem klar: Hier betritt man einen ganz besonderen Ort.

Merrick nannte seine Kreation zu Recht *City Beautiful:* breite Straßen, große Plätze, Freizeiteinrichtungen wie der wundervolle Venetian Pool am De Soto Boulevard und eine Fantasiewelt mit Wasserfällen und Grotten. Jene, die hier Häuser erwarben, wurden zu gewissenhaften Getreuen: Sie pflegten ihre Rasen, beschnitten die Bäume und fegten die Bordsteine, während sie Freunde drängten, ebenfalls hierherzuziehen. Es war eine Vision Utopias, es war real, und es überdauerte den Landboom in Florida bis heute.

Merrick wäre stolz. Die Bäume, die er pflanzte, bilden heute hohe Bogen über seinen Boulevards und spenden den Bürgersteigen Schatten. Das Colonnade Building, in dem Merrick seine Büros hatte, gehört nun zu einem stattlichen Hotel. Der Venetian Pool ist noch immer so großartig wie am Tag seiner Eröffnung, und die Häuser in Coral Gables sind so begehrt wie damals. Ihre wohlhabenden Käufer bilden den Großteil der 42 000 Einwohner. Zu den hiesigen Firmen gehören über 140 der größten und wichtigsten Unternehmen und Finanzhäuser Südfloridas. Auf dem 105 Hektar einnehmenden Campus der University of Miami tummeln sich an die 14 000 Studenten sowie 1500 Professoren und Dozenten; sein Lowe Art Museum (siehe S. 132) besitzt einen ungewöhnlich reichhaltigen Fundus an Kunst und Antiquitäten.

Coral Gables' 31 Quadratkilometer werden im Osten von der Douglas Road (S.W. 37th Ave.), im Westen von der Red Road (S.W. 57th Ave.), im Norden vom Tamiami Trail (S.W. 8th St.) und im Süden von der Sunset Avenue (S.W. 72nd St.) und der Old Cutler Road begrenzt. Die südöstliche Ecke von Coral Gables liegt nahe der Biscayne Bay und ihren tropischen Küstengärten.

Coral Gables' Straßen sind recht verwirrend – so sehr, dass sie etwas so Großes wie das Biltmore Hotel verbergen können! Da man sich sehr leicht verläuft, sollten Sie sich eine Karte besorgen. Wenn Sie zu Geschäftszeiten hier sind, gehen Sie ins Chamber of Commerce *(360 Greco Ave., Tel. 305/446-1657),* in dem Sie Broschüren und den offiziellen Stadtplan erhalten. Informationen über Events und Sehenswürdigkeiten liefert auch das Department of Historic Preservation (Amt für Denkmalschutz), das in der City Hall (siehe S. 131) ein kleines Büro unterhält. Bitten Sie um Architekturbroschüren *(Tel. 305/460-5216).*

Besuchen Sie auch eine von Greater Miamis angesehensten Buchhandlungen: Books & Books *(295 Aragon Ave. Ecke Salzedo St., Tel. 305/442-4408; www.booksandbooks. com),* die in ihren deckenhohen Regalen etwa 5000 Titel führen. Wie der Namensvetter in Miami Beach ist dieser Laden (in einem neomediterranen Gebäude von 1927) ein Paradies für Bücherwürmer, mit Autorenlesungen, Signierstunden und einer sehr guten Abteilung für seltene Bücher.

Mediterrane Architektur dominiert Coral Gables, aber es gibt auch andere „Exotika": Schräge Ziegeldächer kennzeichnen das Chinese Village am Riviera Drive bei der Menendez Avenue. Residenzen holländischer Kolonien im Südafrika des 17. Jahrhunderts sind in der Maya Street und der Le Jeune Road nachgebildet. Französisches Stadtflair von einst findet man in der Hardee Avenue Ecke Maggiore Street, und die Normandie lebt in der Le Jeune Road Ecke Vizcaya Avenue auf. Italienisches Dorfleben ist das Thema der Altara Avenue an der Monserrate Street sowie in der Santa Maria Street. Häuser im Colonial Village erinnern an Miamis Yankee-Zeit. ∎

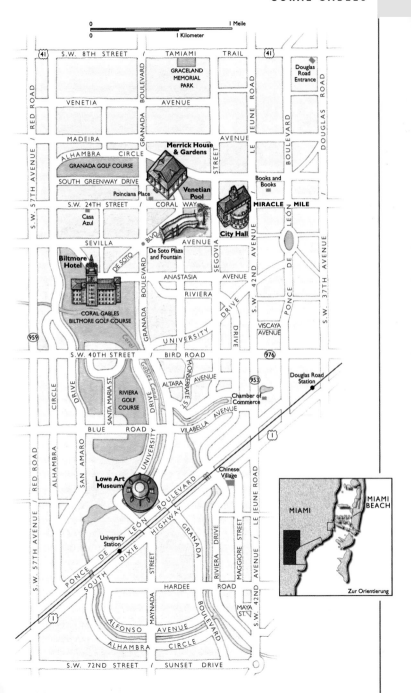

0   1 Meile
0   1 Kilometer

S.W. 8TH STREET / TAMIAMI TRAIL

GRACELAND MEMORIAL PARK

Douglas Road Entrance

VENETIA AVENUE

RED ROAD

BOULEVARD

GRANADA

LE JEUNE ROAD

DOUGLAS ROAD

BOULEVARD

MADEIRA AVENUE

ALHAMBRA CIRCLE

57TH AVENUE

GRANADA GOLF COURSE

SOUTH GREENWAY DRIVE

Merrick House & Gardens

Books and Books

Poinciana Place

Venetian Pool

S.W. 24TH STREET / CORAL WAY

MIRACLE MILE

Casa Azul

City Hall

S.W.

BLVD.

SEVILLA AVENUE

DE SOTO

De Soto Plaza and Fountain

SEGOVIA

DE LEON

S.W. 42ND AVENUE

S.W. 37TH AVENUE

Biltmore Hotel

ANASTASIA AVENUE

BOULEVARD

RIVIERA

GRANADA

PONCE DE

CORAL GABLES BILTMORE GOLF COURSE

VISCAYA AVENUE

959

Coral

UNIVERSITY DRIVE

DRIVE

S.W. 40TH STREET / BIRD ROAD

976

ALTARA AVENUE

MONSERRATE ST.

Douglas Road Station

CIRCLE

DRIVE

SANTA MARIA ST.

RIVIERA GOLF COURSE

953

Chamber of Commerce

GRANADA DRIVE

PONCE DE LEON

VILABELLA AVENUE

I

BLUE ROAD

RED ROAD

ALHAMBRA

SAN AMARO

Lowe Art Museum

Chinese Village

LE JEUNE ROAD

57TH AVENUE

University Station

SOUTH DIXIE HIGHWAY

BOULEVARD

STREET

GRANADA

RIVIERA DRIVE

MAGGIORE STREET

S.W. 42ND AVENUE

I

PONCE DE LEON

HARDEE ROAD

MAYNADA

MAYA ST.

ALFONSO AVENUE

BOULEVARD

ALHAMBRA CIRCLE

S.W. 72ND STREET / SUNSET DRIVE

MIAMI

MIAMI BEACH

Zur Orientierung

Merrick House & Gardens

Dieser ländliche Familiensitz aus Korallengestein gab George Merricks Traumstadt den Namen

DAS 19. JAHRHUNDERT NEIGTE SICH DEM ENDE ZU, UND Solomon Merrick, ein ehemaliger Gemeindepfarrer aus Neuengland, wollte seiner Familie in Florida eine Residenz bauen. Da sein Avocado- und Zitrusfrüchteanbau florierte, hatte er ausreichend Geld dafür übrig.

Merrick House & Gardens

🅰 Karte S. 127

✉ 907 Coral Way, zwischen Toledo St. & Granada Blvd.

☎ 305/460-5361

🕐 Geschl. Mo, Di, Do–Sa

💲 $

Solomons Gattin Althea entwarf das Haus: ein geneigtes Schindeldach mit Giebeln auf Säulen und Mauern aus termitenfestem Dade-County-Kiefernholz und Keygestein, dem Korallengestein im Boden dieses Landesteils. Sie umgab das Haus mit einer Veranda und fügte dem Eingang und Fenstern klassische Details hinzu. Als die Bauarbeiten 1906 abgeschlossen waren, nannten sie das Haus „Coral Gables". Dies war der Beginn einer der ersten planmäßig angelegten Ortschaften Amerikas.

Heute finden in Merricks Haus Gemeindeversammlungen, Vorträge und Empfänge statt. Das Gebäude selbst, weniger die Einrichtung, lohnt den Besuch. Noch heute stehen einige von Merricks Zitrusbäumen im Garten. Sie können allein umherwandern und bei Bedarf den ehrenamtlichen Mitarbeitern Fragen stellen. ∎

Spanische Schlösser

Seit seiner Kindheit träumte George Merrick davon, in den iberischen Schlössern, die er aus Bilderbüchern kannte, ein Künstlerleben als Schriftsteller zu führen. Nach dem Tod seines Vaters musste er vom College heimkehren, um die 1200 Hektar Zitrus- und Farmland zu managen. Er heiratete Eunice Peacock; gemeinsam gründeten sie einen Künstlersalon und erdachten sich eine Stadt mit der Kultiviertheit und Schönheit der europäischen Plätze, die ihre Fantasie beflügelten. ∎

Biltmore Hotel

1926 BEKAM GEORGE MERRICK SEIN SPANISCHES SCHLOSS: das Biltmore Hotel. Er lehnte „spanische" Dachziegel aus US-Fertigung ab und importierte stattdessen Tausende aus Spanien, weil sie authentisch waren, und mit demselben Eigensinn achtete er auf jedes Detail – mit dem Ziel, dass sein Hotel es mit jedem in Europa aufnehmen könnte. In der Lobby spürt man die Intensität seiner Ambition: 790 Quadratmeter Fläche, 14 Meter hohe Decken, massive Steinsäulen, tropische Singvögel in einem kunstvollen Käfig, Pagen, die leise Koffer tragen, gedämpftes Telefonklingeln – und jeder benimmt sich hier ein bisschen besser als sonst.

Biltmore Hotel
www.BiltmoreHotel.com
Karte S. 127
1200 Anastasia Ave.
305/445-1926

Bald jedoch geriet das Paradies ins Wanken: durch einen schweren Hurrikan, das Ende von Floridas Landboom, den Börsencrash von 1929 und die Depression. Als Miami 1941 in den Krieg gezogen wurde, verwandelte die Armee Suiten, in denen Bing Crosby, Judy Garland oder der Herzog und die Herzogin von Windsor übernachtet hatten, in Verwundetenlager. Das Biltmore blieb bis in die 1960er-Jahre Militärlazarett und entging nur knapp der Abrissbirne. Es wurde ins National Register of Historic Places aufgenommen und nach einer mehrere Millionen Dollar teuren Restaurierung 1992 wiedereröffnet. Zwei Jahre später beherbergte es die Präsidenten und Premierminister, die sich zum Amerika-Gipfel trafen. Es schlug sich hervorragend und verkündete der Welt: Das Leben beginnt erst mit 70 Jahren richtig.

Sie müssen hier nicht nächtigen, um einige der Highlights kennenzulernen. Sonntags wird im prunkvollen Courtyard Café mit Springbrunnen ein Brunch mit Flamenco-Begleitung geboten. Den Pool müssen Sie gesehen haben: Mit 1580 Quadratmetern wäre er groß genug für ein Kanurennen. Noch besser ist der Wellnessclub im Erdgeschoss mit Angeboten auch für Nichtgäste (z. B. Poolnutzung). Die Greenfees für den erstklassigen 18-Loch-Golfplatz sind nicht höher als für öffentliche Plätze.

Sie können bei den Tennisplätzen parken und am Pool vorbei zum Hotel gehen, zu dem gute Restaurants und Lounges sowie ein exzellenter Zigarrenladen gehören.

Nachts wird der 18-stöckige Turm sanft beleuchtet und thront wie ein gnädiges feudales Schloss über Coral Gable. Bei diesem Anblick fragt man sich, wer solche Orte erschafft. Die Antwort lautet: niemand mehr. ∎

Der Mittelturm des Biltmore, Sevillas Giralda-Turm nachempfunden, zeugt von Merricks lebenslanger Faszination von Spanien

Venetian Pool

Venetian Pool

www.venetianpool.com

🅰 Karte S. 127

✉ 2701 De Soto Blvd.,
zwischen Almeria
& Sevilla Aves.
bei Toledo St.

☎ 305/460-5356

⏱ Kein Zutritt für
Kinder unter
3 Jahren

💲 $$

ES GIBT SWIMMINGPOOLS – UND ES GIBT BADEOASEN. DER Venetian Pool gehört zu Letzteren und ist wohl das schönste Schwimmbad Südfloridas. Anfangs war er ein hässliches Entlein: eine Grube, die Steinmetze hinterließen, als sie hier Kalkstein für die Errichtung Coral Gables' abbauten.

Der Künstler und Designer Denman Fink und der Architekt Phineas Paist, die die meisten hiesigen Gebäude errichteten, hatten die Wahl: entweder die Grube auffüllen oder einen Nutzen dafür finden. Das kreative Doppel ersann eine venezianische Traumlandschaft aus schwimmenden Plattformen, Wasserfällen, Grotten, mit Straßenlaternen wie im echten Venedig, einem Aussichtsturm und einer Insel, zu der eine anmutige Bogenbrücke führt. Das Bad wurde 1924 eröffnet, und noch immer bezaubert es mit seinen schönen Fliesen und der efeuumrankten italienischen Loggia.

In den 1920er-Jahren war der Venetian Pool Schauplatz von Schönheitswettbewerben und schillernden Partys; Fotos zeugen davon. Bis 1986 wurde der filterlose Pool jeden Abend geleert und mit frischem Wasser neu gefüllt. Heute wird das Wasser in einem natürlichen Filtersystem gereinigt.

Obwohl man es von nahezu jedem Pool in Greater Miami behauptet: Hier trat die unvergleichliche Wasserballerina Esther Williams tatsächlich auf, ebenso Hollywoods archetypischer Tarzan, Johnny Weissmuller (Weltrekordschwimmer und Kunstspringer). Hier zu schwimmen ist ein in der Tat einmaliges Erlebnis. ■

City Hall

George Merricks Rathaus sollte seiner Vision der City Beautiful gerecht werden, und er investierte dazu 200 000 Dollar – 1928 eine gewaltige Summe. Von jeder Seite ist die halbrunde City Hall mit ihrem dreistufigen Glocken-/Uhrturm im Stil der spanischen Renaissance und ihrer imposanten Säulenreihe eindrucksvoll – sollte sie auch, immerhin steht sie im National Register of Historic Places. Die grauen Blöcke in den Mauern bestehen aus oolithischem Kalkgestein alter Korallenriffe, die vor Äonen über dem Meeresspiegel lagen. Vom ersten Spatenstich bis zur Einweihung vergingen gerade mal vier Monate, eine beachtliche Leistung. ■

Miracle Mile

Manche behaupten, das einzige Wunder *(miracle)* hinsichtlich dieser Shoppingmeile, Teil des Coral Way von der 37th bis zur 42nd Avenue, ist, dass sie sich so lange halten konnte. Als viele nationale Ladenketten hier einzogen, befürchtete man, dass die einzigartigen Coral-Gables-Originale nicht überleben würden.

Coral Gables' Architektur erfreut das Auge und bildete die Basis der City Beautiful. Am Coral Way findet man hervorragende Beispiele dafür, etwa **De Soto Plaza and Fountain**, wo sich Sevilla Avenue, De Soto und Granada Boulevard treffen. Merrick entwarf 14 solcher Brunnen-Plazas – diese inmitten eines Kreisverkehrs im europäischen Stil gehört zu den schönsten.

Casa Azul, ein Privathaus am 1254 Coral Way *(zwischen Madrid St. und Columbus Blvd.)* ist nach seinem Dach aus azurblau glasierten Dachziegeln benannt. Der Architekt H. George Fink wurde durch seine Nachahmung des spanischen Designs in Coral Gables auch in Spanien so bekannt, dass König Alfonso XIII. ihn einlud und zu Don Jorge ernannte.

Poinciana Place *(937 Coral Way, zwischen Toledo St. und Granada Blvd.)*, George und Eunice Merricks erster Wohnsitz, entstand, bevor Merrick begann, seine Stadt zu erbauen. Dies ist die Art von Haus, in dem die reichen Besitzer der Zitrusplantagen wohnten, ehe ganz Coral Gables mediterran wurde.

Das **Merrick House** *(832 S. Greenway Dr. Ecke Castile Ave.)*, nicht zu verwechseln mit Merricks Elternhaus (siehe S. 128), ist heute ein privates Museum. Merrick entschied, er brauche ein größeres Haus, um potenzielle Immobilienkäufer zu beeindrucken. Sein Cousin Don H. George entwarf für ihn diese hinter einer Mauer versteckte Alhambra aus Stein und Stuck, die sich über einen ganzen Block erstreckt. ■

Aus einem aufgegebenen Steinbruch in Coral Gables entstand Greater Miamis fantasievollster Swimmingpool

City Hall

🅰 Karte S. 127

✉ 405 Biltmore Way bei Le Jeune Rd.

☎ 305/446-6800

🕐 Geschl. Sa–So

Rechts: De Soto Plaza and Fountain im Zentrum eines Kreisverkehrs in der City Beautiful

Lowe Art Museum

Lowe Art Museum
www.lowemuseum.org

🗺 Karte S. 127

✉ 1301 Stanford Dr.
an der University of
Miami Campus, beim
US 1/S. Dixie Hwy.

☎ 305/284-3535

🕐 Geschl. Mo

💲 $

Le Neveu de Rameau **(1974) von Frank Stella dominiert eine Wand in Floridas ältestem und führendem Kunstmuseum. Die lebensechte Statue daneben schuf Duane Hanson**

SÜDFLORIDAS ERSTES MUSEUM DER SCHÖNEN KÜNSTE AUF dem Campus der University of Miami ist vor allem für seine Sammlungen mit Renaissance-, Barock-, amerikanischer, indianischer, präkolumbischer und asiatischer Kunst bekannt. Selbst an einem ganzen Tag schafft man es nicht, alles zu sehen, doch man nimmt die Erinnerung an Picasso-Werke, die man vorher nur aus Kunstbänden kannte, an afrikanische Masken, Textilien und Perlenstickereien mit, die zum Verkaufen zu wertvoll sind, aber an andere Museen ausgeliehen werden.

Bestaunen sie Jade aus dem alten Japan, ecuadorianische und kolumbianische Antiquitäten sowie Kleidung, die die Navajo-, Pueblo- und Rio-Grande-Indianer webten, ehe die Europäer hier ankamen. Sie werden sich später vielleicht nicht mehr an die Bedeutung von Frank Stellas abstrakten Werken erinnern oder daran, was das Mädchen auf dem Lichtenstein-Gemälde sagt – es gibt einfach zu viele Eindrücke hier –, aber die hauchdünnen Regenbogen von Bierstadt, die lebhaften Farben von Rembrandt Peale, Tintorettos

lächelnde Renaissance-Gesichter, John Sloans schmutzige Arbeiter aus dem frühen 20. Jahrhundert, Claude Monets Blautöne und Paul Gauguins tiefe Erdfarben sind unvergesslich.

Unter Glas geschützt, sind die ägyptischen Antiquitäten ausgestellt. Die Götter mit Stäben und Schlangen in den Händen lächeln, als amüsierten sie sich über den kosmischen Witz, der sie, die einst Königreiche regierten, in Coral Gables enden ließ.

Im hervorragenden Buchladen sollten Sie einen Ausstellungskatalog als Souvenir erstehen. ■

Miamis Einwohner nennen diese Gegend South Dade und betrachten Homestead und Florida City als seine Provinzhauptstädte. Andere bezeichnen die 100 Jahre alten Farmlandebenen nach dem ertragreichen rötlichen Boden als *Redlands*.

South Miami

Zebra im Miami Metrozoo

South Miami

TROTZ VIELER NEUER WOHN- UND GESCHÄFTSBAUTEN – BESONDERS MINI-
Malls schießen zuweilen wie Pilze aus dem Boden – sind große Teile South Dades noch
das, was ganz Miami einst war: ein ländliches Gebiet mit fruchtbarem Boden, in dem
alles, von Avocados bis Zinnien, gedeiht. Das Leben ist gemächlicher, vor allem in dem
flachen Farmland, das sich gen Westen zu den Everglades erstreckt.

Die meisten Urlauber lassen auf dem Weg zu
den Everglades, zum Biscayne-Nationalpark
oder zu den Keys die Felder und Obstgärten
links liegen, die Autofenster hochgekurbelt,
die Klimaanlage aufgedreht. Das ist schade,
denn dieses Intermezzo zwischen dem urba-
nen Miami und den Keys riecht wunderbar
klar – nach Blüten und Süßwasserseen, sogar

der Geruch eines Holzfasses voller Nägel in
einem Eisenwarenladen ist angenehm.

Natürlich bemerkten das inzwischen Stadt-
bewohner, die etwas Neues suchten. Bauern-
häuser, die dem Verfall überlassen wurden,
werden jetzt aufgebockt und auf neue Fundamente gesetzt, bekommen neue Dächer und
werden als Wochenenddomizile genutzt.

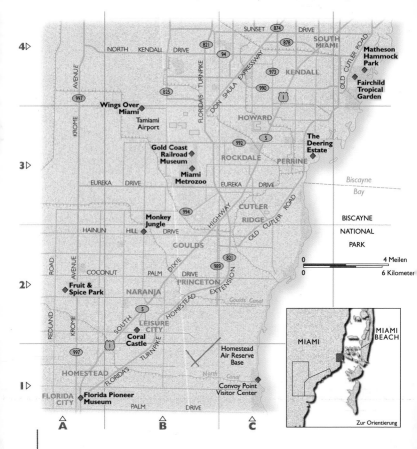

In einem ruhigen See im Dschungel des Fairchild Tropical Garden spiegelt sich das durch Wolken gebrochene Sonnenlicht

Die Landwirtschaft, vor allem der Anbau von Erdbeeren, Rüben, Zitrusfrüchten, Zwiebeln, Kräutern, Avocados und vielem mehr ist die Haupteinnahmequelle in South Dade. Auch Orchideen wachsen hier, dank des fruchtbaren, nährstoffreichen Bodens, des hohen Wassergehalts und der wärmenden Sonne. Biofarmen versorgen Greater Miamis Restaurants und Gourmetküchen mit frischen Produkten.

Sie können einfach die US 1, den South Dixie Highway, hinunterrasen, aber wenn Sie nicht in Eile sind, nehmen Sie lieber die reizvollere Route am Atlantik entlang: South Bayshore Drive bis Miami Highway, durch Coconut Grove zum Ingraham Highway, dann die Old Cutler Road mit ihrer grünen Ficus-Überdachung und den exklusiven Wohngebieten. Die Strecke ist schöner und entspannter; sie zeigt mehr von Südfloridas subtropischer Landschaft und wie diese sich auf das Leben der Menschen auswirkt. Hier passieren Sie auch den Matheson Hammock Park, einen von Greater Miamis hübschesten Küstenparks, sowie den Fairchild Tropical Garden, ein wunderbares botanisches Schutzgebiet, in dem die Primadonnen der exotischsten Flora gefeiert, gepflegt und herausgeputzt werden.

Im Süden des von Hurrikans heimgesuchten South Dade liegt Homestead, Zielscheibe des Spotts und als schlicht und unkultiviert verunglimpft. Es gibt kaum etwas zu sehen, und gute Restaurants oder Nachtclubs gehören nicht zu Homesteads Stärken. Wie der Name ahnen lässt, waren die ersten Siedler Bauern, die Avocados, Orangen, Zitronen und Limonen anbauten. Arbeiter von Henry Flaglers Eisenbahn machten Homestead zu ihrem Lager in Südflorida, sie kauften die Produkte der Bauern und führten ein einfaches Dorfleben. Florida City erging es kaum besser: Die bescheidenen Avenues entstanden nach und nach, nicht nach einem großen Plan wie in George Merricks Coral Gables.

1992 traf Hurrikan Andrew beide Städte schwer – Häuser wurden zertrümmert, Bäume umgeknickt. Die Gemeinden erholen sich nur langsam, auch wenn die Restaurierung vorangeht. Es lohnt sich dennoch, diese dörflichen Netze aus Straßen und Avenues – mit Nummern, Namen oder beidem – mit einer guten Karte zu erkunden. Sie werden eine Ecke des „echten" Florida entdecken, die sich von der Biscayne Bay zu den Everglades erstreckt. ∎

Fairchild Tropical Garden

**Fairchild Tropical
Garden**
www.fairchildtropical
garden.com

⊠ 134 D4
✉ 10901 Old
Cutler Rd.
☎ 305/667-1651
$ $$

**Seerosen be-
decken einen
stillen Teich an
einem Naturpfad
im Fairchild
Tropical Garden**

SÜDFLORIDA IST DIE EINZIGE REGION DER KONTINENTAL-
USA, in der tropische und subtropische Pflanzen das ganze Jahr über
gedeihen. Deshalb findet man an der Biscayne Bay, südöstlich von
Coral Gables, auch den größten tropischen botanischen Garten
Amerikas (außerhalb Hawaiis). Die wunderschöne, 33 Hektar große
Grünanlage ist auch nach fast 70 Jahren eines der weltweit führenden
Zentren für Pflanzenforschung. Die Hollywoodfantasie ist eine
palmenbestandene Oase mit Orchideen, Efeu, blühenden Bäumen,
Farnen und anderen Pflanzen. An Seen und Seerosenteichen kann
man sitzen und über das Leben nachdenken. Sie finden alte südflori-
dianische Lebensräume wie ein unverfälschtes Mangrovengebiet und
einen Laubwald-Hammock – das Florida der Tequesta-Indianer.
Kinder lieben die efeuberankte, tunnelähnliche Kalksteinpergola und
die Wege unter dem Regenwalddach, das alles in grünes Licht taucht.

Die zauberhafte, 1938 eröffnete
Gartenanlage erhielt ihren Namen
zu Ehren des Botanikers und
Schriftstellers Dr. David Fairchild:
Seine Abenteuer in den entlegen-
sten Winkeln der Welt bescherten
ihm den Ruf als Pflanzenforscher,
als Indiana Jones der Orchideen.
Seine Memoiren *The World Was My
Garden* sind für viele Botaniker das,
was *The Complete Angler* für Flie-
genfischer ist.

Rund um die Seen wachsen hier
die Vereinten Nationen der Pflanzen: Australiens Feuerbaum, Brasi-
liens Osterluzei, Südafrikas Rote
Bauhinie, Nicaraguas und Venezue-
las Passionsblume, Vietnams He-
roldstrompete sowie Myanmars
und Thailands Wollige Congea. Ihre
exotischen Namen füllen ein ganzes
Buch – Afrikanischer Baobab-
Baum, Malaysischer Losbaum oder
Ylang-Ylang-Baum *(Cananga odo-
rata)*, dessen Blüten ein Öl produ-
zieren, das u.a. im Parfüm Chanel
No. 5 verwendet wird. Die Vielfalt
ist überwältigend – am besten
nimmt man an einer Führung teil,
obwohl man auch allein umher-
spazieren kann. Stündlich beginnen
kommentierte Bahn-Touren (Mo–
Fr 10–15 Uhr, Sa/So 10–16 Uhr). ∎

Matheson Hammock Park

AUF DER FAHRT ZU EINEM DER ÄLTESTEN PARKS DES DADE County hat man angesichts der gepflegten Rasenflächen und der schicken Marina das Gefühl, auf dem Anwesen eines Milliardärs gelandet zu sein. Und in der Tat ist dies das Vermächtnis eines reichen Mannes: des Commodore W. J. Matheson, eines Farb- und Chemiefabrikanten, dem einst Key Biscayne gehörte und der 1930 dem Staat 40 des 210 Hektar großen Parks vermachte. (»Commodore« war ein Titel, der damals häufig prominenten Mitgliedern des Segel-Jetsets verliehen wurde, zumeist Gründern und Präsidenten von Yachtclubs.)

Mit etwa 400 000 Besuchern im Jahr ist Mathesons Erbe eines der beliebtesten Freizeitgelände in Greater Miami, was angesichts der Anlage nicht verwundert: eine künstliche Badelagune (Atoll Pool) mit Meereszufluss, ein schönes Korallenstein-Restaurant, Picknickpavillons, Grills – und ein Panoramablick über die Biscayne Bay. Auf Naturpfaden kann man einen Mangrovensumpf erkunden, ein Stück ursprüngliches Florida.

Ehe Sie den Wagen abstellen, fahren Sie die Straße zur Marina und zum Yachtclub hinunter, an der Bootsrampe vorbei gen Süden bis zum Parkplatz 5 neben einem hübschen, seichten Strand mit Sandbänken, an dem Kinder und Nichtschwimmer besonders sicher sind. Auch Touren zur Erforschung des Lebens in seichtem Meerwasser führen hierher. Die nördliche Weggabelung der Zufahrtsstraße führt an der Marina vorbei zur Badelagune, wo Sie eine Strandwache, eine Snackbar und Toiletten vorfinden. Am Sandstrand verläuft ein asphaltierter Weg, und von den Bänken aus überblickt man die Biscayne Bay.

Bitten Sie einen Parkwächter um eine Karte, in der Fuß- und Radwege verzeichnet sind. Wenn an der Lagune viel Trubel herrscht, suchen Sie den seichten Strand bei Parkplatz 5 auf, wo es meist ruhiger ist. ∎

Müßiggang im Matheson Hammock Park: im Schatten von Palmen an einem der beliebtesten Familienstrände Greater Miamis

Matheson Hammock Park
- 134 D4
- 9610 Old Cutler Rd., zwischen Campana Ave. & Journey's End Rd.
- 305/665-5475
- $

Ein Sessel im Coral Castle, dem sonderbaren Monument eines lettischen Immigranten für eine verlorene Liebe

Coral Castle

Coral Castle
www.coralcastle.com
△ 134 B2
✉ 28655 S. Dixie Hwy./US 1, Homestead
☎ 305/248-6345
⑤ $$

Nennen Sie ihn besessen, nennen Sie ihn neurotisch oder wie immer Sie wollen, aber niemand nennt Ed Leedskalnin einen 48-Kilo-Schwächling. Der 1,52 Meter kleine lettische Einwanderer verbrachte von 1920 an 28 Jahre mit der Errichtung seines bizarren Coral Castle. Häufig arbeitete er nachts, so sah niemand, wie er die massiven Blöcke Oolith, darunter ein neun Tonnen schweres Tor, bewegte und hob, daraus sein seltsames Haus zusammensetzte und (eher unkomfortabel) einrichtete. 1,2 seiner insgesamt vier Hektar sind zu besichtigen. Es heißt, es sei Denkmal für ein 16-jähriges Mädchen, das ihre Verlobung mit ihm gelöst und Eds Herz gebrochen hätte.

Das ist aber nicht die ganze Geschichte, und die dachlose Konstruktion ist auch nicht wirklich ein Schloss, sondern eher ein Platz mit Korallenstühlen, einem Korallenbanketttisch in der Form Floridas, einer Sonnenuhr, skurrilen Skulpturen und einem Stein-»Teleskop«, das auf den Nordstern ausgerichtet ist. Seine Geliebte gewann Ed nicht zurück, errang aber den Titel als »König des Florida-Kitsch«. ■

Monkey Jungle

Monkey Jungle
△ 134 B2
✉ W von US 1 bei 14805 S.W. 216th St./Hainlin Mill Dr. nahe S.W. 147th St.
☎ 305/235-1611
⑤ $$–$$$

Im nahe gelegenen Metrozoo (siehe S. 140) sieht man fast ebenso viele Affen – doch dort kommt man nicht so nah an sie heran. In diesem acht Hektar großen, botanisch authentischen Amazonasdschungel sind die Besucher, nicht die Affen in Käfigen. Diese laufen frei herum (oder glauben das zumindest) und turnen kreischend von Ast zu Ast. Zu den Primatenarten gehören hier Paviane, Schimpansen, Orang-Utans und Makaken sowie kleinere, unbekanntere, deren Augen ständig überrascht blicken. Vor allem Kinder lieben diesen Ort. ■

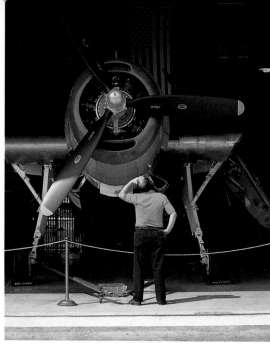

Wings Over Miami

Unter den Fans der Luftfahrt genießt Miami als Geburtsort der Pan American World Airways mythischen Status – ein Grund für den Champion-Piloten Kermit Weeks, auf dem alten Kendall-Tamiami Airport in Südwest-Miami ein Luftfahrtmuseum einzurichten. Hier sieht man eine imposante Flotte alter Flugzeuge, die meist noch flugtüchtig sind, darunter einige der stämmigen Kampfflugzeuge, die im Zweiten Weltkrieg das Blatt wendeten. ∎

Wings Over Miami
www.wingsovermiami.com
134 B3
14710 S.W. 128th St. nehmen sie die Florida Turnpike nach S.W. 120th St., nach W bis zur S.W. 127th Ave.
305/233-5197
$

Shops at Sunset

Shopping gewinnt in den Shops at Sunset eine vergnügliche Note. Beim Bummel durch Armani Exchange, Barnes & Noble, Brookstone, Virgin Megastore und 65 weiteren Läden kann man sich in einem IMAX-Kino gigantische Kreaturen oder in einem Multiplex-Kino die neuesten Hollywoodproduktionen ansehen. Das Beste aber ist GameWorks, ein gemeinsames Unternehmen von SEGA und den Universal Studios, wo man in einem Restaurant mit Bar essen, trinken und an 200 Automaten und interaktiven Attraktionen spielen kann. Das Etablissement ist am Wochenende bis zwei Uhr geöffnet.

Weitere Restaurants vor Ort sind z. B. Johnny Rockets, Coco Pazzo Cafe, Wilderness Grill und das Stir Crazy Café. ∎

Shops at Sunset
134 C4
5701 Sunset Drive
305/663-4222

Dieser nachgebaute südostasiatische Tempel, vor dem ein Tiger die Besucher beäugt, ist typisch für die natürlichen Habitate im Metrozoo

Miami Metrozoo

DIESER ZOO GEHÖRT NICHT ZU DIESEN ALTMODISCHEN, öden Betongefängnissen für Tiere, in denen man die Insassen am liebsten befreien würde. Auf 117 Hektar bilden Dschungel, Grasflächen und Wälder einen der besten Parks für wilde Tiere in dem 800 seltene und exotische Spezies frei umherstreifen.

Miami Metrozoo
www.miamimetrozoo.com

- 🅰 134 B3
- ✉ 12400 S.W. 152nd St. ungefähr 1 Meile W von der Florida Turnpike Extension 16 (Eureka Drive/ S.W. 184th St.), 3 Meilen W von US 1/S. Dixie Hwy. via S.W. 152nd St.
- ☎ 305/251-0400
- 💲 $$

Es gibt keine Käfige, keine Gitter; man geht auf gut beschilderten, gesicherten Wegen inmitten der Tiere umher – was man sonst höchstens aus dem Fernsehen kennt – oder schwebt in klimatisierten Monorails über den Tieren. Seltene weiße Bengalische Tiger liegen majestätisch in der „Ruine" eines kambodschanischen Tempels aus dem 13. Jahrhundert, der Angkor Wat nachempfunden ist; Silberrücken-Gorillas spähen aus einem tropischen Regenwald hervor; Zebras, Gazellen und Strauße bevölkern eine der Serengeti ähnliche afrikanische Prärie.

In einer authentisch sonnenverbrannten Steppe sind das Spitzmaulnashorn und der Afrikanische Elefant zu Hause, deren Populationen in der freien Wildbahn durch Wilderer dezimiert wurden. Für Kinder gibt es ein Wildtier-Karussell und einen Streichelzoo. Nicht streicheln sollte man die beiden drei Meter langen, 150 Kilo schweren Komodowarane, Fleischfresser aus Indonesien. Im *Asian River Life* spazieren Sie im Dunst eines tropischen Wasserfalls, umgeben von Ottern, Nebelpardern (*Neofelis nebulosa*), Bindenwaranen und Muntjakhirschen. In einer gänzlich anderen Welt, dem australischen Outback, leben Kängurus, Wallabys und Koalas. Bei der Fütterung (Zeiten sind ausgeschrieben) eröffnen sich interessante, wenn auch teils weniger liebenswerte Seiten dieser Tiere. ∎

Gold Coast
Railroad Museum

WIR WISSEN, WO ALL DIE BLUMEN GEBLIEBEN SIND – ABER
wo sind die großartigen Lokomotiven und luxuriösen Schlafwagen
aus dem Goldenen Zeitalter der Eisenbahn? Die meisten landeten auf
dem Schrottplatz. Einige aber gibt es noch – 30 von ihnen neben dem
Miami Metrozoo, auf dem ehemaligen Marineflugplatz des Zweiten
Weltkriegs. Hier finden sich z. B. ein *Silver-Crescent*-Aussichtswagen
von 1949 und das geschichtsträchtigste rollende Material, das je auf
US-Schienen unterwegs war: der herrliche *Ferdinand Magellan,* ein
Pullman-Schlafwagen von 1928, der 1942 für Präsident Franklin
Roosevelt umgebaut wurde.

**Gold Coast Rail-
road Museum**
🅰 134 B3
✉ 12450 S.W. 152nd
St.
☎ 305/253-0063 oder
888/608-7246
💲 $–$$

Roosevelt fuhr sonst auf normalen
Pullmans, doch es war Krieg, und
seine Sicherheitskräfte befürchteten
Anschläge der Nazis. Man kaufte den
Magellan und stattete ihn mit Panzerplatten und 7,5 Zentimeter dicken, kugelsicheren Fensterscheiben
aus. Der Speise- und Konferenzbereich wurde vergrößert und eine Observierungsecke eingerichtet, außerdem Fluchtluken und Einrichtungen,
die es dem körperbehinderten Präsidenten ermöglichten, sich leichter zu
bewegen. Der ehemals 80 Tonnen
schwere Waggon brachte schließlich
fast 143 Tonnen auf die Waage und
war somit der schwerste Passagierwaggon Amerikas, und er ist der einzige, der je zur National Historic
Landmark erklärt wurde.

Roosevelt und Winston Churchill
hielten in den dunkelsten Kriegstagen
an seinem soliden Mahagoni-Konferenztisch Rat. Er brachte Roosevelt
im Januar 1943 heimlich nach
Miami, zu seinem Flug mit Pan Ams
Dixie Clipper zur Casablanca-
Konferenz. Roosevelt legte mit dem
Magellan mit der bevorzugten Geschwindigkeit von 56 Kilometern pro
Stunde über 80 000 Kilometer zurück, darunter auch seine letzte Fahrt
nach Warm Springs, Georgia, an
seinem vorletzten Lebenstag. Harry
Truman, der den Pullman für seinen
Wahlkampf nutzte, schaffte 45 000

Kilometer mit knapp 130 Stundenkilometern. (Das berühmte Foto des
siegreichen Truman, der die Zeitungsfalschmeldung, die Dewey zum
Wahlsieger erklärte, präsentiert,
entstand auf dem *Magellan*.) Auch

Dwight D. Eisenhower nutzte den
Pullman in seiner Amtszeit. Seine
Nachfolger bevorzugten Flugreisen,
doch in seinem Wahlkampf von
1984 lieh sich Ronald Reagan
Trumans Rednerkanzel für Ansprachen zwischen Dayton und
Toledo, Ohio. Sie können auf die
Plattform steigen und selbst eine
Rede schwingen. Im Eintrittspreis
ist eine Zugfahrt enthalten. ∎

**Dieser gepanzerte und auf die
Bedürfnisse des
Präsidenten zugeschnittene Pullman ist die einzige National
Historic Landmark auf Rädern**

Fruit & Spice Park

Fruit & Spice Park
www.floridaplants.com/
fruit&spice/

⛰ 134 A2

✉ 24801 S.W. 187th
Ave./Redland Rd. bei
S.W. 256th St.

☎ 305/247-5727

$ $. Geführte Tour &
Workshops

**Exotische Bäume,
die die Fruit-&-
Spice-Park-Agrar-
wissenschaftler zu
Studienzwecken
pflanzten**

In South Dades Redlands wächst so gut wie alles. Seit dem frühen 19. Jahrhundert inspirierte Südfloridas Fruchtbarkeit mit dem Reichtum an Obst, Gemüse, Kräutern und Gewürzen Agrarwissenschaftler zu – nicht selten kühnen – Experimenten, zuweilen mit durchaus genießbaren Resultaten.

56 Kilometer südlich von Miami, nahe Homestead, befindet sich ein laienfreundliches Zucht- und Versuchszentrum, das auf seinem Gebiet führend ist: der Fruit & Spice Park, der 1944 gegründet wurde, um Südfloridas Agrarprodukte zu präsentieren. Auf zwölf Hektar wachsen hier etwa 500 Arten exotischer und subtropischer Früchte, Nüsse und

Gewürzsträucher sowie zahlreiche Kräuter. Der Park arbeitet mit Pflanzenzentren der ganzen Welt zusammen, um neue und bessere Kulturen zu entwickeln. (Die Sternfrucht – Karambole – wurde hier gezüchtet.) Ein Bereich des Gartens ist Giftpflanzen vorbehalten.

Auf dem Programm des Parks stehen Kurse über und Ausflüge in Obst- und Gemüseanbaugebiete sowie Vorträge über Gartenbau und Botanik. (Das Redland Natural Arts Festival mit Handwerkern und Künstlern lockt jeden Januar viele Besucher in den Park.)

Der Shop im Stil eines Feinkostladens bietet Eingemachtes, Chutneys, Gelees, Marinaden, Gewürze, Saatgut und andere exotische Zutaten, die sonst schwierig zu finden sind, sowie regional orientierte Kochbücher, kulinarische Führer und Dokumente zur Verbreitung von Pflanzen. Auch Geschichte findet man hier: in Form rustikaler, alter Korallensteingebäuden, darunter ein Schulhaus von 1912, ein Relikt aus den Pioniertagen der Redlands.

Wer Früchte und Gewürze nicht wirklich gut kennt, sollte an einer Führung teilnehmen – es gibt hier so viel zu sehen, obwohl Hurrikan Andrew 1992 viele Pflanzen zerstörte. Sie sollten keine Früchte von den Bäumen pflücken, ansonsten können Sie hier alles mitnehmen. ∎

Florida Pioneer Museum

**Florida Pioneer
Museum**

⛰ 134 A1

✉ 826 Krome Ave.
zwischen N.W. 8th
& 9th Sts.

☎ 305/248-0976

⊕ Geschl. Mo

$ $

Das kleine, informative Museum über hiesiges Pionier- und Indianerhandwerk ist ein Beispiel für South Dades Frame-Vernacular-Architektur – mit schattiger Veranda, verschalten Mauern und einem spitzen Dach samt Gauben –, das 1904 für einen Angestellten der

Florida East Coast Railroad erbaut und 1964 hierherverlegt wurde. Dies war die letzte Eisenbahngrenze der USA. Der alte Dienstwaggon vor dem Haus soll eines der letzten Holzmodelle sein. Die Öffnungszeiten sollten Sie telefonisch erfragen. ∎

Jenseits von Greater Miami liegt das wahre Florida: einst Land der Tequesta, heute Heimat der Miccosukee und Seminolen; der River of Grass; die Marschen und Ebenen der Big-Cypress-Region im Norden und die Inseln und Riffe der Biscayne Bay im Süden.

Ausflüge

Der schläfrige Blick und das vermeintliche Lächeln täuschen: Der Everglades-Alligator ist ein gefährliches – und schnelles – Raubtier

Ausflüge

ZU ERWÄHNEN, DASS ES ETWAS WIE DEN RUND 6000 QUADRATKILOMETER großen Everglades-Nationalpark sonst nirgendwo auf der Welt gibt oder dass seine schimmernden Feuchtgebiete in Wirklichkeit ein stellenweise nur wenige Zentimeter tiefer Fluss sind, bereitet den Besucher nicht wirklich auf diese einzigartige Wildnis vor. Sie ist nicht nur wild, sondern so voller Leben wie nur wenige andere naturbelassene Regionen. Nur hier sind sowohl Krokodile als auch Alligatoren zu finden und außerdem zahllose Vögel (mehr als 300 heimische und Zugvogelarten), unzählige Fische, bunte Schmetterlinge, Seekühe und Florida-Panther, um nur einige der Tiere zu nennen.

Wer einen Tag Zeit hat, sollte in die Randgebiete des Nationalparks fahren, auf den Wegen und Plankenstegen wandern, den Einwohnern dieser »Ursuppe« die Hand schütteln und unglaubliche Eindrücke davon sammeln, wie die Welt vor der Entstehung des Menschen ausgesehen hat. Trotz der möglicherweise irreparablen Schäden, die Landwirtschaft und Entwicklung den Everglades mit ihren Flutgräben und Deichen zufügen, sind die geschützten Gebiete doch tatsächlich unberührt und ein letzter Überrest der großen amerikanischen Wildnis.

Weniger offensichtlich, aber ebenso bedeutend ist die Wildnis, die sich unter den Wellen der geschützten Biscayne Bay verbirgt, vor allem die 730 Quadratkilometer, die den Nationalpark bilden (der nur zu fünf Prozent aus Land besteht). Er verdankt seine Existenz einer imaginären Trennlinie zwischen dem Fortschritt und dem Wunsch nach einem bequemen Leben und der Verpflichtung, die Natur für jene zu erhalten, die nach uns kommen. Zu diesem Park gehört ein großer Teil des einzigen lebenden Riffs auf dem amerikanischen Festland – er schützt nicht nur die Unterwasserwelt, sondern auch alle Ökosysteme von der oberen Biscayne Bay bis zu den Keys, die von der Gesundheit dieses Riffs abhängig sind.

Auch die Miccosukee sind auf diese Wildnis angewiesen, denn ihre traditionellen Strohdachhütten, die *chickees*, stehen in den Everglades. Für diesen Zweig der Creek-Indianer, der um 1700 noch im Süden von Alabama und Georgia lebte und seinen Namen vom Mikasuki-Dialekt hat, war es nicht einfach, einen Platz neben den Seminolen zu finden, ihren Muskogee sprechenden Creek-Verwandten. Die Spannungen zwischen beiden Stämmen veranlassten die Miccosukee, weiter nach Süden zu ziehen – eine Odyssee, die im späten 18. Jahrhundert begann und in den Everglades endete. Dort sah sich der 5000 Menschen umfassende Stamm aber noch aggressiveren Feinden gegenüber: spanischen und angloamerikanischen Siedlern, die sogar noch Untertanenpflichten von den Indianern verlangten, als sie sie aus ihren Hütten vertrieben. Nach dem Seminolenaufstand – ein Banner, unter dem sich die verfeindeten Stammesteile vereinten, um sich gegen ihre Zwangsumsiedlung zu wehren – ließen Krankheiten, Deportationen und Verzweiflung den Miccosukee-Stamm auf 100 Personen zusammenschmelzen. Sie flohen tief in die Everglades, um ihre traditionelle Kultur und Religion am Leben zu erhalten, sich wie gewohnt durch Jagen und Fischen zu ernähren und darauf zu warten, dass die Zukunft sie einholte.

Bis zum Beginn des 20. Jahrhunderts lebten sie relativ ungestört, doch dann vertrieb sie Floridas Hunger nach Land – ob trocken oder nass – von ihrem reich gedeckten Tisch. Die neu gebauten Straßen durch die Feuchtgebiete brachten Autofahrer zu ihnen, die diese merkwürdigen Leute in ihren leuchtend bunten Kleidern anstarrten und sich fragten, wie jemand so leben konnte. Daran sollten Besucher denken, die auf dem Tamiami Trail in die Everglades und das 1200 Quadratkilometer große, fast vollständig unter Wasser liegende Miccosukee-Reservat fahren, das sich Richtung Naples über zwei Countys erstreckt. Heute umfasst die Stammesliste rund 500 Personen, die sich wie alle anderen Amerikaner ein gesichertes Leben und eine vielversprechende Zukunft wünschen – für die Everglades und für sich selbst –; dieselben Ziele, die auch alle anderen Bewohner Südfloridas verfolgen. ■

Mit Flugzeugpropellern angetriebene, flache Boote sind die schnellsten Transportmittel in den Everglades, dürfen im Nationalpark aber nicht fahren

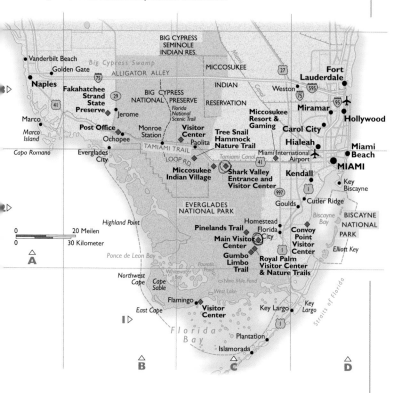

Biscayne National Park

Biscayne National Park
www.nps.gov/bisc/
🅰 145 D2
✉ 9700 S.W. 328th St., Homestead
🆂 Freier Eintritt

Dante Fascell Visitor Center, Convoy Point
🅰 145 D2
☎ 305/230-7275

DIESER NATIONALPARK GEHÖRT ZU DENEN, DIE AM LEICHtesten zu erreichen sind, auch wenn er sehr abgelegen ist. Ohne Boot sind die 95 Prozent, die unter Wasser liegen, und die rund 40 kleinen Inseln, die den geringen Anteil an trockenem Land ausmachen, aber nicht zu bewundern. Dann bleibt nur die Erforschung der Strände und Mangrovensäume oder die Fahrt in einem Ausflugsboot zu den regenbogenfarbenen Korallenriffen unter Wasser.

Die Anfahrt von Miami ist problemlos. Die direkte, aber landschaftlich vollkommen reizlose Route führt über den S. Dixie Highway (US 1) und dauert von Downtown aus etwa eine Stunde. Fahren Sie 40 Kilometer Richtung Süden, vorbei an Cutler Ridge nach Goulds (etwa 24 Kilometer nördlich von Homestead), und achten Sie auf die Park-Reklametafel, der schon bald ein Hinweisschild folgt. Hier biegen Sie links auf die S.W. 137th Avenue (Tallahassee Road), fahren an der S.W. 328th Street (North Canal Drive) wieder links und folgen der Straße die zehn Kilometer bis zum Ende. Der Eingang ist auf der linken Seite. Wer über den Florida Turnpike kommt, fährt auf die Homestead-Spur Richtung Süden zur Ausfahrt Campell Drive. An der Ausfahrt biegen Sie rechts ab und fahren in Richtung Osten weiter bis zur nächsten Kreuzung (Kingman Road). Hier biegen Sie rechts ab, fahren bis zur S.W. 328th Street und dann weiter wie oben beschrieben.

Wer mehr Zeit hat, sollte die längere und schönere Strecke am Meer entlang nehmen. Von Miami aus folgen Sie dem S. Bayshore Drive bis zum Main Highway und Coconut Grove, fahren Richtung Süden auf dem Ingraham Highway und dann auf der Old Cutler Road weiter. Auf der Old Cutler Richtung Süden fahren Sie am Deering Estate (siehe S. 118) vorbei, durch Cutler Ridge und auf dem Florida Turnpike Richtung Westen zur Allapattah Road. Hier biegen Sie links ab und folgen

der Allapattah exakt nach Süden bis zur S.W. 328th Street. Hier biegen Sie wieder links ab (in Richtung Meer), um zum Parkeingang Convoy Point zu kommen.

Der beliebteste Ausflug ist die **Fahrt zum Riff**, ein dreistündiger Ausflug in einem Glasbodenboot vom **Dante Fascell Visitor Center** aus. Die Fahrt beginnt damit, dass ein Park-Ranger erklärt, was die Besucher sehen werden und welche Bedeutung es hat. Durch die ganze Länge des Bootes zieht sich eine Aussichtskammer mit Luken aus dickem Glas, die nach unten aufklappen. Das Wasser ist grün, was die Farben der Fische, Korallen und anderen Lebewesen etwas dämpft, aber durch das sehr klare Wasser ist alles gut zu sehen. Wer noch nie in tropischen Gewässern geschnorchelt oder getaucht hat, wird hier eine neue Welt kennenlernen.

Über die Wasseroberfläche fliegen Pelikane, die im Flug wunderschön anzusehen sind. In den sandigen Seegrasflächen leben winzige Hummer und Krebse. Die bunten Farben sind hilfreich, um die rund 200 hier lebenden Fischarten zu identifizieren, die in diesen ruhigen Gewässern über die vorgelagerten Inseln gut vor den Unbilden des Atlantik geschützt sind. Reiher und Kormorane fliegen auf der Suche nach Fischen dicht über die Wasseroberfläche.

Ein Höhepunkt der Fahrt ist der Besuch der vorgelagerten Inseln, der nördlichsten der Florida Keys. Sie sind von Mangroven gesäumt und

mit dichten Wäldern aus tropischen Laubbäumen überwachsen, die es schon in prähistorischen Zeiten gab. Jenseits davon, bis zu elf Kilometer entfernt, liegen die Riffe, in denen rund 50 Schiffswracks – rostige Skelette zwischen massiven Steinkorallen und zahlreichen Sternkorallen, Fischen und Fächerkorallen – Zeugnis von der Gefährlichkeit dieser so faszinierenden Flachwasser ablegen.

Wenn der Zeitplan keinen halben Tag auf dem Wasser zulässt, ist es fast ebenso spannend, ein Stündchen an der mangrovengesäumten Küste von **Convoy Point** spazieren zu gehen oder zu picknicken. Die scheuen Weißkopfseeadler und Wanderfalken leben in dieser Gegend, und manchmal sind auch Seekühe zu sehen, die unter dem dichten Blätterdach Futter suchen oder sich verstecken. Fragen Sie im Convoy Point Visitor Center nach dem aktuellen Programm für geführte Wanderungen und Ausflüge, wie etwa die Bootsfahrt zum **Elliott Key**. Auch Fahrten mit dem Glasbodenboot, Kanufahrten und Schnorchel- und Tauchausflüge können hier gebucht werden *(Tel. 305/230-1100).* ∎

In einem Glasbodenboot gleitet ein Teil des fast vollständig unter Wasser liegenden Biscayne-Nationalparks unter den Füßen der Fahrgäste vorbei

Everglades National Park

Fortbewegung in den Everglades: Diese Kanus sind denen der Seminolen nachempfunden

DER *RIVER OF GRASS* IST DIE GRÖSSTE SUBTROPISCHE Wildnis auf dem amerikanischen Festland und der drittgrößte Nationalpark außerhalb Alaskas. Der Park ist als Weltnaturerbe ausgewiesen, ein internationales Biosphärenreservat und ein Feuchtgebiet von internationaler Bedeutung. Wer den Park nicht selbst besucht, wird sich nicht vorstellen können, wie einzigartig er ist – und dabei spielt es keine Rolle, wie viele Fotos Sie davon schon gesehen haben.

Everglades National Park
www.nps.gov/ever/home.htm
- 145 C2
- 40001 Fla. 9336, Homestead
- 305/242-7700
- $$

Wenn Sie die Everglades besuchen wollen, planen Sie einen langen Tag ein, ob Sie nun die Region Shark Valley westlich von Miami sehen wollen oder südwestlich nach Florida City fahren, um der Südhälfte des Parks und der Küste am Golf von Florida einen längeren Besuch abzustatten. In jedem Fall sind Sonnenhut und Sonnenbrille sowie vor allem ein Insektenschutzmittel ein absolutes Muss: In den Everglades sind Moskitos ein entscheidender Bestandteil der Nahrungskette, und ohne Insektenspray werden Sie das auch werden. Von Dezember bis April ist das Wetter im Park mild und angenehm, aber im Sommer sind es über 30 Grad, die Luftfeuchtigkeit liegt bei 90 Prozent, und nachmittags kommt es häufig zu Gewittern. Tragen Sie locker sitzende Kleidung mit langen Ärmeln sowie lange Hosen, und bringen Sie Wasser und etwas zu essen mit. Informationen über die Moskitoplage im Sommer können telefonisch eingeholt werden *(Tel. 305/242-7700)*.

dreistündige Strecke abzufahren. Erkundigen Sie sich vorher aber bei den Rangern nach Verhaltensregeln für Begegnungen mit Alligatoren. Zu sehen sind außerdem Watvögel und Schildkröten und – im Wasser – baumbestandene Inseln, die *hammocks* genannt werden, und solche, die nur mit Gestrüpp bewachsen sind und *bayheads* heißen.

Ein Alligator begrüßt Wanderer auf dem Anhinga Trail

Als Alternative bietet sich eine Wanderung auf dem **Bobcat Boardwalk** und dem **Otter Cave Hammock Trail** an, die beide in der Nähe des Besucherzentrums liegen und einen guten Blick auf diese Inselchen ermöglichen.

SHARK VALLEY

Der Eingang zum Shark Valley und das Besucherzentrum liegen 40 Kilometer westlich von Miami und sind über die S.W. Eighth Street (US 41/ Tamiami Trail) zu erreichen, die am Nordrand des Parks entlangführt. Die Tore werden um 8.30 Uhr geöffnet und um 18 Uhr wieder geschlossen. Hinter ihnen liegt das Herz des großen Flusses, der kaum merklich die 160 Kilometer vom Lake Okeechobee in den Golf von Mexiko fließt.

Parken Sie Ihren Wagen, und nehmen Sie an der zweistündigen Fahrt in der an den Seiten offenen Bahn teil, die auf einem 24 Kilometer langen Rundkurs fährt. Mithilfe der guten Erläuterungen werden Sie viele Tiere sehen, darunter auch Alligatoren. Eine andere Möglichkeit ist es, Fahrräder zu mieten (Kinder unter 16 sind gesetzlich verpflichtet, einen Helm zu tragen, der im Büro der Bahn gekauft werden kann) und die

IM SÜDEN DER EVERGLADES

Fahren Sie von Miami aus auf dem Florida Turnpike (Fla. 821) Richtung Süden bis zur Ausfahrt Florida City. An der ersten Ampel biegen Sie rechts in den Palm Drive ab und folgen der Ausschilderung zum Besucherzentrum am Rand des Parks. Der Aushang am Royal Palm Visitor Center vier Meilen westlich gibt Informationen zu geführten Wanderungen und Fahrten ab Flamingo an der Florida Bay, 61 Kilometer südwestlich des Eingangs, die durch eine fantastische Landschaft führt.

Shark Valley Visitor Center

🗺 145 C2

✉ Fla. 9336

☎ 305/221-8455 (Information & Reservierung), 305/221-8455 (Fahrradvermietung)

🕐 Geführte Spaziergänge nur im Winter. Bahn verkehrt immer

💲 $$ mit Auto, $$ zu Fuß/Fahrrad

Am **Royal Palm Visitor Center** beginnen zwei 800 Meter lange Wege, der **Anhinga Nature Trail** und der **Gumbo Limbo Trail**. Der Anhinga ist ein Plankensteg, der zu einem Süßwasser-Schlammloch führt und von dem aus viele Tiere zu sehen sind. Der Gumbo Limbo führt an einem Binsensumpf, Laubwald-Hammocks und einem Dickicht aus Gumbo-Limbo-Bäumen mit der typischen roten Rinde entlang. Wenn ein Ranger Sie begleitet, werden Sie vieles entdecken, was Ihnen normalerweise entgangen wäre.

Elf Kilometer die Straße hinunter liegt der **Pinelands Trail**, der durch die Überreste der Kiefernwälder führt, die einst den größten Teil Südostfloridas bedeckten. Einladende Picknickplätze gibt es am **Paurotis Pond**, **Nine Mile Pond** und am **West Lake**. In **Flamingo** sollten Sie sich am Ticketschalter im Hafen nahe

Carnestown
Ochopee
Everglades City
Chokoloskee
Chokoloskee Passage
Pavillion Key
Monroe Station
Paolita Station
TAMIAMI TRAIL
Trail City
Pinecrest
Tamiami Canal
BIG CYPRESS NATIONAL PRESERVE
Shark Valley Entrance and Visitor Center
Tram Tour
Alligator
Rogers River Bay
Lostmans River
EVERGLADES NATIONAL PARK
Richmond Heights
Redland
Highland Point
Rogers River
Broad River
Turner River
Pinelands Trail
Homestead
Shark Point
Shark River
Harney River
Paurotis Pond
Main Visitor Center
Royal Palm Visitor Center
Florida City
Anhinga & Gumbo Limbo Trails
Ponce de Leon Bay
North West Cape
Cape Sable
Whitewater Bay
Nine Mile Pond
Middle Cape
East Cape
Lake Ingraham
Flamingo
Flamingo Visitor Center
Mosquito Point
Florida Bay
Key Largo

GULF OF MEXICO

3▷
2▷
1▷

0　20 Meilen
0　30 Kilometer

A　B　C

Weißkopf-seeadler

Karibische Kiefer

Florida-Panther

Gumbo-Limbo-Baum　**Rabengeier**　**Reiher**

Schneidebinse

Weißwedelhirsch

Waldstorch

Schneckenweih

Zebrafalter　**Apfelschnecke**

Haken-lilie

Purpur-huhn

Alligator

Zackengeste

Gelbe Teichrose

Blauer Sonnenbarsch
Forellenbarsch
Flusskrebs
Hornhecht

dem Besucherzentrum für die zweistündige Bootsfahrt durch das
Hinterland anmelden (Nov.–April).
Sie führt mitten in die Wildnis an
Orte, die anders unmöglich zu erreichen sind und Sie garantiert
überraschen werden. Nehmen Sie
Kamera und Fernglas mit, und
vergessen Sie nicht, dass diese
absolute Perfektion einst auf der
ganzen Welt zu finden war. ■

Unten: Flora und Fauna der Everglades

Fischadler

Königspalme

Mistelfeige

Rosalöffler

Brauner Pelikan

Tillandsie

Streifenkauz

Mangrove

Silberreiher

Krokodil

Apfelfarn

Mangrovenauster

Grauer Schnapper

Schildkrötengras

Seekuh

Garnele

Karettschildkröte

**Der Schlangen-
halsvogel in der
typischen Haltung,
in der er seine
Flügel nach dem
Tauchen trocknet**

Mit dem Auto auf dem Tamiami Trail

Der Name Tamiami Trail – US 41 – wurde 1928 geprägt und bezieht sich auf die Endpunkte Miami und Tampa, aber am bekanntesten ist das 170 Kilometer lange Teilstück zwischen Miami und Naples. Beim Bau der Strecke hat man sich wenig Gedanken über die ökologischen und sozialen Konsequenzen gemacht. Sie ermöglicht den Touristen nicht nur, ins Herz der Everglades zu fahren, sondern behindert auch den nach Süden fließenden großen Fluss. Den Miccosukee, die sich immer weiter in die Wildnis zurückgezogen haben, hat die Straße eine Zukunft aufgezwungen, in die sich eine Gesellschaft, die vom Jagen und Fischen lebt, nicht mehr einpassen kann.

Betrachtet man die Straße jedoch nur vom landschaftlichen Standpunkt, zeigt der Tamiami perfekt die Vielfalt des wilden Florida. Die ersten Kilometer im Osten führen am Nordrand des Everglades-Nationalpark (siehe S. 148ff) vorbei und bieten die Möglichkeit zu einem Stopp am **Shark Valley Visitor Center ❶**. Hier kann man entweder spazieren gehen oder die Fahrt mit der Besucherbahn mitmachen: Sie führt zu den Binsensümpfen und Laubbaum-Hammocks, auf denen Alligatoren in der Sonne liegen.

Einige Kilometer weiter westlich liegt das **Miccosukee-Indianerdorf ❷** mit seinen 500 Einwohnern, denen es gelungen ist, ihr althergebrachtes Leben mit der Moderne zu verbinden. In Geschäften wird traditionelles Kunsthandwerk verkauft, aber wichtige Angelegenheiten wie die Stammesautonomie und finanzielle Unterstützung werden anderswo von Anwälten, Beamten und Stammesvertretern diskutiert. Währenddessen kehren die Touristen am MM (Mile Marker) 25 im **Miccosukee Restaurant** (Tel./Fax 305/223-8380) ein, um Katzenwels oder panierte und frittierte Froschschenkel mit Kürbisbrot zu probieren.

Im Westen liegt die **Big Cypress National Preserve ❸** (Ochopee, Tel. 239/695-1201), rund 3000 Quadratkilometer Marschland, Trocken- und Feuchtprärien, Laubwälder, Mangroven, Kiefern und natürlich Zypressen, wobei sich

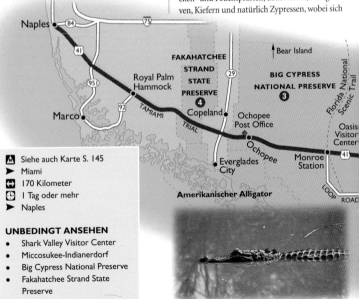

Naples — 84 — 75
41
951
FAKAHATCHEE
STRAND
STATE
PRESERVE
❹
Royal Palm
Hammock
92
TAMIAMI TRAIL
Marco
Copeland
Bear Island
29
BIG CYPRESS
NATIONAL PRESERVE
❸
Ochopee
Post Office
Florida National Scenic Trail
Oasis
Visitor
Center
41
Ochopee
Everglades
City
Monroe
Station
LOOP
ROAD

Amerikanischer Alligator

🅐 Siehe auch Karte S. 145
▶ Miami
↔ 170 Kilometer
🕐 1 Tag oder mehr
▶ Naples

UNBEDINGT ANSEHEN
- Shark Valley Visitor Center
- Miccosukee-Indianerdorf
- Big Cypress National Preserve
- Fakahatchee Strand State Preserve

Mit dem Kanu durch die Wildnis

Der rund 160 Kilometer lange Wasserweg zwischen der Golfküste und dem Flamingo Visitor Center windet sich durch eines der größten unbewohnten Gebiete im Osten. Die meisten Besucher bevorzugen die Fahrt im Kajak, um möglichst wenig in die Natur einzugreifen. Die beste Zeit dafür ist Mitte Dezember bis Mitte April. Die Fahrt dauert etwa eine Woche, und die Veranstalter bringen die Teilnehmer zum Ausgangspunkt zurück. An beiden Enden gibt es Pensionen; unterwegs wird in *chickees* im Miccosukee-Stil übernachtet. Im Flamingo Visitor Center *(Tel. 239/695-2945)* gibt es Karten, Führer und eine Liste von Veranstaltern. Die National Parks and Monuments Association *(Tel. 305/247-1216)* bietet Karten der Strecke. ■

das »big« nicht auf die Größe der Bäume bezieht, sondern auf ihre Anzahl. Der Holzwirtschaft zum Trotz ist fast ein Drittel des Gebiets mit Zypressen bedeckt. Die Big-Cypress-Wasserscheide versorgt die Everglades und fließt über ihre gemeinsame Grenze nach Süden. Hier gibt es eine ganz andere Wildnis, die in dem 15-minütigen Film im Oasis Visitor Center sehr schön erklärt wird. Der Tree Snail Hammock Nature Trail wurde angelegt, damit Besucher die hier lebenden Tiere sehen können. Im Winter finden Führungen mit Rangern statt. Der 42 Kilometer lange Rundkurs und die beiden anderen befahrbaren Strecken sind sehr schön, aber nur für Allradfahrzeuge mit hoher Bodenfreiheit geeignet.

Erkundigen Sie sich nach Fahrradtouren in der Gegend um Bear Island. Hier laden Picknicktische zum Rasten ein, die auch gern von Wanderern genutzt werden, die dem hier vorbeiführenden Florida National Scenic Trail folgen.

Ein Abstecher fünf Kilometer in nördliche Richtung auf die Fla. 29, nahe Ochopee, führt zur Fakahatchee Strand State Preserve ❹ *(Copeland, Tel. 239/695-4593)*, deren 800 Meter langer, erhöht angelegter Pfad durch eine ungewöhnlich hübsche Gruppe von Sumpfzypressen, ein Wäldchen aus Königspalmen und viele bunte Orchideen führt. Der Königspalmenwald gilt als der größte Amerikas, das **Postamt von Ochopee** als das kleinste. ■

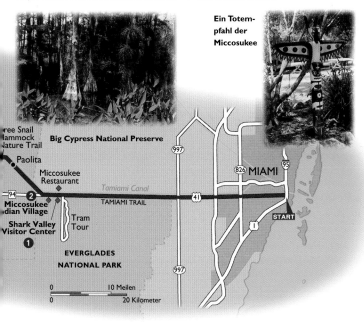

Ein Totempfahl der Miccosukee

ree Snail
ammock
Nature Trail

● Paolita

Big Cypress National Preserve

997

Miccosukee
Restaurant

Tamiami Canal

826 MIAMI

94 ❷

TAMIAMI TRAIL

41

95

**Miccosukee
Indian Village**

Tram
Tour

START

1

**Shark Valley
Visitor Center**

❶

EVERGLADES
NATIONAL PARK

997

0   10 Meilen
0   20 Kilometer

Fort Lauderdale

Noch heute
herrscht am
Strand von Fort
Lauderdale
munteres Treiben,
aber die wilden
Studentenpartys
in den Frühjahrs-
ferien, die seit den
1960er-Jahren hier
stattfanden, sind
mittlerweile fast
Vergangenheit

FORT LAUDERDALE IST BEKANNT FÜR DAS ALLJÄHRLICH IN den Frühjahrsferien stattfindende Gelage, zu dem Tausende von Collegestudenten von nah und fern herbeiströmen, um *spring break* zu feiern. Dann sind die Bars der Stadt ebenso überfüllt wie der Strand, obwohl Gesetze die Ausschweifungen mittlerweile in engen Grenzen halten. Den Rest des Jahres lebt es sich in dieser keineswegs militärischen Stadt aber viel angenehmer als beispielsweise in San Francisco, das sich so viel darauf einbildet, San Francisco zu sein, oder in New York, das sich selbst viel zu wichtig nimmt. Fort Lauderdale strahlt eine Schönheit und Gemütlichkeit aus, die in amerikanischen Städten Seltenheitswert hat.

Fort Lauderdale

145 D3

Fort Lauderdale hat ein Netz von Kanälen und Flüssen, das während des Landbooms in den 1920er-Jahren entstanden ist. Auf den Wasserstraßen fahren Wassertaxis, die mit einer Tageskarte uneingeschränkt genutzt werden können. Um in die Innenstadt zu kommen, fahren Sie von Miami aus auf der I-95 Richtung Norden bis zur Ausfahrt Broward Boulevard, biegen in Richtung Atlantik ab und folgen dann der Broward bis zur Einbahnstraße N.W. First Avenue. Für einen ersten Eindruck von der Innenstadt bleiben Sie auf der N.W. First und fahren Richtung Süden, bis die Avenue nach links in den Las Olas Boulevard abzweigt.

An dieser Ecke steht das viel gerühmte **Museum of Art** *(Tel. 954/ 763-6464, Mo geschl.).* Wenn Sie es besuchen oder dieses hübsche Viertel zu Fuß erkunden wollen, lassen Sie Ihr Auto im Parkhaus. Dazu biegen Sie links in die S.E. Third Avenue ab und sofort wieder links in die S.E. Second Street. (Das Parkhaus liegt rechts am anderen Ende des Blocks.) Unter Wissenschaftlern und Kunstliebhabern mit einer Vorliebe für die niederländische und belgische Avantgarde gilt die Sammlung des Kunstmuseums als wahre Schatztruhe. Untergebracht ist sie in einem Gebäude von Edward Larrabee Barnes. Das Museum ist berühmt für seine Dauerausstellung amerikanischer und europäischer Kunst des 20. Jahrhunderts, zu der Werke von Alexander Calder, Salvador Dalí, Henry Moore, Pablo Picasso, Larry Rivers, Andy Warhol und Frank Stella gehören.

Durch das Zentrum fließt der New River, an dessen Ufer sich das neue Kunst- und Unterhaltungsviertel entlangzieht. Hier befindet sich das mit viel Glas erbaute **Broward Center for the Performing Arts** *(Tel. 954/462-0222),* in dem Broadway-Stücke aufgeführt werden. Auch für Geschäftsreisende ist dieses Viertel zu empfehlen: nicht nur wegen der Hotels, sondern auch wegen der lange geöffneten Clubs, in denen Jazz, Blues, Rock und Reggae gespielt werden – in dieser Reihenfolge. Die Cafés sind ideal für ein gemütliches Dinner an einem warmen Abend, und all das ist bequem zu Fuß zu erreichen, inklusive dem Fort Lauderdale Historical Museum (siehe S. 156).

Nach dem Essen bietet sich ein Spaziergang auf dem **Riverwalk** an, einer anderthalb Kilometer langen Promenade am Nordufer des Flusses, die ihn kreuzt und dann 800 Meter auf der Südseite weitergeht.

SEHENSWÜRDIGKEITEN

An der Ecke Las Olas und S.W. Sixth Avenue steht das 1901 erbaute **Stranahan House** *(Tel. 954/524-4736, Mo–Di geschl.)*, das älteste Gebäude der Stadt, dessen Einrichtung im Originalzustand erhalten ist.

Auf Las Olas, zwischen der 6th und 11th Avenue, sind in den hübschen Arkaden im spanischen Kolonialstil Designer-Boutiquen, Juweliere und mehrere Kunstgalerien zu entdecken. The Isles, am Ende von Las Olas, ist die feinste Adresse von Fort Lauderdale; hier sind die fingerähnlichen Inseln mit luxuriösen Villen bebaut.

Das **Fort Lauderdale Historical Museum** *(219 S.W. 2nd Ave., Tel. 954/463-4431, Sa–Mo geschl.)* informiert über die dramatische Geschichte dieser Gegend.

Fahrgäste besteigen einen Ausflugsdampfer für eine Fahrt durch die geschützten Binnenwasserwege von Fort Lauderdale

Die **Broward County Main Library** *(100 S. Andrews Ave., Tel. 954/357-7444 oder 954/357-7457)* ist ein wundervolles, von Marcel Breuer entworfenes Gebäude.

Um zum **Strand von Fort Lauderdale** zu kommen, folgen Sie dem Las Olas Boulevard bis zum Ende und biegen dann – ganz nach Wunsch – auf dem Atlantic Boulevard am Wasser nach links oder rechts ab. Dies ist die Welt der Strandschirme, unter denen Menschen mit dicken Taschenbüchern und dünnen Mobiltelefonen sitzen, vor allem zwischen Las Olas und dem Sunrise Boulevard.

Ebenfalls am Strand steht das **Bonnet House** *(900 N. Birch Rd., Tel. 954/563-5393, Di geschl.)*, die 90 Hektar große Winterresidenz des Künstlerpaares Frederic und Evelyn Bartlett. Dieses stilvolle Anwesen strahlt noch heute das jugendliche Streben nach Kunst und Schönheit aus, das George Merrick und seine Frau zu Coral Gables inspirierte.

Das **International Swimming Hall of Fame Museum** *(1 Hall of Fame Dr., Tel. 954/468-1580, 954/468-1480 für das Schwimmbad, Mitte Dez. bis Mitte Jan. geschl.)* ist vermutlich das einzige Schwimmbad Südfloridas, das nicht behauptet, Johnny Weissmüller und Esther Williams zu Gast gehabt zu haben. Das Museum, zu dem auch zwei 50-Meter-Becken gehören, feiert jedoch die Errungenschaften dieser Ausnahmeschwimmer, und im hauseigenen Theater werden ihre Filme gezeigt. Das Archiv ist proppenvoll mit den Trophäen der hier geehrten Athleten.

Die **Hugh Taylor Birch State Recreation Area** *(3109 E. Sunrise Blvd., Tel. 954/564-4521)* gilt als schönstes Naherholungsgebiet abseits des Strandes: 450 Hektar fantastischer tropischer Landschaft, durch die sich ein Naturpfad schlängelt, der eigentlich eher ein Dichterpfad ist. Lassen Sie die anderen in gemieteten Kanus umherpaddeln, Volleyball spielen, Hufeisen werfen oder sich ihre Nasen am **Birch House Museum** platt drücken, dessen Schwerpunkt auf der Pionierzeit liegt. Gehen Sie spazieren, breiten Sie Ihre Picknickdecke aus, und lesen Sie *River of Grass* von Marjory Stoneman Douglas. ∎

Trotz maßloser Bebauung und der ständig zunehmenden Touristenströme konnten die Florida Keys – ein tief liegender Archipel aus urwaldartigen Koralleninseln, die sich vor dem Festland bogenförmig in Richtung Südwesten erstrecken – ihre wilde Schönheit bewahren: als einer von Amerikas natürlichsten exotischen Orten.

Die Upper Keys

Franzosen-Kaiserfisch

Die Upper Keys

DER 203 KILOMETER LANGE OVERSEAS HIGHWAY VERBINDET MEHR ALS 40 bewohnte Inseln und ist vermutlich die ungewöhnlichste unter den reizvollen Strecken Amerikas. Er kann mit 42 Brücken aufwarten, und auf beiden Seiten gibt es leuchtend blaue tropische Gewässer zu sehen: den Golf von Mexiko auf der einen und den Atlantik auf der anderen. Der Highway führt durch Korallenriffe, Salzwasser-Mangrovenwälder, Seegraswiesen und blühende Dschungel-Hammocks. Endstation ist Key West. In Florida City geht es los, und grüne Straßenschilder, die als Mile Markers (MM) bekannt sind, liefern den Countdown von MM 126 bis MM 0. In Key West, manchmal auch *Mile Zero* genannt, endet zwar die Straße, aber nicht die Keys: Sie und ihre Riffe enden erst 70 Meilen weiter südlich mit den einsamen, windumtosten Inseln der Dry Tortugas.

Einst waren die Keys die Heimat der Calusa – oder Caloosa. Die ersten Europäer betraten ihre Welt an einem Sonntag, dem 15. Mai 1513. Angeführt wurden sie von Juan Ponce de León, jenem spanischen Leutnant Christoph Kolumbus', der nach dem sagenumwobenen Jungbrunnen suchte. Antonio de Herrera, der Chronist der Expedition, notierte 4▷ später: »Dieser Reihe von Inseln und Felsen gaben sie den Namen *Los Martires* (die Märtyrer).« Offenbar erinnerten die Inseln die Spanier an die

Der Motor schweigt, der Führer hält das Boot in den flachen Wassern des Golfs vor Islamorada ganz still – vielleicht gelingt es seinem Fahrgast, einen der scheuen Fische zu erwischen

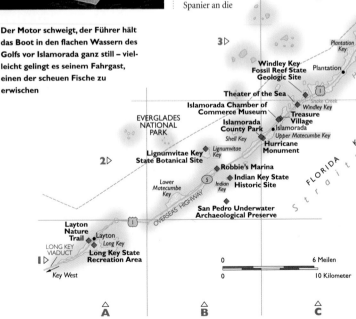

Card
Sound

6▷

997

CARD
SOUND
BRIDGE

905A

**Crocodile Lake
National Wildlife
Refuge**

↑ Florida
City

1

Key
Largo

5

Barnes
Sound

905

5▷

CORAL REEF STATE PARK

JOHN PENNEKAMP

Grayvik

OVERSEAS HIGHWAY

Gulfstream
Shores

Lake
Surprise

Blackwater
Sound

EVERGLADES

NATIONAL

PARK

**Key Largo
Chamber of
Commerce**

Key Largo

**Dolphin
Cove**

Newport

**Key Largo Hammocks
State Botanical Site**

Key
Largo

Largo Sound

1. **Wild Tamarind Trail**
2. **Cannon Beach**
3. **John Pennekamp Coral Reef S.P.
   Visitor Center**
4. **Fish House Restaurant &
   Seafood Market**
5. **Mangrove Trail**
6. **Far Beach**

△
F

5

△
E

**Dolphin
Plus**

Rock Harbor

**USS Spiegel
Grove**

1

orida Keys Wild Bird
habilitation Center

Harry Harris County Park

Tavernier

NATIONAL MARINE SANCTUARY

Florida

△
D

of

> Die Abkürzung »OS«
> im Zusammenhang
> mit einer Adresse be-
> zeichnet die Seite des
> Overseas Highway, die
> zum Atlantik zeigt,
> während »BS« sich auf
> die Seite zur Florida Bay
> hin bezieht. ■

Fort Lauderdale ●

Miami ●

Key West

Zur Orientierung

hingestreckte Form leidender
Männer. »Der Name erwies sich als
passend«, schrieb Herrera, »wegen der vielen,
die seitdem hier ihr Leben ließen.«

Als die Konquistadoren kein Gold fanden,
ließ ihr Interesse an den Inseln schnell nach,
und es dauerte weitere drei Jahrhunderte, bis
die erste angloamerikanische Siedlung auf dem
Gebiet des heutigen Key West abgesteckt wurde.
Es verging ein weiteres halbes Jahrhundert, bis
neue Siedler – angelockt von Landvergabe-
Programmen der Regierung – auf den Upper
Keys eintrafen. Sie bauten ihre Häuser aus den
Unmengen von Treibholz, das sich an den

Stränden türmte, weil immer wieder Schiffe
auf die Riffe liefen. Vor dem Bau der ersten
Leuchttürme kam es vor den Inseln zu so
vielen Schiffbrüchen, dass viele »Abwracker«
dadurch reich wurden – ein Berufszweig, der
von einigen Gaunern in Misskredit gebracht
wurde, indem sie falsche Leuchttürme bauten,
um die Seeleute vom Kurs zu locken.

Die meisten Neuankömmlinge auf den Keys
waren Farmer, die dem mageren Boden eine
Zeit lang Zitronen, Limonen, Melonen, Tomaten
und Ananas abrangen und sie Richtung Norden
verschifften. Ihre Freude war groß, als Henry
Flaglers Eisenbahn 1912 Key West erreichte,

denn sie waren überzeugt, dass die neue Direktverbindung zum Festland ihren Wohlstand garantierte. Sie wurden jedoch schnell vom Markt verdrängt, weil nun billigere Produkte aus Mittel- und Südamerika nach Key West gelangten. Die immer wieder auftretenden Hurrikans brachten der Landwirtschaft auf den Keys dann endgültig das Aus.

Einer der vielen Mangrovenwälder der Keys bildet die Kulisse für die Gäste eines Restaurants am Hawk Channel von Islamorada

Das 20. Jahrhundert war besonders hart für die Inselbewohner, die dazu übergegangen waren, ihren Lebensunterhalt mit der Fischerei zu verdienen. Ihre Träume von einem wirtschaftlichen Aufschwung starben in der Weltwirtschaftskrise, doch mit staatlicher Hilfe wurde dann die Tourismusindustrie der Inseln aufgebaut.

Was nicht gestorben ist, sind Ruhe und Erholung. Die Upper Keys beginnen ganz unauffällig mit der Überquerung des Kanals zwischen dem Barnes Sound und dem Blackwater Sound auf der 68 Meter langen Jewfish Draw Bridge bei MM 106, wo die US 1 offiziell zum Overseas Highway wird. Die Überfahrt dauert mit dem Auto nur wenige Sekunden, aber sie führt in eine Region, wie es in ganz Amerika keine zweite gibt.

In den Upper Keys ist es fast ein Muss, den Highway zu verlassen und auf Entdeckungsreise zu gehen. Unzählige Fischerboote warten auf Kunden, die Marlin und Delfinbarsch fangen wollen, Tauchveranstalter brennen darauf, ihren Gästen die Riffe zu zeigen – in denen über 600 Fischarten leben. Angler kommen her, um Grätenfisch und Permit, Tarpun und Stachelmakrele zu fangen. Verborgen hinter Laubbäumen und Straßenkitsch liegen die Resorts, einige eher ungewöhnlich, andere erstaunlich luxuriös. Die Menschen kommen hierher, um zu verweilen, den Strand zu entdecken oder durch das urwaldartige Dickicht aus Meertraube, Giftbaum, Jamaika-Hartriegel, Goldblatt und Palmen zu wandern. Ihre Neugierde wird belohnt, wenn sie einen Blick auf Silberreiher (die man sonst fast nirgendwo sieht), Mangrovenkuckucke, Rosalöffler und Weißkopftauben erhaschen. Die Enfaltungsmöglichkeiten auf den Keys sind unbegrenzt, angefangen mit der längsten Insel: Key Largo oder – auf Spanisch – Cayo Largo. ◼

Sechs Meter unter der Wasseroberfläche segnet der 2,70 Meter große *Christ of the Deep*, der 1961 von der Underwater Society of America gespendet wurde, mit erhobenen Händen all jene, die im John Pennekamp State Park im Meer spielen oder arbeiten

Wie die Keys entstanden

Vor Urzeiten wuchsen in diesen flachen Gewässern Korallenriffe auf Kalksteinvorsprüngen. Vor 120 000 bis 100 000 Jahren vergrößerten sich die Eiskappen an den Polen. Der Wasserspiegel sank um sechs bis neun Meter, die Korallen lagen frei und starben ab. So entstand eine unfruchtbare Inselkette aus Korallenfossilien und Kalkstein. Im Laufe der Jahrtausenden lagerten Wellen, Gezeiten und Stürme Seetang, Treibholz und andere organische Stoffe an, die zu Erde kompostierten. Samen wurden angetrieben oder in den Mägen von Zugvögeln mitgebracht. Aus ihnen entstanden die typischen urwaldartigen Hammocks, praktisch Ebenbilder der Flora der Westindischen Inseln, von denen die meisten Pflanzen stammen. ◼

Key Largo

NUR ALLZU LEICHT ÜBERSIEHT MAN, WAS DIESE 48 KILO-
meter lange Insel zu bieten hat, denn die Tauchshops, Motels, Rekla-
metafeln und Schnellimbisse entlang der Straße können den Impuls
auslösen, einfach weiterzufahren. Aber diese Insel ist freundlicher
und interessanter, als auf den ersten Blick zu vermuten ist, denn die
Einwohner sind auf den guten Willen der Touristen angewiesen und
machen mit Freundlichkeit und Humor wett, was ihren oft bescheidenen Etablissements an großstädtischem Flair fehlt.

**Segel in einer
sanften Brise
an einem der
Strände von
Key Largo**

Key Largo
🗺 159 D4

**Key Largo
Chamber of
Commerce**
🗺 159 E5
✉ 106000 Overseas
Hwy., MM 106–9
☎ 305/451-1414 oder
800/822-1088

Wenn Sie über die US 1 aus den
Everglades kommen, entgehen Ihnen
möglicherweise die Hammocks mit
Laubbäumen und Mangroven im
Norden der Insel. Von Miami aus ist
es einfacher, nach Osten zu fahren
und die Card Sound Road (Fla. 905)
südlich von Florida City zu nehmen.
(Wenn Sie North Key Largo Richtung
Süden verpasst haben, nehmen Sie

die Fla. 905 Richtung Norden.) Die
Card-Sound-Brücke ist mautpflich-
tig, während die US 1 kostenlos ist,
aber die Gebühr lohnt sich für alle,
die die Keys als die Wildnis erleben
wollen, die sie vor der Besiedelung
waren. Card Sound Road und US 1
laufen am Lake Surprise zusammen,
wo die Keys – wenn Sie Richtung
Süden fahren – tatsächlich beginnen.

Paradies in Gefahr?

Was die Umwelt betrifft, sind
die Florida Bay und die Everglades siamesische Zwillinge: Wenn
einer stirbt, ist auch der andere nicht
zu retten. Landwirtschaft und Bauboom haben die Fläche und Lebens-
kraft der Everglades drastisch redu-
ziert, Überdüngung hat sie vergiftet,
und der Wasserverbrauch der Sied-

lungen und Farmen hat Feuchtgebiete austrocknen lassen. Die Folge
davon ist, dass das einst kristallklare
Wasser der Bucht von Algen getrübt
ist. Die Seegras-»Prärien« sterben ab
und verwandeln sich in Schlamm, und
das Absterben der Schwämme be-
raubt die jungen Krebse, Fische und
Hummer ihrer Nahrung. ■

Nehmen Sie sich die Zeit, eine Seitenstraße zur Atlantikseite der Insel zu finden, um einen Blick auf das einzige lebende Korallenriff zu werfen, das es vor dem amerikanischen Festland gibt. Vor Urzeiten sind die Keys aus Riffen wie diesem entstanden. Das Riff ist vernarbt von den Kollisionen mit Schiffen und zerbrochen von Ankern und dem Dynamit kommerzieller Korallensammler, und zudem leidet es unter der Verschmutzung des Meeres. Seine Zukunft ist ziemlich ungewiss, aber noch schützt es die Insel, die es geschaffen hat, vor den nagenden Wellen.

CROCODILE LAKE NATIONAL WILDLIFE REFUGE

Wären Sie einer der mehreren Tausend Spanier gewesen, die an dieser Küste Schiffbruch erlitten, und wäre es Ihnen gelungen, nicht zwischen dem Schiffsrumpf und dem Riff, das ihn aufgerissen hat, zerquetscht zu werden, hätte sich Ihre Freude darüber beim Schwimmen zum mangrovengesäumten Ufer von Key Largo vermutlich in Grenzen gehalten. Im hellgrünen Schatten lauerten nämlich nicht nur die Calusa, ein Stamm groß gewachsener Männer und Frauen, die Schiffbrüchige versklavten, sondern auch eine Horde gefräßiger Krokodile. Die Reptilien sind heute noch da – rund 100 überwintern im Crocodile Lake National Wildlife Refuge an der traumhaft ruhigen Küste im Hinterland der Insel.

Wenn Sie eine Extra-Stunde Zeit haben, fahren Sie auf der Card Sound Road nach Upper Key Largo. Die zweispurige Mautstraße ist eine interessante Alternative zur US 1. Sie führt durch die Laubbaum-Hammocks an Floridas Südspitze und über den nur eine Meile breiten Card Sound hinüber nach Key Largo. Von der Brücke aus hat man eine – wenn auch kurze – Aussicht auf ein ungewöhnliches Panorama.

In den 1950er-Jahren sollte in dieser Region ein neuer Ort entstehen. Die Naturschutzbehörde und die Regierung von Florida kauften den bankrotten Bauherren das Land ab, und heute ist das Sumpfgebiet noch immer unbebaut und nur zum Ansehen da. Seit Kurzem gibt es entlang der Fla. 905 eine Schmetterlingswiese. Der Krokodilbestand des Schutzgebietes gilt als der größte

Charterboote wie dieses fahren mit ihren Besuchern aufs Meer hinaus bis in den Golfstrom, wo die Hochseeangler auf große Beute wie Fächerfisch und Marlin hoffen

Nordamerikas. Mit einem Fernglas können Sie beobachten, wie die scheuen Echsen an den Ufern, die am weitesten von der Straße entfernt sind, in der Sonne liegen. Widerstehen Sie dem Impuls, zum Wasser hinunterzugehen: Erstens ist es verboten, zweitens ist dies Klapperschlangengebiet, und drittens könnten Sie versehentlich die Nester der Seeschwalben zertreten, die zum Nisten hierherkommen.

JOHN PENNEKAMP CORAL REEF STATE PARK

Viele Reiseführer bezeichnen dieses überwiegend unter Wasser liegende Schutzgebiet als die beste natürliche Attraktion der Keys. Der 218 Quadratkilometer große Park ist 40 Kilometer lang, reicht fast fünf Kilometer weit in den Atlantik und schützt, zusammen mit dem an-

Crocodile Lake National Wildlife Refuge

http://southeast.fws.gov/CrocodileLake/

🅰 159 E6

✉ Folgen Sie den Schildern von der Card Sound Rd. in North Key Largo zum Eingang MM 106

☎ 305/451-4223

**John Pennekamp
Coral Reef
State Park**
www.floridastateparks.org/
pennekamp/

🏕 159 E5

✉ Parkeingang bei MM
102.5 an der US 1,
Key Largo

☎ 305/451-1202
(Information),
305/451-1621
(Hauptgebäude)

💲 $ mit Auto, $ pro
Person

Mit einem gemieteten Kanu kann man auf den Tidenbächen durch den John Pennekamp Coral Reef State Park paddeln und die Mangrovenwälder erforschen

grenzenden **Florida Keys National Marine Sanctuary**, insgesamt 2060 Quadratkilometer Küstengewässer und rund 950 Hektar tropischen Wald und Mangroven. Mittelpunkt ist ein Korallenriffgarten.

Vom Ufer aus ist davon allerdings nicht viel zu sehen. Wenn es das Wetter zulässt, bietet der Park täglich Fahrten mit dem Glasbodenboot und gegen eine zusätzliche Gebühr auch Schnorchelausflüge an. Informationen dazu gibt es im Verwaltungsgebäude. Die Bootsfahrten beginnen am Hafen nahe dem Besucherzentrum; sie dauern zweieinhalb Stunden, die Schnorcheltouren etwa 90 Minuten.

Die Unterwasserwelt hat unvorstellbar viel zu bieten – sie ist ein magischer Garten, geschmückt mit anmutig wedelnden Schwämmen, Venusfächern, Moostierchen, Muscheln, 27 Arten der anemonenähnlichen Gorgonien, stachligen Seeigeln und 55 Korallenarten. Bewacht wird diese Welt von Krebsen, Schnecken, Hummern, Krabben, Würmern, Seesternen, Seegurken, Sanddollars und mehr als 500 Arten leuchtend bunter Fische.

Das **Salzwasser-Aquarium** des Besucherzentrums ist ein lebendiges Kaleidoskop von Fischen, die zwischen den Fangarmen der Anemonen, wundervollen Korallen und Schwämmen umherschwimmen. Mehrere Becken ermöglichen es sogar, diese merkwürdig aussehenden Lebewesen anzufassen. Nehmen Sie sich die Zeit, wenigstens einen der ständig laufenden Filme anzusehen, denn je mehr Sie über die Riffe erfahren, desto geheimnisvoller werden sie.

Schnorcheln kann man am **Cannon Beach** (hinter dem Besucherzentrum) und in der Region um **Far Beach**, einer felsigen, geschützten Bucht am Endpunkt der Zufahrtsstraße von MM 102,5, wo sich die tropischen Fische versammeln. (Die Ausrüstung kann im Hauptgebäude gemietet werden.) Die Kanone, der Anker und die Ballaststeine der gesunkenen spanischen Galeone rund 40 Meter vor der Küste sind Repliken. Die Galeonen erlitten in Stürmen oft Schiffbruch vor dieser Küste.

Verlassen Sie die Gegend nicht ohne einen Abstecher über die beiden kurzen, einfachen Wanderwege durch die örtliche Flora. Der **Wild Tamarind Trail**, ein Rundkurs, der nahe dem Besucherparkplatz beginnt und endet, führt durch einen Laubbaum-Hammock. »Hammock« ist eine Südstaaten-Version von *hummock* und bezeichnet ein dicht bewaldetes Gebiet mit fruchtbarer Erde, das gewöhnlich etwas erhöht liegt. Abgesehen von den Wanderwegen, ist dies das prähistorische Florida – ein dichter Urwald aus knorrigen Gumbo-Limbo-Bäumen, Mahagoni, Mistelfeigen und Dreizackpalmen.

Von der Gegend um Far Beach schlängelt sich der **Mangrove Trail** über einen erhöht angelegten Plankenpfad, von dem aus die Salzwasserwälder aus Roten, Schwarzen und Weißen Mangroven aus der Nähe betrachtet werden können. Diese Bäume auf ihren spinnenbeinigen Wurzeln bilden eine nahezu undurchdringliche Barriere zwischen der See und dem Land und sind ein perfekter Lebensraum für Jungfische.

Das Schutzgebiet lässt sich auch mit dem Kanu erforschen. Ein gewundener, vier Kilometer langer, ruhiger Wasserweg führt durch die Mangrovenwälder. Der größte Konzessionsinhaber vermietet Kanus. Die Strecke endet in der Gegend um Far Beach, wo es auch Duschen gibt, um das Salzwasser abzuwaschen.

Im Schutzgebiet stehen den Besuchern 47 Campingplätze zur Verfügung.

Windzerzauste Palmen im John Pennekamp Coral Reef State Park

DIE VÖGEL DER KEYS

Schon im 19. Jahrhundert war der Ornithologe und Maler John James Audubon von der Vielfalt der Vögel auf den Keys fasziniert. Millionen Zugvögel wie die Seeschwalben tauchen im Frühjahr und Herbst zum Brüten auf und gesellen sich zu der ortstreuen Population von Watvögeln wie Reihern und Kranichen. Weitere heimische Arten sind Weißkopfseeadler, Fischadler, Streifenkauz, Brauner Pelikan und Helmspecht, von denen aber keiner in der Lage ist, in einer sanften Brise so perfekt zu tanzen wie der habichtartige Schwalbenweih. ■

DAGNY JOHNSON KEY LARGO HAMMOCKS STATE BOTANICAL SITE

Einst waren die Upper Keys fast vollständig mit tropischen Laubbäumen von den Westindischen Inseln bewachsen und von Mangroven umsäumt. Wo sich dieses perfekte Chaos einst im Passatwind wiegte, können Sie heute parken, etwas zu essen oder ein Bier bestellen, Köder kaufen, ein Fischerboot chartern oder ein Motelzimmer buchen.

In der Dagny Johnson Key Largo Hammocks State Botanical Site sind jedoch mehr als 500 Hektar des ursprünglichen Bewuchses erhalten geblieben. Dieses Gebiet, nördlich der US 1 an der Fla. 905 in North Key Largo an der Atlantikseite des Highways, verfügt über den größten Bestand an Laubbaum-Hammocks und Mangrovensümpfen in den Keys. Dies ist die urwaldartige Küstenlinie, die Juan Ponce de León sah, als er Anfang des 16. Jahrhunderts die erste Karte der Keys zeichnete (siehe S. 158f).

Das Gelände lässt sich problemlos allein erforschen. Nummerierte Steine weisen auf besonders interessante Stellen entlang der befestigten Wege hin, die auch mit dem Rollstuhl befahrbar sind. Wer am Donnerstag- oder Sonntagmorgen kommt, kann an einer von Rangern geführten Tour teilnehmen und sich viele der 84 geschützten Pflanzen und Tiere zeigen lassen und auch einige der

einheimischen Früchte probieren. Wie auch im Crocodile Lake National Wildlife Refuge (siehe S. 163) ist die Umweltschutzbehörde hier stets bestrebt, angrenzende Landstücke aufzukaufen, um Eingriffe in die Natur zu verhindern und das Wegenetz zu vergrößern. Hier herrscht ein ständiger Kampf zwischen Naturschützern und Investoren. Wundern

Dagny Johnson Key Largo Hammocks State Botanical Site

Ⓐ 159 E5
☎ 305/451-1202
🕐 Geöffnet tägl., Touren Do & So, 10 Uhr

War Bogie hier?

Durchaus möglich – Humphrey Bogart war begeisterter Segler und Weltenbummler –, aber nicht 1948 während der Dreharbeiten zu dem Filmklassiker *Key Largo* mit Lauren Bacall. Abgesehen von ein paar Szenen, die in der heute noch existierenden Bar Caribbean Club (*MM 103,5, Tel. 305/451-9970*) in Key Largo gedreht wurden, produzierte man den gesamten Film in Hollywood. Ein einheimischer Fan hat das Dampfboot gekauft, das in John Houstons Film *African Queen* verwendet wurde. Wenn es in der Stadt ist, kann man das berühmte Boot an der Key Largo Marina (*MM 99,7*) beim Holiday Inn bewundern. ■

Sie sich also nicht, wenn Sie aus dem Gebüsch kommen und plötzlich vor einer Bauruine stehen.

AUSFLÜGE IN DIE NATUR

Möchten Sie Flipper persönlich kennenlernen? In Key Largo können Sie alles über Delfine erfahren, die zu den intelligentesten und verspieltesten Säugetieren der Erde gehören. In **Dolphin Cove** und der nahe gelegenen Schwesteranlage **Dolphins Plus** können Sie mit Delfinen schwimmen und sie auf Ausflügen beobachten. Dolphin Cove, das in einer knapp zwei Hektar großen Lagune liegt, hat diverse interessante Programme zu bieten.

Die meisten Besucher kommen wegen des Dolphin Encounter, einem Angebot, bei dem man mit den munteren Großen Tümmlern schwimmen kann. Das Abenteuer beginnt mit einer halbstündigen Fahrt auf einem Everglades-Tragflächenboot durch das wundervolle Hinterland der Keys. Experten erzählen den Gästen alles über Delfine, über ihre Anatomie, ihr Verhalten bis hin zu ihrer Sozialstruktur. Wilde Delfine schwimmen in sogenannten »Schulen« –, und können mit Menschen kommunizieren. Ein weiteres wichtiges Thema ist die Gefährdung der Tiere durch Eingriffe in die Umwelt; außerdem wird erklärt, wie man sich richtig verhält, wenn es schließlich zur ersten Begegnung mit Delfinen kommt.

Wer noch mehr über Delfine lernen will, kann an einem Workshop teilnehmen. Es werden aber auch geführte Kajaktouren angeboten, und sogar Tauchgänge zu den Delfinen sind möglich.

Diese Spaziergänger im Dagny Johnson Key Largo Hammocks Botanical State Park halten Ausschau nach seltenen Schmetterlingen

Dolphin Cove
www.dolphinscove.com
✉ MM 101.9 Bay Side
☎ 305/451-4060 oder 877/DOL-COVE
$ $$$–$$$$$

Dolphins Plus
www.dolphinsplus.com
✉ PO Box 2728 Key Largo 33037
☎ 305/451-1993 oder 866/860-7946
$ $$$$$ Schwimmen

Im 18. Jahrhundert war die Insel die Basis von Schatzsuchern, die in den Riffen nach Beute von gestrandeten Schiffen stöberten. In den 1860er-Jahren kamen Siedler von den Bahamas und machten Tavernier zu einem Bauern- und Fischerdorf. Die Ankunft von Flaglers Eisenbahn förderte die Nachfrage nach Ananas, Kokosnüssen und anderen Früchten, die hier wuchsen. Das Packhaus in der Nähe der Bahnschienen, von dem aus die Früchte einst versendet wurden, ist restauriert worden.

Sehr stolz ist der Ort auf sein sogenanntes historisches Viertel, in dem noch Holzhäuser aus dem frühen 20. Jahrhundert stehen – neben den vom Roten Kreuz massiv gebauten Häusern, die Hurrikans ebenso widerstehen wie, ihrem Aussehen nach zu urteilen, Artilleriebeschuss. Nach dem verheerenden Hurrikan Anfang September 1935 auf den Matecumbe Keys (bei dem Hunderte von Menschen ertranken), baute das Rote Kreuz diese Bunker mit vier Räumen aus Stahlbeton, stählernen Fensterrahmen und fast halbmeterdicken Wänden. Ästhetisch natürlich nicht besonders ansprechend, machen diese Bauwerke eines deutlich: Kein Bewohner der Keys will wahrhaben, was ein weiterer verheerender Hurrikan, den Experten zufolge sieben Meter hohe Flutwellen mit sich bringen kann, einer Inselgruppe antun kann, deren höchster Punkt sechs Meter über dem Meeresspiegel liegt.

Harry Harris war einst der Verwaltungsbeamte der Insel und ein Kaufmann, an dessen Einfluss Taverniers schöner Stadtpark erinnert: der **Harry Harris County Park** an der Atlantikseite bei MM 93,5. Um dorthin zu kommen, folgen Sie dem etwas komplizierten Burton Drive in Richtung Strand. Der Weg ist ausgeschildert – verfahren kann man sich also nicht – und führt in eine hübsche, kleine Lagune mit ange-

---

Der Plankenpfad in der Nähe von Tavernier führt direkt in einen Laubbaum-Urwald

Harry Harris County Park

⛺ 159 D3

✉ MM 93.5, via Burton Dr.

☎ 305/852-7161

Wild Bird Rehabilitation Center

www.fkwbc.org

⛺ 159 D3

✉ 93600 Overseas Hwy., MM 93.6 BS, Tavernier

☎ 305/852-4486

💲 Spende

TAVERNIER

Auf der Fahrt nach Süden zur unteren Spitze von Key Largo kommen Sie nach Tavernier, das ein Überrest des ursprünglichen Außenpostens der Keys ist und einst den etwas zu optimistischen Namen »Planter« trug. Es heißt, dass Tavernier nach einer kleinen Insel in der Nähe benannt ist, die die Spanier Cayo Tabona nannten – die »Pferdefliegen-Insel«.

Tavernier ist ein gemütliches, farbenprächtiges Städtchen mit vielen Übernachtungsmöglichkeiten und Restaurants und damit ein idealer Ausgangspunkt für Ausflüge. Am südlichen Ortsrand liegen Tavernier Creek und Plantation, die Bootsfahrern leichten Zugang sowohl zum Ozean als auch zur Bucht bieten.

Erstmals erwähnt wurde Tavernier 1775 im Rahmen einer Landvermessung durch die Britische Marine.

legtem Strand und einer Bootsrampe. Wahrscheinlich werden Sie hier Softball- und Basketballspieler in Aktion erleben, und die Luft wird nach Fleisch duften, das auf den öffentlichen Grills brutzelt.

Etwa eine halbe Meile nördlich der Abzweigung zum Harry Harris County Park befindet sich das **Florida Keys Wild Bird Rehabilitation Center**, das 1991 von der Zoologin Laura Quinn gegründet wurde, um verletzten Vögeln zu helfen. Das staatlich anerkannte Zentrum arbeitet mit Tierkliniken zusammen, um verwundete und verwaiste Vögel zu retten – mit dem Ziel, sie wieder auszuwildern. Zu Verletzungen kommt es meistens durch Zusammenstöße mit Autos, Stromleitungen und Fensterscheiben. Die Vögel – überwiegend Pelikane – verfangen sich in Angelschnüren oder drohen an verschluckten Angelhaken und Blinkern zu ersticken. Andere geraten in Fischernetze und brechen sich die Flügel. Vögel, die nicht vollständig geheilt werden können, werden in dem Mangrovensumpf an der Bucht gehalten und gepflegt, einem der besten Orte, um Reiher, Kormorane, Pelikane, Breitschwingenbussarde, Seeschwalben und Fischadler aus der Nähe zu betrachten. Durch die Laubwald-Hammocks, die an das Zentrum angrenzen, führt ein kurzer Wanderweg. ∎

Ein Reiher und Pelikane teilen sich den Platz auf dem Dach des Wild Bird Rehabilitation Center in Tavernier

ECHTES SILBER

Die berühmten spanischen Silbermünzen, die zwischen dem späten 15. und dem frühen 16. Jahrhundert geprägt wurden, hießen *Reales*. Zu jener Zeit verdiente ein Konquistador etwa einen Real im Monat. Da sie von Hand gemacht wurden, sind alle verschieden, denn nicht Form oder Größe bestimmten ihren Wert, sondern das Gewicht. Auf den Keys werden diese Münzen verkauft, aber verlangen Sie ein Echtheitszertifikat. Die Preise reichen bis 2000 Dollar. Sehen Sie sich mehrere an und handeln Sie. Nicht vergessen: Hier gab es schon immer Piraten! ∎

Vogelschutz – so helfen Sie

Lassen Sie nie Angelhaken oder -schnüre in der Wildnis. Wenn sich Ihr Haken in einem Baum verfängt, tun Sie, was Sie können, um ihn wieder herunterzuholen. Entsorgen Sie niemals beköderte Haken oder Angelschnüre im Wasser. Falls Ihr Haken einen Vogel trifft, lassen Sie ihn nicht wegfliegen, ohne vorher die gesamte Schnur von ihm abzuschneiden. Vögel, die einen Haken geschluckt haben oder von einer Angelschnur gefesselt sind, sollten Sie ins Vogelzentrum bringen oder anrufen, damit man ihn abholt *(Tel. 305/852-4486)*. Werfen Sie beim Ausnehmen der Fische die unerwünschten Teile nicht ins Wasser. ∎

Schnorcheln und Tauchen auf den Keys

Das warme Wasser und die Riffe locken jährlich Tausende von Tauch- und Schnorchelfans an – Freizeitbeschäftigungen, die, statistisch gesehen, ebenso sicher sind wie das Schwimmen.

Die Voraussetzungen

Wer halbwegs gut schwimmt, kann auch schnorcheln. Die Ausrüstung besteht nur aus einer Taucherbrille, mit der man unter Wasser etwas sehen kann, einem Schnorchel zum Atmen und Flossen zum Schwimmen – all das kann gemietet werden.

Für das Gerätetauchen allerdings ist eine umfangreichere Ausrüstung nötig, und es erfordert eine Ausbildung. Die beste bekommen Sie bei einem anerkannten Mitglied der Professional Association of Diving Instructors, auch PADI genannt, der größten Tauchschul-Organisation der Welt (www.padi.com). Die Organisation entwickelt Tauchprogramme und Trainingsgeräte, überwacht die Tauchschulen ihrer mehr als 107 000 Mitglieder in mehr als 170 Ländern und führt Buch über die Tauchscheine. Ohne einen solchen Schein ist es auf den Keys nicht erlaubt, ohne Lehrer im Meer zu tauchen.

Wer kann tauchen?

Jeder gesunde Mensch über zwölf Jahre kann das Tauchen erlernen. Zunächst müssen die Tauchschüler eine Reihe medizinischer Routinefragen beantworten, durch die sichergestellt wird, ob das Tauchen auch ohne vorhergehende ärztliche Untersuchung gefahrlos möglich ist. Weiche Kontaktlinsen sind beim Tauchen kein Problem, aber harte Linsen sollten luftdurchlässig sein. Es ist aber auch möglich, sich die passende Glasstärke in die Taucherbrille einarbeiten zu lassen.

Ein Anfängerkurs beginnt normalerweise im Pool und beinhaltet vier Tauchgänge. Wer das Tauchen zunächst ausprobieren will, bevor er sich für einen Kurs entscheidet, kann am Schnupperprogramm von PADI teilnehmen, das nur wenige Stunden dauert, mit einer Einführung im Pool beginnt und mit einem begleiteten Ozeantauchgang in geringer Tiefe endet. Dabei werden grundlegende Techniken vermittelt, wie z. B. der Druckausgleich in den Ohren beim Abstieg. Wo es keine Möglichkeit zum Tauchen im Meer gibt, werden diese Schnupperkurse im Pool angeboten.

Wie lange dauert es bis zur Erlangung des Tauchscheins?

PADI-Kurse orientieren sich an der Leistung, was bedeutet, dass die Teilnehmer ihre Scheine entsprechend ihren Fähigkeiten bekommen. Ein Anfängerkurs besteht zumeist aus fünf oder sechs Unterrichtseinheiten, die entweder in drei oder vier Tagen stattfinden, aber auch über sechs Wochen verteilt sein können.

Wer sich die Keys erst einmal ansehen will, bevor er Stunden nimmt, kann an einer der von PADI lizenzierten Ferienveranstaltungen teilnehmen. Einen Tauchschein gibt es dafür nicht, aber nach der theoretischen und praktischen Einweisung am Pool kann man nachmittags mit einem Ausbilder tauchen gehen.

Ist Tauchen teuer?

Generell ist Tauchen ungefähr so teuer wie Skifahren. Die Tauchzentren und Ferienanlagen vermieten modernste Ausrüstung; eine eigene anzuschaffen ist also unnötig. Eine eigene Taucherbrille, ein Schnorchel und Flossen sind allerdings zu empfehlen, denn es macht keinen Spaß, wenn diese Dinge nicht richtig passen.

Mehrere Firmen verkaufen preiswerte Einweg-Unterwasserkameras, mit denen sich die Erlebnisse beim Tauchen oder Schnorcheln festhalten lassen. Bei Sonnenschein machen sie in Oberflächennähe recht gute Bilder (an bedeckten Tagen geht der Farbkontrast verloren). Manche Tauchshops vermieten auch Unterwasserfilme und Videokameras. ∎

Ein Taucher vor Key Largo schwimmt auf eine riesige Sternkoralle zu, die so groß wie ein kleines Auto werden kann

Einer der beliebten Strände auf Plantation Key

Plantation Key

AUF DEM WEG RICHTUNG SÜDEN KOMMEN SIE AUF DEN winzigen Plantation Key, der seinen Namen den Bananen- und Ananasplantagen verdankt, die es hier zwischen den 1880er-Jahren und dem Ersten Weltkrieg gab und auf denen Arbeiter von den Bahamas schufteten.

Plantation Key
🅰 158 C3
✉ MM 90.5–86

LIMONEN

Die Limonen der Keys sind eine besondere Hybridzüchtung. Sie sind rund, etwas kleiner als ein Golfball und das ganze Jahr über zu haben. Unter der dünnen, gelbgrünen Schale liegt das Fruchtfleisch, das viel Vitamin C enthält und süßsauer schmeckt. Geradezu berühmt ist die *Key Lime Pie* – eine Torte mit einer Kruste aus Graham Crackers, mit gelblichem Limonenpudding gefüllt und von Baiser gekrönt. ∎

Von den Plantagen ist nichts mehr zu sehen, und auch nichts von den Calusa, die hier und auf dem benachbarten Windley Key bereits vor 4000 Jahren lebten. Um etwas über ihre Lebensweise zu erfahren, studieren Archäologen die Abfallhaufen, die sie hinterlassen haben.

Direkt vor der Küste liegt ein Riffkomplex voller Lebewesen. Die schönsten Formationen sind Inner und Outer Conch, Davis Reef und Crocker Wall – Plateaus, Steilhänge und aufgetürmte Korallen, zwischen denen Korridore aus weißem Sand verlaufen. ∎

Wechselvolle Wirtschaft

Die frühen Siedler bauten Limonen, Brotfrüchte und Ananas an, bis die dünne Humusschicht erschöpft war. Daraufhin wurde auf Big Pine Key eine Haifabrik eröffnet, in der die Häute eingesalzen und nach Norden verschickt wurden, wo sie zu einem gelbbraunen Leder, dem Chagrin, gegerbt wurden. Zur selben Zeit profitierten die »Abwracker« von Key West vom Unglück der Seefahrer, und die

Schwammfischer machten gute Geschäfte – bis keine Schwämme mehr da waren. Kubanische Zigarrenmacher errichteten Fabriken auf Key West. Flaglers Eisenbahn brachte reiche Urlauber heran, bis der furchtbare Hurrikan von 1935 die Bahnstrecke zerstörte. Nach dem Zweiten Weltkrieg entdeckten Touristen den Overseas Highway, und die Krabbenfischer fanden Absatzmärkte. ∎

Windley Key

Ausspannen an
einem Korallen-
strand auf
Windley Key

WEITER RICHTUNG SÜDEN, JENSEITS DER SNAKE-CREEK-Zugbrücke bei MM 86,5, liegt Windley Key – ursprünglich zwei nebeneinanderliegende Inseln, die aber für den Eisenbahnbau Anfang des 20. Jahrhunderts durch Aufschüttungen miteinander verbunden wurden. Durch den Bodenaushub sind Gruben entstanden: In ihnen ist der Korallenkalkstein gut zu sehen, der sich hier vor 125 000 Jahren abgelagert hat und in dem Fossilien von Riffbewohnern zu finden sind.

Kurz hinter der Brücke sind diese Löcher auf der Buchtseite zu sehen. Sie gehören zur **Windley Key Fossil Reef State Geologic Site**. Hier wurde einst der wundervolle, fossilienreiche Kalkstein für den Fassadenbau gehauen. Fünf Wanderwege führen an rostigen Maschinen vorbei zu den Steinbrüchen, in denen der Schichtaufbau des Riffs gut zu erkennen ist.

Früher war die Anlage leichter zugänglich, doch mittlerweile ist sie dienstags und mittwochs geschlossen. Wer die Steinbrüche erforschen will, muss im Besucherzentrum von Windley Key Tickets kaufen *(1,50 $)*. Hier gibt es auch eine Broschüre zu den einzelnen Wegen. Der Ausflug und die Wanderung zurück nach Long Key (MM 67,5) lohnen

sich aber nur für ausgesprochene Fossilienfans.

Ganz in der Nähe liegt ein ähnlicher Steinbruch, der 1907 von Streckenarbeitern der Bahn gegraben und 1946 mit Seewasser gefüllt wurde, um so einen der ersten Meeresparks der Welt zu schaffen. Bei den täglichen Vorstellungen im **Theater of the Sea** sind dressierte Seelöwen und Delfine ebenso zu bewundern wie viele andere Bewohner der Keys. Vor allem Kinder sind von diesen Vorstellungen begeistert. Das Unternehmen bietet auch die Möglichkeit, halbstundenweise mit Delfinen zu schwimmen (nur mit Vorausbuchung möglich). Weitere Attraktionen sind die Fütterung der Haie und ein 1100-Liter-Aquarium mit einem lebendigen Riff. ■

Windley Key
🅰 158 C2

Visitor information
✉ Key Largo Chamber of Commerce, 106000 Overseas Hwy., MM 106–9, BS
☎ 305/451-1414

Theater of the Sea
www.theaterofthesea.com
🅰 158 C2
✉ Islamorada, MM 84.5
☎ 305/664-2431
💲 $$—$$$. Schwimmen mit den Delfinen $$$$$

Angeln auf den Keys

Südflorida ist ein Paradies für Angler, die in den tiefen, blauen Gewässern des Golfstroms mit schwerem Geschirr, massiven Ruten und Rollen, groß wie Kokosnüsse, wehrhaften Fischen wie Goldmakrele, Dorade, Fächerfisch, Wahoo und Marlin nachstellen. Die Keys sind aber auch eines der besten Gebiete zum Fliegenfischen im Flachwasser, in dem Experten mit stählernem Blick und leichten Ruten Weltrekorde aufstellen. Viele von ihnen sind professionelle Fischführer, die nur für das Angeln leben und so viel über ihre Kunst wissen, dass sie Bücher darüber schreiben.

Die meisten dieser Abenteuer spielen sich in den flachen Buchten der Florida Bay ab, sozusagen im Hinterland der Bucht. In dieser Wildnis unbewohnter Inseln – von Mangrovenwäldern verborgen und umgeben von schimmernden Becken, die mit sanft wiegendem Seegras überwuchert sind und wo nur gelegentlich der Schrei eines Seevogels die Stille unterbricht – ist das Wasser oft nur einen Meter tief. Hochsee-Action ist hier nicht gefragt, sondern geschickter Umgang mit der empfindlichen Ausrüstung und verstohlenes Anschleichen an die scheuen Küstenfische.

Sofern Sie mit dieser Art des Fischens nicht sehr vertraut sind, keine eigene Ausrüstung und kein eigenes Boot besitzen und sich in den Gewässern des Hinterlandes nicht sehr gut auskennen, sollten Sie sich einem lizenzierten Führer anvertrauen.

Die Hinterland-Fischerboote (Skiffs) sind im Grunde nur Angelplattformen von fünf bis sieben Meter Länge, mit einem flachen Boden, damit sie auch im halbmetertiefen Wasser fahren können. Wenn Sie sich einem Fischgrund nähern, wird der Führer den Elektromotor abstellen und das Boot vorwärtsstaken. Sie stehen derweil auf einer Plattform am Bug, um aus einem steilen Winkel ins Wasser sehen zu können.

Ein guter Führer weiß alles. Er – oder sie – kennt die beste Tageszeit für eine bestimmte Fischart und wägt auch Variablen wie Wetter, Tidenstand und Temperatur ab. Welches Ziel Ihr Führer auswählt, hängt davon ab, welche Fische Sie angeln wollen. Im Hinterland der Florida Bay wimmelt es von Goldbarschen, Snooks, Pampanos, Tarpunen, Schwarzen Umberfischen, Frauenfischen, Scharben und Haien.

Auch wer lieber vom Ufer aus angelt, sollte einen Führer mitnehmen, der weiß, wo und wie die Leine ausgeworfen werden muss. Im Frühjahr ist es von Key Largo bis Key West ein beliebter Zeitvertreib, von Brücken aus und in Tiefwasserkanälen mit lebenden Ködern Tarpune zu fischen. (Manchmal bekommt man dabei einen der kämpferischen Sportfische an den Haken.)

Das Angeln ist in den Nationalparks und dem Schutzgebiet, das die Keys umgibt, erlaubt. Die entsprechenden Vorschriften sind kostenlos in den jeweiligen Zentralen zu haben. Zum Biscayne-Nationalpark (siehe S. 146f) gehört die Region um den Norden von Key Largo; der Everglades-Nationalpark (siehe S. 148ff) reicht von Key Largo fast bis nach Marathon; das Great White Heron National Wildlife Refuge (siehe S. 198) umfasst beinah das ganze Gebiet zwischen Marathon und Key West.

Staatliche Angellizenzen gibt es ab einer Dauer von drei bis zehn Tagen bis hin zu fünf Jahren, und die Kosten sind durchaus erschwinglich. Angelausrüster findet man überall auf den Keys. Einer der besten Ausrüster für das Fliegenfischen ist der Saltwater Angler in Key West (243 Front St., Tel. 305/294-3248; www.saltwaterangler.com) ∎

Rechts: Flachbootangeln vor Islamorada
Links: Für die großen Sportfische sind
größere Boote und eine schwerere Ausrüstung erforderlich

Upper Matecumbe Key

Upper Matecumbe Key

🅰 158 C2

Islamorada Chamber of Commerce

✉ 82185 Overseas Hwy., Islamorada, MM 82.6

☎ 305/664-4503 oder 800/322-5397

UPPER MATECUMBE KEY IST GEFORMT WIE EINE ACHT KILOmeter lange, grüne Bohne, die sich von MM 84 bis MM 79 erstreckt und für kurze Zeit der bedeutendste Ananasproduzent Amerikas war. Auch Limonen wurden hier angebaut, aber heute wachsen die Früchte, die für die Key Lime Pie gebraucht werden, auf dem Festland. Die Konkurrenz aus Kuba und der Hurrikan von 1935 machten der Landwirtschaft den Garaus, und heute lebt Upper Matecumbe recht gut davon, den Besuchern jeden Wunsch zu erfüllen.

Angeblich kommen im Städtchen **Islamorada** (sprich: Ailamorada) mehr Fischerboote auf den Quadratkilometer als irgendwo sonst auf der Welt, und man rühmt sich, die Hauptstadt der Sportangler zu sein. Viele Jahre lang haben US-Präsidenten und berühmte Sportler hier unter großem Medienrummel ihr Glück versucht. Das sieht man Islamorada auch an: Es ist von Yachthäfen und Fischerbooten umgeben, und die Hauptstraße mit den Angelausrüstern, Ködergeschäften, Bistros, Cafés und hübschen – wenn auch manchmal etwas verrückten – Läden trägt ihren Teil bei.

Es heißt, dass den spanischen Eroberern die purpurne Farbe der Küste auffiel – ein Phänomen, das durch die lavendelfarbenen Häuser der Floßschnecken verursacht wurde – und dass sie deshalb den Namen *islas moradas* (»purpurne Inseln«) auf ihre Karten schrieben. Einheimische Historiker haben da ihre Zweifel. Wie auch immer – ein hübscher Name ist es auf jeden Fall.

Auch wenn Sie auf dem Weg nach Key West nur durchfahren, sollten Sie im **Islamorada County Park** am MM 81,5 auf der Buchtseite, hinter der Bücherei, eine Pause einlegen. Hier ist das Wasser sauber und nicht tief; allerdings ist die Strömung für Kinder nicht ungefährlich. Öffentliche Toiletten, Picknicktische und Rasenflächen

Viele Tauchshops wie dieser hier auf Upper Matecumbe Key bieten Bootsfahrten und Tauchgänge an

Dressierte See-
löwen zeigen im
Theater of the
Sea nahe Islamo-
rada ihr Können
(siehe S. 173)

laden an dieser kleinen Strandoase zum Entspannen ein.

Halten Sie nahe dem MM 82 Ausschau nach dem roten Eisenbahnwaggon, der auf das Gebäude der **Islamorada Chamber of Commerce** hinweist, in dem neben der Handelskammer auch ein Museum untergebracht ist. An dieser Stelle befanden sich bis zum 31. August 1935 (siehe unten) das Depot der Florida East Coast Railway und das Lager der Bahnarbeiter. Im Museum zeigen Relikte aus dem täglichen Leben der Arbeiter, wie isoliert die Keys zu Beginn des 20. Jahrhunderts waren. Das Museum hat täglich geöffnet, der Eintritt ist frei.

Ganz in der Nähe, am MM 82,8, liegt **Treasure Village**, ein Komplex aus Touristenläden, zu denen auch die **Islamorada Candle Gallery** gehört. Einer der beiden Partner der Gallery leitet seit vielen Jahren ein Antiquitätengeschäft mit angeschlossenem Museum für Artefakte aus Schiffswracks.

Auf der Weiterfahrt nach Süden kommen Sie am MM 81,6 an einem **Denkmal** aus hellem Korallenkalkstein vorbei, das an den Hurrikan von 1935 erinnert: den

schlimmsten, der die Keys je getroffen hat. Am Abend des 31. August 1935 war es in Key West windstill, heiß und feucht. Doch am Montag, dem 2. September, knatterten die Sturmwarnungsfahnen im Wind, die Bewohner vernagelten ihre Fenster, und um Mitternacht prasselte der Regen auf die Blechdächer. Überlandleitungen rissen, Bäume stürzten um und Palmwedel trudelten durch den Ort, aber die volle Wucht des Sturms verschonte die Insel, denn er drehte Richtung Norden ab und traf Islamorada, wo fast 500 Menschen ertranken – überwiegend Bahnarbeiter, die in einem Zug saßen, der sie in Sicherheit bringen sollte. Windgeschwindigkeiten von 300 Kilometern in der Stunde und eine sechs Meter hohe Flutwelle ließen den Zug entgleisen. Das Denkmal kennzeichnet das Grab der 423 Menschen. Der auf Key West lebende Ernest Hemingway charterte ein Boot, um den Überlebenden Essen und Wasser zu bringen. Doch nachdem er kaum Überlebende gefunden hatte, schrieb er später, dass es in dieser Gegend keinen Herbst gäbe, »nur einen überaus gefährlichen Sommer.« ∎

Viele Pflanzen auf
den Keys stam-
men aus der Kari-
bik – wie diese auf
Lignumvitae

**Lignumvitae Key
State Botanical Site**
http://thefloridakeys.com/
parks/lignum.htm

158 B2

Islamorada, MM 79

305/664-2540

Geschl. Di & Mi,
Führungen 10 und
14 Uhr. Boote starten
30 Minuten vor Be-
ginn der Führungen.
Reservierung
erforderlich.

$

Lignumvitae Key

ES IST IMMER NOCH MÖGLICH, EINEN EINDRUCK DAVON ZU
gewinnen, wie die Upper Keys einst aussahen, bevor Landwirtschaft
und Industrie sie zähmten. 1970 taten sich die Naturschützer und
der Staat Florida zusammen und kauften den 113 Hektar großen
Lignumvitae Key und nahe gelegenen Shell Key auf der Buchtseite
der Matecumbes, südlich von Islamorada, und den historischen
Indian Key auf der Atlantikseite.

Die **Lignumvitae Key State
Botanical Site** ist eine echte Insel,
die – rund anderthalb Kilometer außerhalb des Korallenrückgrats der
Keys – in einem Gürtel aus Flach-
wassermangroven liegt. Sie ist von
den Eisenbahnbauern übersehen
worden und deshalb mehr durch
Zufall unberührt geblieben. Zu Beginn des 20. Jahrhunderts wurde der
Hammock von dem reichen Pionier

W. J. Matheson (siehe S. 137) aus
Miami gekauft, der sich aus Korallengestein eine Zuflucht mit vier
Zimmern baute, den Rest der Insel
aber unberührt ließ. (Eine Wind-
mühle produzierte Strom, und das
Regenwasser vom Dach wurde in
einem 45 000-Liter-Tank aufgefan-
gen.) Aus diesem Grund gibt es in
den Wäldern von Lignumvitae noch
immer so viele der blau blühenden

Guajakbäume, denen die Insel ihren Namen verdankt. Der lateinische Name bedeutet »Holz des Lebens«. (Die Bäume können über 1000 Jahre alt werden; ihr Holz gehört zu den härtesten der Welt.)

Die *lignum vitae* teilen sich die Insel mit Mahagonibäumen, Pfefferbäumen, Mistelfeigen, Giftholz und Gumbo-Limbo-Bäumen sowie weiteren 120 Pflanzen. Friedvoll ist es hier zwar, jedoch nicht still, denn die Isolation der Insel (und das strenge Management) macht sie zu einem wahren Vogelparadies, in dem auch so seltene Arten wie Weißkopftauben, Fischadler, Ohrenscharben und Silberreiher anzutreffen sind.

Lassen Sie sich nicht davon abschrecken, dass dieses Paradies nur mit dem eigenen oder einem Charterboot zu erreichen ist; wenn Sie zwei Stunden Zeit erübrigen können, ist dieser Ausflug ein Muss. Nach Ihrer Rückkehr werden Sie ein besseres Gefühl für die Natur der Keys haben als die meisten der 87 000 Menschen, die auf ihnen leben. Die Ausflugsboote starten von **Robbie's Marina** bei MM 77,5; das offizielle Tourboot legt vom Indian Key Fill am MM 79,5 ab. Da jeweils immer nur 50 Personen auf die Insel gelassen werden, muss die Fahrt im Voraus gebucht werden.

Das Ökosystem der Insel ist so empfindlich, dass niemand auf eigene Faust umherstreifen darf. Alle Besucher müssen an den Führungen über die Insel und zum alten Mathe-

son-Haus teilnehmen. Die von Rangern begleitete Wanderung dauert eine Stunde. Wer mit dem eigenen Boot kommt, muss sich vorher bei den Rangern anmelden, einen Platz in der Führung buchen und sich von der Anlegestelle abholen lassen. Die Führung kostet einen Dollar pro Per-

son (Kinder unter sechs Jahren sind frei). Leider macht die Natur der Insel den Zugang für Menschen mit Behinderungen schwierig.

Neben guten Wanderschuhen ist ein Insektenschutzmittel unerlässlich. Lignumvitae ist ein natürliches subtropisches Ökosystem, und in den Keys bedeutet das vor allem eines: Unmengen aggressiver Moskitos. ■

Rechts: Ein Park-Ranger zeigt Besuchern die Rankpflanzen, die in den Laubbaum-Hammocks oft zu finden sind

Robbie's Marina
🅰 158 B2
✉ MM 77.5
☎ 305/664-9814 oder 305/664-4196

Hurrikans

Über dem Atlantik bilden sich durchschnittlich neun tropische Stürme pro Jahr, von denen sich sechs zu Hurrikans auswachsen, zwei davon zu schweren. Floridas Hurrikansaison beginnt am 1. Juni und endet am letzten Tag des Novembers. Die Stürme beginnen gewöhnlich vor der Küste Afrikas und werden vom Nationalen Hurrikanzentrum in Miami beobachtet, sobald sie nach Westen ziehen. Sind die Keys bedroht, werden schon mehrere Tage im Voraus Warnungen nötig ist, haben die Besucher Priorität und dürfen als Erste abreisen. ■

Oben: Ein Pfad aus Korallenbruch erinnert auf Indian Key an die Zeit vor 1838 – bevor der Overseas Highway die Isolation der Insel beendete

Indian Key

RUND EINEN KILOMETER SÜDÖSTLICH VON LOWER MATE-cumbe Key, am Rand des Golfstroms, liegt ein weiteres, üppig bewachsenes Stück Vergangenheit: der fünf Hektar große Indian Key, benannt nach den Calusa, die einst hier lebten. Im 19. Jahrhundert wurden sie von Schildkrötenjägern und Fischern von den Bahamas abgelöst, bis 1831 der ehrgeizige und reiche New Yorker John Jacob Housman die Insel erwarb und zum Sitz seines Bergungsunternehmens machte. (Wegen inakzeptabler Geschäftspraktiken war Housman von seinen Kollegen in Key West verjagt worden.) Die Insel war vielversprechend: Auf dem nahe gelegenen Matecumbe gab es Süßwasser, und von den Riffen war bekannt, dass sie Schiffe aufrissen.

Indian Key
http://thefloridakeys.com/parks/indian.htm
🗺 158 B2

Geführte Touren
☎ 305/664-4815
🕐 Do–Mo, 9 & 13 Uhr
💲 $

INDIAN KEY STATE HISTORIC SITE

Housman machte die felsige Insel zu seinem Firmensitz und errichtete einen Laden, ein Hotel und eine Reihe von Häusern mit Wasserspeichern. Am Strand sprossen Lagerhäuser empor, und Kais streckten sich den gefährlichen Stellen entgegen wie gierige Finger. Eine Zeit lang machte Housman gute Geschäfte, doch dann holte ihn der Vorwurf übler Machenschaften wieder ein, und er

musste eine Hypothek auf seine Insel aufnehmen. Der Ausbruch des Zweiten Seminolenkrieges 1835 beendete seinen Handel mit den Indianern, und 1838 verkaufte er die Insel an den Arzt Henry Perrine, einen begeisterten Hobbybotaniker. Perrine überredete die Regierung zur Finanzierung des Anbaus tropischer Nutzpflanzen, vor allem Agaven (für Hanf), aber auch Kaffee, Tee, Mangos und Bananen. Er baute ein Gewächshaus auf Matecumbe und experi-

Rechts: Eine Nachbildung des Originalsteins markiert das Grab von John Jacob Housman. Er starb 1841 bei einem Bergungsversuch auf See, bei dem er zwischen zwei Schiffsrümpfe geriet

San Pedro Underwater Archaeological Preserve

www.floridastateparks.org/sanpedro

158 B2

Islamorada

305/664-9814 (Robbie's Marina)

mentierte mit verschiedenen Pflanzen, bis 1840 rund 100 Indianer sein Dorf überfielen, die Lager plünderten und Häuser in Brand steckten. Perrine wurde getötet. Seine Familie überlebte nur, weil sie sich unter den Bodenbrettern ihres Hauses versteckte, und konnte später fliehen.

Mit einer solchen Vergangenheit ist es kein Wunder, dass Indian Key seit Anfang des 20. Jahrhunderts unbewohnt ist. Die Überreste von Housmans Dorf sind noch zu sehen – auf der Insel gibt es einen Beobachtungssturm, einen Bootsanleger und einen Sonnenschutz –, aber das ist auch schon alles. Warum also hinfahren? Um eine Zeitreise zu unternehmen: Auf Indian Key blieb die voreuropäische Wildnis erhalten, und die dreistündige Bootsfahrt bringt Sie zurück in die Welt, in der die Calusa lebten. Ein Wanderweg führt zu den Überresten von Housmans Dorf, die aus der Vegetation herausragen: Fundamente und Wasserspeicher, zwischen denen Archäologen gelegentlich nach Artefakten suchen.

Wenn Sie kein Boot oder Kanu zur Verfügung haben, können Sie mit einem Charterboot vom Indian Key Fill neben dem Highway am MM 79,5 hinfahren. Abfahrt ist am frühen Morgen (Do–Mo). Da die Insel ein beliebtes Ausflugsziel ist, sollten Sie im Voraus buchen. Indian Key teilt sich die Verwaltung mit der Lignumvitae Key State Botanical Site (siehe S. 178f) wo Sie auch Informationen erhalten. Auf der Insel angekommen, sollten Sie sich die kostenlose Broschüre holen und die darin enthaltene Karte sowie die geschichtlichen Informationen für Ihren Rundgang nutzen. Bedenken Sie aber, dass auf dieser Insel keine Toiletten und Picknickplätze gebaut werden dürfen – Sie werden also nichts dergleichen vorfinden. Noch ein Tipp: Die Boote fahren 30 Minuten vor der angegebenen Zeit ab.

SAN PEDRO UNDERWATER ARCHEOLOGICAL PRESERVE

In den 1960er-Jahren fanden Taucher im Hawk Channel, etwa anderthalb Kilometer südlich von Indian Key, in einem Gebiet mit weißem Sand, Schildkrötengras und Korallen in gut fünf Metern Tiefe Ballaststeine und Geschütze eines Wracks, die als die des holländischen Handelsschiffes *San Pedro* identifiziert wurden. Das 287-Tonnen-Schiff war ebenso wie 20 weitere Schiffe, die zu der vom Unglück verfolgten spanischen Schatzflotte von 1733 gehörten, bei einem Hurrikan gesunken.

Das leicht zugängliche Wrack ist eine Attraktion für Sporttaucher, die hier die Gelegenheit haben, ein echtes Schiffswrack zu erforschen. Die Originalgeschütze der *San Pedro* und

HERE LIETH THE BODY OF Capt. JACOB HOUSMAN FORMERLY OF STATEN ISLAND, STATE OF NEW YORK PROPRIETOR OF THIS ISLAND WHO DIED BY ACCIDENT MAY 1t 1841 AGED 41 YEARS AND 11 MONTHS

To his Friends he was sincere to his Enemies he was kind to all Men, faithful

This monument is erected by his most disconsolate though affectionate wife ELIZABETH ANN HOUSMAN

SIC TRANSIT GLORIA MUNDI

ihre Planken sind zum Zwecke der Konservierung und Untersuchung entfernt und wie ein zeitgenössischer Anker durch Repliken ersetzt worden, aber Taucher finden an dieser Stelle noch immer gelegentlich Münzen aus dem 18. Jahrhundert. Weitere Informationen (auch zu Schnorchelausflügen) gibt es telefonisch bei Robbie's Marina. Wer ein Boot mit LORAN (Radarortung) besitzt: Die Koordinaten des Wracks sind 4082,1 und 43320,6. Machen Sie unbedingt an den Bojen fest, damit der Anker nichts beschädigt. ∎

Long Key

Die zugebaute Küstenlinie von Long Key verbirgt die hinter ihr liegenden Parklandschaften für Camper

BEI DEN SPANIERN HIESS LONG KEY *CAYO VIVORA* – »KLAP-perschlangen-Key«. Klapperschlangen gibt es hier zwar nicht, aber die geschlängelte Form und der weite *boca* (»Mund«) erinnerten einen besonders kreativen Eroberer wohl an eine angreifende Klapper-schlange. Die Meinungen sind geteilt, ob dieser friedliche, 390 Hektar große staatliche Park das perfekte Idyll ist oder einfach nur ein sehr gutes. Wer grasbewachsene Tidenbecken mag, die so flach sind, dass man hundert Meter weit in den Atlantik gehen kann, ist hier am rech-ten und zudem für schwimmende Kinder sicheren Ort.

Long Key
🅰 158 A1

Long Key State Recreation Area
www.floridastateparks.org/longkey
🅰 158 A1
✉ MM 67.5
☎ 305/664-4815
💲 $–$$

Layton Nature Trail
🅰 158 A1
✉ Long Key, MM 68
☎ 305/664-4815
💲 $

LONG KEY STATE RECREATION AREA

Mangroven säumen das Ufer und bieten Wasservögeln wie Reihern Schutz. Mit einem gemieteten Kanu kann man auf den Kanälen zwischen ihnen herumpaddeln oder sie auf dem Plankenpfad erforschen, der durch den wellenumspülten Urwald führt. Tafeln informieren über Flora und Fauna. Der zwei Kilometer lan-ge, erhöht angelegte **Golden Orb Trail** erhielt seinen Namen von den großen, roten und goldfarbenen Spinnen, deren Netze wie alte Spitze in den Ästen hängen. Diese Gegend ist das ganze Jahr über ein beliebter Campingplatz. In der Parkzentrale gibt es Infos zu geführten Wande-rungen, Schnorcheltouren, Angeln, Kanufahrten und Meeresökologie-Aktivitäten. Abends entzünden die Ranger Lagerfeuer für die Besucher.

Auf der anderen Seite des High-ways, auf der Florida-Bay-Seite am MM 67,7, ermöglicht der **Layton Nature Trail** einen halbstündigen Spaziergang durch den tropischen Laubwald. (Am besten tragen Sie alte Turnschuhe.) Hier winken zarte See-grasspitzen unter Wasser. Ein histo-rischer Hinweis erzählt von den Ursprüngen des Long Key Viaduct, einer gewundenen alten Eisenbahn-brücke, die mehrere Kilometer weit parallel zum Highway verläuft, und von Flaglers längst vergangener Fischerhütte. ■

D ie Middle Keys führen
vom winzigen Conch
Key bei MM 65 am Pigeon Key
vorbei zur Seven Mile Bridge
bei MM 40, der längsten unter
den 42 Brücken in den Keys, die
zugleich zu den längsten der
Welt gehört.

Die Middle Keys

**Bunte Drachen werden auf
den Florida Keys verkauft**

Die Middle Keys

DER LONG KEY VIADUCT WAR HENRY FLAGLERS LIEBLINGSBRÜCKE, UND IHRE 180 neoromanischen Bögen zierten auch den Prospekt seiner Bahnlinie. Seine Züge tuckerten mit 25 Stundenkilometern über die Brücke, doch die Autofahrer von heute sind viel schneller und halten nur manchmal an, um ein Foto zu machen oder auf der alten Seven Mile Bridge, die heute Fußgängern vorbehalten ist, spazieren zu gehen. Die, die bleiben, haben gewöhnlich entweder eine Angel dabei oder Flossen und Taucherbrille. Die besten Stellen liegen in Sichtweite des Sombrero-Reef-Leuchtturms, der über das besonders reiche Korallen-Meeresreich sieben Meter unter den Wellen wacht.

Die kommerzielle Fischerei der Keys nahm im frühen 19. Jahrhundert hier ihren Anfang. Im Laufe der Jahre hat sich dieser Wirtschaftszweig gewandelt, denn jetzt sind es die Gäste, die fischen wollen. Eine ganze Armada von Charterbooten liegt an der Küste von Marathon auf Vaca Key, wo Köderpfähle das Ufer wie Röhricht säumen und die Kapitäne es kaum erwarten können, die Angler zu den 300 Meter tiefen Unterwasserschluchten zu bringen. Silberreiher segeln vorbei – auf dem Weg in das nach ihnen benannte Schutzgebiet: das Great White Heron National Wildlife Refuge, eine riesige, von Mangroven gesäumte Wasserfläche, die sich nach Süden bis zu den Lower Keys erstreckt.

Im Dolphin Research Center auf Grassy Key können Besucher mit Delfinen schwimmen. Im 25 Hektar großen Crane Point Hammock blieb die Zeit scheinbar stehen, denn hier gibt es den letzten Wald von Dreizackpalmen: Sie waren einst weit verbreitet, sind jetzt aber nur noch hier in größerer Anzahl zu finden. Die ungewöhnliche Geologie der Insel, die einzigartige Tierwelt und die drama-

tische Vergangenheit der Inselbewohner sind Thema des Museums für Naturgeschichte der Florida Keys in Marathon. Am nahe gelegenen Florida-Keys-Kindermuseum beginnt ein Kulturpfad, der durch die älteste Hüttensiedlung der Keys und die Ruinen eines Dorfes führt: Seine Bewohner stammten von den Bahamas und lebten von der Köhlerei. Auf dem kleinen Pigeon Key – eine drei Kilometer lange Wanderung auf der alten Seven Mile Bridge von Knight's Key – liegt der vermutlich einsamste historische Schauplatz Amerikas: ein restauriertes Bahnarbeiterlager, in dem zu sehen ist, wie jene Männer lebten, die die Brücke gebaut und die Schienen verlegt haben. ∎

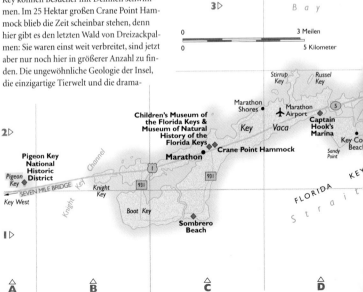

**Walzer tanzen mit einem Delfin – das geht im
Dolphin Research Center auf Grassy Key**

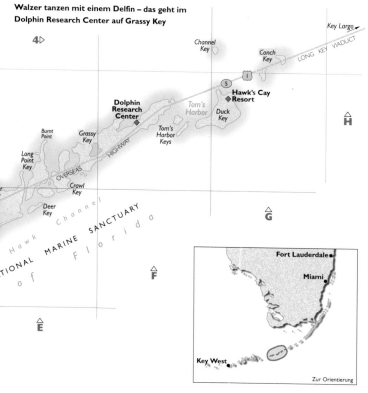

Key Largo

LONG KEY VIADUCT

Channel
Key

Conch
Key

4▷

S i

**Hawk's Cay
Resort**

Dolphin
Research
Center

Tom's
Harbor

Duck
Key

△
H

Burnt
Point

Grassy
Key

Tom's
Harbor
Keys

Long
Point
Key

OVERSEAS HIGHWAY

△
G

Crawl
Key

Deer
Key

Hawk   Channel

...TIONAL MARINE SANCTUARY

of   Florida

△
F

△
E

Fort Lauderdale●

Miami●

Key West●

Zur Orientierung

Conch und Duck Key

Für einen fantastischen Blick auf Flaglers alten Viadukt biegen Sie, von Norden kommend, kurz vor dem Überqueren der Long Key Bridge am MM 65,5 in Richtung Ozean ab. Gehen Sie die Böschung hinunter zum Wasser – das ist der perfekte Platz für großartige Fotos von den anmutigen Bogen, die sich bis in die blaue Unendlichkeit erstrecken. Die Long Key Bridge endet auf dem sechs Hektar großen Conch Key, der Heimat von Rentnern, Fischern und den Leuten, die die Karibiklangusten fangen. Ihre kastenartigen Fangkörbe stapeln sich überall auf der Insel.

Eine weitere Brücke (am MM 61 – die zwölfte seit Key Largo) führt nach Duck Key. Hier liegt das **Hawk's Cay Resort** (*Tel. 305/743-7000; siehe S. 254*), die luxuriöseste Ferienanlage der Middle Keys. Das in Lachsrosa und Grün gehaltene Haupthaus im westindischen Stil wurde 1959 von Morris Lapidus geschaffen, der auch das opulente Fontainebleau Hilton in Miami Beach entwarf. In dieser Luxusherberge steigen jene ab, die das Verwöhntwerden ebenso erwarten wie einen Golfplatz, einen roten Tennisplatz und Drinks am Pool. ■

Grassy Key

Nur wenige Lebewesen sind so faszinierend und geheimnisvoll wie Delfine, deren Gehirn größer und komplexer ist als unseres und die, wie manche Forscher vermuten, eine ähnliche Intelligenz besitzen. Das erklärt die Anziehungskraft des nicht profitorientierten **Dolphin Research Center** in Marathon, in dem 15 der geselligen Säugetiere leben, die Besucher unter Aufsicht sogar anfassen dürfen. Das Zentrum ist nicht zu übersehen; eine rund neun Meter hohe Statue einer Delfinmutter und ihres Jungen weist am

MM 59 auf der Buchtseite darauf hin. Die seit 20 Jahren bestehende Lehr- und Forschungseinrichtung bietet Programme zu den Themen Delfin-Biologie und -Kommunikation an – einschließlich der Chance, die Tiere zu treffen, zu berühren und mit ihnen zu »sprechen«. Während der Führungen tauchen die Delfine auf und klicken und schnattern, als würden sie jedes Wort verstehen. Wer mit den Tieren schwimmen will, muss am Monatsanfang einen Termin für den darauffolgenden Monat buchen. ■

Key Vaca

Den Löwenanteil des knapp zehn Kilometer langen Key Vaca nimmt die selbst ernannte Hauptstadt der Middle Keys ein. Sie erhielt ihren Namen, als Flagler seine Bahnarbeiter zu einem Arbeits-»Marathon« antrieb, um die Ferigstellung noch selbst zu erleben.

MARATHON

Marathon ist keineswegs so schnelllebig, wie der Name vermuten lässt, doch wie Geld verdient wird, weiß man hier durchaus. In jedem Reiseführer wird der Ort als ruhig und friedlich beschrieben, was auch stimmt, obwohl es hier einen stark

frequentierten Flughafen für Pendler gibt. Einige Ferienanlagen und zahllose freundliche Menschen, die Ihnen unbedingt ein Boot vermieten wollen, runden das Bild ab.

Auf der Fahrt durch den Ort sollten Sie an der altehrwürdigen **Captain Hook's Marina** halten und einen Blick auf die Fischereikultur der Middle Keys werfen: erstaunlich, welche kuriosen Gerätschaften Menschen erfinden. Wenn Sie länger auf Key Vaca bleiben wollen, informieren Sie sich über die Abfahrtzeiten der beiden Boote der Marina, die zum Fischen gechartert werden können, aber auch Abendrundfahrten und *Heart-of-Darkness*-Fahrten in die Everglades anbieten.

Bei Sonnenuntergang versammeln sich die Menschen zum Staunen. Bars wie Shucker's *(11th St. nahe der Seven Mile Bridge, Tel. 305/ 743-8686)* werben sogar mit ihrem Blick auf den Sonnenuntergang. Auf der alten Brücke, jetzt ein Fußweg nach Pigeon Key (siehe S. 189), gibt es den Sonnenuntergang gratis. (Lassen Sie Ihr Auto auf dem Parkplatz am MM 46,8.) Mit dem richtigen Timing können Sie Richtung Süden über das Wasser wandern, die Partyatmosphäre gegen das friedliche Plätschern der Wellen eintauschen und das abendliche Spektakel genießen, das auf den Keys Jubelrufe und Beifallsstürme auslöst.

Auch wenn er für den Sonnenuntergang auf der falschen Seite liegt, ist der **Sombrero Beach** am Südende der Sombrero Road am MM 50 ein perfekter Ort, um abends ins Wasser zu waten oder im Hawk Channel zu schwimmen. Das Wasser ist hier tief, der Strand gepflegt, und es gibt einen grünen Park mit einem Platz, auf dem die Einheimischen gern Softball spielen.

Eine Partie Volleyball am Sombrero Beach in Marathon, einem der größten öffentlichen Strände an der Atlantikseite der Middle Keys

Das Basrelief auf der Kupfertür des Museum of Natural History of the Florida Keys zeigt Fische, die zwischen Fächer- und Korallen umherschwimmen

Crane Point Hammock museums

www.cranepoint.org

184 C2

5550 Overseas Hwy., Marathon, MM 50.5

305/743-9100

$$

Zu den Exponaten des Kindermuseums auf Key Vaca gehören eine rekonstruierte Hütte und das Heim eines Siedlers aus dem 19. Jahrhundert

CRANE POINT HAMMOCK TROPICAL FOREST PRESERVE

Auf der Buchtseite des Highways, am MM 50,5, liegt eine der schönsten Naturlandschaften der Keys, umgeben von Marathons Kommerz. Einst ähnelten viele der Inseln dieser 26 Hektar großen Fläche mit Dreizackpalmen, die die letzten ihrer Art in Nordamerika sind.

Folgen Sie dem 400 Meter langen Pfad durch den Wald, am besten mit der dazugehörigen Broschüre in der Hand, damit Sie wissen, welche Arten von Mangroven, Palmen und anderen exotischen Bäumen über Ihnen aufragen. Sie verbergen Kreaturen, die im Unterholz herumraschen und gelegentlich Schreie ausstoßen, was zu der etwas gruseligen Atmosphäre beiträgt. Hier gibt es vieles zu identifizieren, darunter 169 Pflanzenarten und einen ganzen Schwung Tiere, von denen manche – wie etwa der Ibis – vom Aussterben bedroht sind. Achten Sie auch auf die seltenen Baumschnecken, und verpassen Sie nicht den ungewöhnlichen Krater, den die Regenerosion in den Korallenboden gegraben hat.

Archäologen haben hier eine reiche Fundstelle mit präkolumbischen Artefakten entdeckt, darunter Waffen, Werkzeuge, ein Kanu und Tongefäße. Die schönsten Gefäße sind im angrenzenden **Museum of Natural History of the Florida Keys** – dem wichtigsten Aufbewahrungsort für alte Dinge – zu bewundern. Zu den beliebtesten der 20 großen Exponate des Museums gehört eines der vielen Schiffswracks. Eine Bronzekanone, spanisches Gold und Silber, aber auch Alltagsgegenstände erinnern an die unbekannten Glücksritter, die auf den Riffen ihr nasses Grab fanden.

Wenn Sie mit Kindern reisen, lassen Sie sie im **Children's Museum of the Florida Keys** frei, einer Indoor-/Outdoor-Anlage mit kindgerecht aufbereiteten, interaktiven Ausstellungsstücken zur Ökologie der Keys. Danach dürften die Kleinen darauf brennen, mit Ihnen den anderthalb Kilometer langen Rundkurs abzuwandern. Er führt am Ort einer längst verschwundenen Siedlung vorbei, in der einst Menschen von den Bahamas lebten, und zum gut restaurierten **George Adderly House**, das das älteste Beispiel für die typische Bauweise der armen Weißen nördlich von Key West sein soll. Die rauen Wände bestehen aus dem sogenannten *tabby*, einer Mischung aus Kalkstein und gemahlenen Muschelschalen. ∎

Pigeon Key

BEVOR SIE ÜBER DIE NEUE SEVEN MILE BRIDGE FAHREN, sollten Sie einen Abstecher auf den Pigeon Key in Betracht ziehen, eine idyllische und historisch einzigartige, nur etwas mehr als zwei Hektar große Insel, die dreieinhalb Kilometer vom Nordende der alten Brücke entfernt liegt. Wie die Brücke der Florida East Coast Railway steht auch Pigeon Key im National Register of Historic Places.

PIGEON KEY NATIONAL HISTORIC DISTRICT

Von 1908 bis zu dem verheerenden Hurrikan im September 1935 lebten überwiegend Arbeiter auf der Insel – Maler, Eisenbahner und Brückenwärter. Die Kinder besuchten die Schule mit nur einem Klassenraum, und alle kauften im einzigen Laden der Insel ein. Nach dem Sturm, der das Aus für die Eisenbahn bedeutete, machte sich der Ort (der mit 400 Einwohnern eine Zeit lang geradezu überfüllt war) daran, die Bahnstrecke zu einer zweispurigen Straße umzubauen, die 1938 eröffnet wurde.

Parken Sie am Besucherzentrum, das in dem alten, rot-silbernen Eisenbahnwaggon am Westende Marathons untergebracht ist – ein Stück nördlich der neuen Seven Mile Bridge beim MM 47. Ab zehn Uhr befördern Bahnen die Besucher stündlich über die alte Seven Mile Bridge nach Pigeon Key. Ein Fremdenführer wird Ihnen alles erzählen, was Sie wissen wollen. (Das größte Gebäude der Insel, in dem jetzt die Verwaltung untergebracht ist, war in den 1920er-Jahren der Schlafsaal für 64 Bahnarbeiter.) Im Fahrpreis ist zwar eine Inselrundfahrt enthalten, aber viele Besucher ziehen es vor, die Insel zu Fuß zu erforschen und dann zur Bahn zurückzukehren. Im restaurierten Dorf aus dem frühen 20. Jahrhundert gibt es auch ein kleines Museum, in dem dokumentiert ist, wie mühsam es war, die Keys per Bahn, Fähre und Auto miteinander zu verbinden – und dass dieser Kampf ein halbes Jahrhundert gedauert hat. Die Einheimischen kommen ebenfalls gern auf diese Insel. ■

Einst lebten Bahnarbeiter auf Pigeon Key, heute überqueren nur noch Radfahrer, Spaziergänger und Ausflügler die alte Seven Mile Bridge

Pigeon Key National Historic District
🅰 184 A2
✉ MM 47
☎ 305/743-5999
🕐 Shuttle-Bahn tägl.
💲 $$ (inkl. Shuttle)

Seven Mile Bridge

Einst sorgte eine
Zugbrücke für
ungeplante Plau-
derstündchen
zwischen den
Middle und Lower
Keys; die neue
Brücke ist hoch
genug, um den
Schiffsverkehr
passieren zu
lassen

Seven Mile Bridge
184 A1

EHRLICHERWEISE MUSS MAN ZUGEBEN, DASS DIE NEUE Brücke nur 10,8 Kilometer lang ist, aber vom Nordende aus wirkt sie, als führte sie bis nach Kuba. Mit ihrer Eröffnung 1982 wurde ihre 70 Jahre alte Vorgängerin in den Ruhestand verabschiedet. Die alte Brücke verläuft aber immer noch parallel zur neuen und wird manchmal als längster Angelpier der Welt bezeichnet. Zwar fehlen hier und dort einige Teile, und manche Stellen sind kaum mehr als guanobefleckte Pelikan-Nistplätze, aber es ist doch deutlich zu erkennen, weshalb man die Brücke 1912 als achtes Weltwunder bezeichnete.

Das Projekt war tatsächlich eines der ehrgeizigsten seiner Zeit, denn trotz des täuschend harmlosen aquamarinblauen Wassers und des immer gemäßigten Klimas hatten Flaglers Ingenieure mit einem schnellen Tidenwechsel und dem instabilen Meeresboden zu kämpfen. Flagler scheute jedoch keine Kosten und drang immer wieder darauf, dass das Projekt wie eine militärische Operation angegangen wurde. Historische Fotos im Museum von Pigeon Key (siehe S. 189) dokumentieren die Intensität dieser Bemühungen.

Die noch heute sehr beeindruckende Brücke mit den 210 Bogen ruht auf 546 Betonpfosten, von denen einige fast neun Meter unter die Wasseroberfläche reichen, um festen Halt auf dem Kalksteingrund zu finden. Die Brücke war eines der wenigen von Menschen geschaffenen Objekte, das den Hurrikan und die Flutwellen von 1935 überstand.

Es kam immer wieder zu unvorhergesehenen Aufenthalten, wenn die Zugbrücke über dem Moser Channel am MM 43,5 geöffnet wurde, um Schiffe und Boote passieren zu lassen. Diese Zwangspausen gehörten zum Leben auf den Keys aber einfach dazu, und die Menschen nutzen die Gelegenheit, mit Nachbarn und Besuchern zu plaudern. Die neue Brücke überspannt den Kanal in fast 20 Metern Höhe, was dem Schiffsverkehr ausreichend Platz bietet. ■

D irekt unterhalb der Seven Mile Bridge knicken die Lower Keys plötzlich Richtung Westen ab, und genauso abrupt verändern sich ihr Aussehen und ihre Atmosphäre. Sie sind wilder, weniger bebaut und dichter bewaldet.

Die Lower Keys

Vorbereitungen für einen Tauchgang im Bahia Honda State Park

Die Lower Keys

EIN GROSSER TEIL DER LOWER KEYS GEHÖRT ZU DREI VERSCHIEDENEN
Naturschutzgebieten, die zusammen die Florida Keys Wilderness bilden –
25 Quadratkilometer unberührte subtropische Kiefernwälder, Mangroven und Hammock-Lebensräume, fast alle perfekt geschützt auf Inseln gelegen, die nur mit dem Boot zu
erreichen sind. Das südlichste dieser Schutzgebiete ist das Key West National Wildlife
Refuge auf den Marquesas Keys,
westlich von Key West, mit seinen unbewohnten 816 Hektar
voller Roter, Weißer und
Schwarzer Mangroven.

Gulf of Mexico

Johnston Key

Snipe Keys

3▷

GREAT WHITE HERON
NATIONAL WILDLIFE REFUGE

Saddlebunch

OVERSEAS

Keys

2▷ Cottrell Key

Fleming Key

Dredgers Key

Big Coppitt Key · El Chico

East Rockland Key

KEY WEST NATIONAL
WILDLIFE REFUGE

Stock Island

U.S. Naval Air Station

Saddlehill Key

Key West

Key West International Airport

Boca Chica Key

Barracouta Keys

1▷

Key West

FLORIDA KEYS

Marquesas Keys

Straits

A **B** **C** **D**

Die meisten größeren Inseln der Lower Keys,
wie die Torches, Sugarloaf und Saddlebunch,
wirken durch ihre gewundenen Küstenlinien
eher klein, aber Big Pine Key beispielsweise ist
fast 13 Kilometer lang und an einer Stelle rund
drei Kilometer breit. Überall, wo der Overseas
Highway eine Landenge überquert, unterschätzt man leicht die Möglichkeiten, die am
Straßenrand und an den kleinen, in die Wälder
führenden Straßen liegen. Folgen Sie hier oder
dort einem Sandweg, und falls Ihr Weg nicht
vor dem Tor eines privaten Anwesens endet,
landen Sie vermutlich zwischen Gestrüpp und
Karibischen Kiefern, kommen an Kakteenfeldern vorbei und entdecken schließlich erstaunt
einen steinigen Strand aus zerbrochenen
Muscheln und Korallen, eine Schlammfläche
oder eine Mangrovenwildnis, die sich bis zum
Horizont erstreckt.

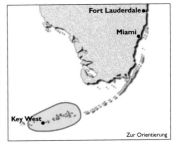

Fort Lauderdale ·

Miami ·

Key West ·

Zur Orientierung

Einen der wenigen Sandstrände der Keys
gibt es im Bahia Honda State Park, aber auch
einen Mangrovenwald und Hammocks, bewachsen mit von den Westindischen Inseln
stammenden Exoten wie der Roten Drillingsblume, Silberblatt und Scharlachkordie, deren
leuchtend orangefarbene Blüten an Geschützfeuer erinnern.

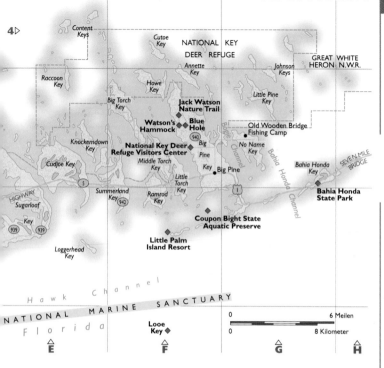

Die meisten Besucher neigen dazu, schneller zu fahren, sobald sie sich Key West, dem Star der Keys, nähern, vor allem nachdem sie die Seven Mile Bridge überquert haben – als wäre sie das letzte Interessante, das sie noch von Jimmy Buffet's Margaritaville trennt, wo sie einen Margarita (was sonst?) bestellen wollen, um ihre Ankunft zu feiern.

Das ist natürlich verständlich, aber es wäre ein Fehler, zumindest wenn es Ihnen Freude macht, die Natur zu entdecken – und auf den Lower Keys gibt es viel zu entdecken. Werfen Sie noch einen Blick auf die Karte: Das Great White Heron National Wildlife Refuge erstreckt sich von Marathons Breitengrad bis nach Key West; ab hier stehen die Pflanzen und Tiere – auch die der unbewohnten Marquesas Keys – unter dem Schutz des Key West National Wildlife Refuge.

Beim Studieren der Karte wird Ihnen noch ein Schutzgebiet auffallen: Das National Key Deer Refuge auf Big Pine Key, in dem mehrere Hundert Miniaturausgaben des Virginia-Weißwedelhirsches durch die Kiefernwälder huschen. Die Ohrspitzen dieser kleinen, nervösen Hirsche reichen Ihnen kaum bis an den Gürtel. Auch hier können Sie umherwandern – unter dem 15 Meter hohen Blätterdach von Watson's Hammock, einem weiteren sehr ursprünglichen Lebensraum, in dem Gumbo-Limbo-Bäume, Jamaika-Hartriegel, Agaven, Orchideen und Farne wachsen.

Wenn Sie von Big Pine Key genau nach Süden schauen, sehen Sie etwa elf Kilometer entfernt im flachen, bemerkenswert klaren Wasser des Golfstroms das 13 Quadratkilometer große Looe Key National Marine Sanctuary. Es schützt ein sehr komplexes Korallenriff, das als das gesündeste und vielfältigste der gesamten Inselkette gilt. Die anderen Lower Keys – No Name, Summerland, Ramrod, Cudjoe, Sugarloaf, Saddlebunch, Big Coppitt und Boca Chica – heben sich mehr durch ihre Geschichte und die Spleens der Menschen hervor als durch ihre Naturschönheiten. Aber auch sie lohnen einen Besuch. ■

Bahia Honda Key

Bahia Honda Key
📖 193 G3

**Bahia Honda
State Park**
www.bahiahondapark.com
✉ Parkeingang, 36850
Overseas Hwy., Big
Pine Key, MM 36.9
☎ 305/872-2353
💲 $–$$

UMWELTSCHÜTZER LIEBEN BAHIA HONDA (»TIEFE BUCHT«), weil ein Großteil der Insel zum Bahia Honda State Park gehört und deshalb nicht bebaut werden darf. Die meisten Tagesausflügler aus Key West und Greater Miami kommen wegen des wundervollen Atlantikstrandes, der der längste natürliche Sandstrand der Keys ist und zu Recht als einer der schönsten Amerikas gilt. Vor der Küste macht das Schnorcheln besonders viel Spaß.

BAHIA HONDA STATE PARK

Obwohl der größte Teil des 212 Hektar großen Parks absichtlich naturbelassen ist, ist Bahia Honda dennoch der bestausgestattete Nationalpark der Keys, denn hier gibt es Annehmlichkeiten wie ein halbes Dutzend Zweizimmer-Häuschen am Strand (die jeweils acht Personen Platz bieten). Sie stehen auf Stelzen, was einen paradiesischen Meerblick ermöglicht. Andernorts gibt es noch 80 Zeltplätze, einen Yachthafen (wo Surfbretter vermietet werden), eine Bootsrampe und einen Tauchshop.

Gönnen Sie sich eine halbe Stunde Auszeit an einem schattigen Picknicktisch am **Sandspur Beach**, oder schlendern Sie am nordöstlichen Strand entlang. Ein selbst erklärender Naturpfad führt Sie an eine Lagune und durch Hammocks, die dicht mit exotischen Bäumen und Büschen überwuchert sind, wie Gumbo-Limbo-Bäumen, Silberblatt, Satinbäumen (die sonst nirgendwo auf den Keys wachsen), Scharlachkordien, Strandflieder, Surenbäumen sowie Dreizack- und Silberpalmen. Zu den einheimischen Vögeln gehören Pelikane, Weißkopftauben, Lachmöwen, Reiher und Glattschnabelanis, zu denen sich zur Brutzeit noch Zugvogelarten wie Ibis, Schlammtreter, Wasserläufer und Seeschwalbe gesellen. Lassen Sie sich von einem Ranger die Überreste von Henry Flaglers Bahnlinie zeigen, die im Unterholz vor sich hin rostet.

Der Kanal zwischen der alten und der neuen Brücke ist einer der tiefsten der Keys und lockt Taucher zu den Brückenpfeilern, die ein idealer Lebensraum für Korallen, Schwämme, Atlantiklangusten und unzählige bunte Fische sind. Informieren sich im Tauchshop über die aktuellen Bedingungen an dieser Stelle, und beachten Sie die Warnungen vor Feuerkorallen, Seeigeln und der starken Strömung im Bahia Honda Channel, der schnellsten in den Keys.

Tarpune lassen sich in dieser Gegend besonders gut fangen. Charterboote fahren hier ab, und im Fahrpreis ist alles enthalten – außer dem Tarpun. Falls Sie Hochseeangel-Fan sind, probieren Sie also ruhig den Sport aus, der Ernest Hemingway neue Energie und Kreativität verschafft haben soll.

Erkundigen Sie sich im Hauptquartier des Parks nach den täglichen Schnorcheltouren zum Riff im nahen **Looe Key National Marine Sanctuary** (siehe S. 203). Der Bahia-Honda-Tauchshop (*Tel. 305/872-3210*) im Konzessionsgebäude ist der richtige Ansprechpartner für Schnorchel- und Tauchausflüge zu den Riffen vor der Küste. Hier können Sie aber auch ein kleines Boot oder einen Kajak mieten. Auch die Sonnenuntergangsfahrten starten hier, allerdings nicht in der Hurrikan-Hochsaison (*Okt.–Nov.*). Die Hälfte der Zeltplätze im Park wird nach dem Wer-zuerst-kommt-Prinzip vergeben. Schreiben Sie schon morgens Ihren Namen auf die Warteliste, und kommen Sie zurück, wenn nachmittags die Namen aufgerufen werden. Es sind aber auch Hütten am Strand zu haben. ∎

Rechts: Trotz der ausgedehnten Bebauung blieb auf manchen Keys der urwaldähnliche Charakter erhalten. Auf Bahia Honda führt der Overseas Highway mitten durch die staatlich geschützte Wildnis

Big Pine Key

Schwimmwesten
erleichtern das
Schnorcheln im
flachen Wasser
vor **Big Pine Key,**
wo es zartes
Seegras und
bunte Fische zu
bestaunen gibt

Big Pine Key

 193 F5

**National Key
Deer Refuge
Visitors Center**
http://nationalkeydeer.fws.
gov/

 193 F3

✉ MM 28.5–31.5

☎ 305/872-0774

SCHON BEI DER ANKUNFT AUF BIG PINE KEY WERDEN SIE feststellen, dass hier zwei Interessengruppen im Clinch liegen: die Betonliebhaber und diejenigen, die die Insel lieber im Urzustand erhalten sehen würden. Einst war ein Großteil der Inseln mit Kiefern, Laubbäumen und – an der Küste – Mangroven bewachsen. Heute leben auf Big Pine Key mehr als 5000 Menschen, und die Bebauung ist gefährlich weit vorangeschritten, was auch daran liegt, dass die Insel eine der wenigen ist, auf der es das ganze Jahr über Trinkwasser gibt. Aber auch wenn Häuser, Wohnanlagen, Einkaufszentren, Yachthäfen und Parkplätze mehr von Big Pine einnehmen als wünschenswert ist, spürt man hier trotzdem noch die natürliche Ordnung der Dinge.

NATIONAL KEY DEER REFUGE

Fast alles, was nicht unter Beton begraben liegt, ist mit Kiefern, Palmen und Laubbäumen bewachsen und gehört zum 3520 Hektar großen National Key Deer Refuge, einem Schutzgebiet, das 1957 eingerichtet wurde, um die schrumpfende Population der Key-Hirsche zu schützen. Die größten dieser ungewöhnlichen Tiere haben eine Schulterhöhe von 80 Zentimetern und wiegen 40 Kilogramm. Biologen gehen davon aus, dass es sich um eine kleinere Unterart des Virginia-Weißwedelhirsches

handelt, die durch Umwelteinflüsse wie Futter- und Wassermangel und einen engen Lebensraum verzwergte. Es gibt sie nur auf den Keys, und nur sie sind in der Lage, auch Brackwasser zu trinken. Man nimmt an, dass ihre Vorfahren südwärts wanderten, bis das Abschmelzen des Wisconsin-Gletschers nach der Eiszeit den Meeresspiegel steigen ließ und eine schmale Halbinsel in einen Archipel verwandelte. Wie auch immer diese leichtfüßigen Tiere entstanden sind, deren Neugeborene nur ein bis zwei Kilogramm wiegen und Hufabdrücke von der Größe einer Briefmarke hinterlassen: Durch Jagd und Wilderei waren ihre Bestände auf 50 Tiere geschrumpft; mittlerweile sind es aber wieder rund 800. Gemessen an der Größe ihres Lebensraumes, dürften es auch nicht mehr sein. Achten Sie bei der Fahrt über die Insel auf die Geschwindigkeitsbeschränkung (45 Meilen pro Stunde am Tag, 35 bei Nacht).

Um in das Schutzgebiet zu gelangen, fahren Sie südlich vom MM 31 auf den Key Deer Boulevard (Fla. 940) Richtung Westen, wo Sie schon bald ein Hinweisschild entdecken werden. Biegen Sie nach rechts zum Einkaufszentrum ab, wo auch das **Besucherzentrum** ist. Hier bekommen Sie Informationen und eine Karte. Kehren Sie zurück auf den Key Deer Boulevard, biegen Sie rechts ab, und fahren Sie nach zweieinhalb Kilometern rechts in den Watson Boulevard, der zum **No Name Key** (siehe S. 199) führt.

Lassen Sie sich im Besucherzentrum auch die Broschüre über den anderthalb Kilometer langen, im Rundkurs verlaufenden **Jack Watson Nature Trail** mitgeben. Kehren Sie zur Kreuzung zurück, und folgen Sie dem Key Deer Boulevard weitere zweieinhalb Kilometer bis zu einem ehemaligen Steinbruch, dem **Blue Hole**, der sich mit Grundwasser – und Alligatoren

jeder Größe – gefüllt hat. Lassen Sie Ihr Auto stehen, werfen Sie einen Blick auf die dösenden Reptilien, und gehen Sie dann weiter zum Anfang des Jack Watson Nature Trail (der interessanter ist, wenn Sie die Broschüre mitgenommen haben). Am Wegesrand werden Sie wasser-

gefüllte Löcher entdecken und Gruppen von Dreizack- und Silberpalmen, die den subtropischen Urwald überragen. Vielleicht sehen Sie gegen Abend sogar einen der Hirsche – der Sie natürlich schon längst bemerkt hat. Bitte denken Sie daran, dass das Füttern der Tiere verboten ist.

Wandern Sie auf dem Naturpfad wie durch eine schattige Oase, gebildet von einem Wald aus Gumbo-Limbo-Bäumen und Jamaika-Hartriegel, die 15 Meter hoch aufragen. Gehen oder fahren Sie auch zum nahen Mannillo Nature Trail. Neben der Pflanzenwelt, die zum Teil nur auf den Keys vorkommt, leben hier auch Sumpfkaninchen, eine seltene Unterart der Sumpf-Reisratte, Alligatoren, Diamantklapperschlangen, Hakennattern und Waschbären.

Rechts: Einst hielt man sie für eine eigene Art, doch mittlerweile vermutet man, dass die Key-Hirsche mit den besser genährten und deshalb größeren Weißwedelhirschen aus dem Norden verwandt sind

Ein Silberreiher auf seinem Aussichtsposten

Bud Boats

✉ Big Pine Key, via Key Deer Blvd. von MM 31, BS

☎ 305/872-9165

Big Pine Kayak Adventures

www.keykayaktours.com

✉ Big Pine Key

☎ 305/872-7474

Reflections Nature Tours

✉ Parmer's Place Resort bei MM 28,5; Gruppenfahrten mit dem Kanu

☎ 305/872-2157

GREAT WHITE HERON NATIONAL WILDLIFE REFUGE

Kein Schild weist auf dieses Schutzgebiet hin, das der fliegenden Balletttruppe der Keys eine Zuflucht bietet und im Gebiet der USA der einzige Brutplatz der Silberreiher und der gefährdeten Weißkopftauben ist. Ein Blick auf die Karte zeigt jedoch, dass die Grenzen des Parks auf der Buchtseite der Lower Keys fast wie mit dem Lineal gezogen sind und sich nahezu bis Key West erstrecken.

Die fast 800 Quadratkilometer Feuchtgebiet mit ihren Mangroven, flachen Hammocks und Salzmarschen sind außerdem ein idealer Lebensraum für Fischadler, Blaufußreiher, Mangrovenkuckucke, Bartvireos, Krick- und Blauflügelenten, Mittelsäger und Indianer-

blesshühner. Vogelliebhaber freuen sich besonders, wenn sie einen Rosalöffler, einen Ibis, eine Ohrenscharbe oder eine andere seltene Art entdecken. Mit anderen Worten: Hier ist noch echte Wildnis.

Mit dem Auto kommt man nicht auf die 770 Hektar Land innerhalb des Schutzgebietes. Sie sind nur mit dem Boot zu erreichen, und wer mindestens einen halben Tag Zeit hat, sollte sich diesen Ausflug nicht entgehen lassen. Die unberührte Landschaft wird Sie in ihren Bann ziehen. Die einheimischen Angelführer bieten Tagestouren in flachen Booten an. Im Park werden Sie eine fruchtbare Welt vorfinden, in der einheimische Wasservögel und Zugvögel nisten, viele auf schwimmenden Nestern. In den Mangroveninseln werden Sie sich wie in einem verwunschenen Königreich fühlen. Und das ist es es auch: ein Reich, in dem die Natur am besten funktioniert, wenn man sie in Ruhe lässt.

Wenn Sie halbwegs gut mit einem Kanu oder Kajak umgehen können, ist es kein Problem, von Big Pine Key (siehe S. 196) oder den Torch Keys (siehe S. 202) zu den **Content Keys** innerhalb des Parks zu paddeln. Falls Sie mit einem Motorboot kommen, fahren Sie langsam und mit möglichst wenig Lärm, damit Sie die Vögel nicht aufschrecken oder Wellen verursachen, die die Nester überfluten. Nehmen Sie unbedingt ein Fernglas mit, sonst sehen Sie nur dunkle Augen, die Sie aus dem Schatten der Mangroven heraus beobachten. Vermutlich werden Sie auch Meeresschildkröten und Große Tümmler zu sehen bekommen. Halten Sie mindestens 50 Meter Abstand zu den Inseln – wenn Sie einen brütenden Vogel aufschrecken, sind Gelege oder Jungvögel ungeschützt der tödlichen Sonnenglut ausgesetzt.

Im Schutzgebiet gibt es nichts zu kaufen; nehmen Sie also ausreichend Essen und Getränke mit. ■

No Name Key

EINST BEFAND SICH AUF DIESER INSEL EIN GEHEIMES TRAI-
ningslager für kubanische Guerillakämpfer gegen Castro. Ihnen war
ebenso wenig Erfolg beschieden wie der einzigen Siedlung auf No
Name. In den 1920er-Jahren war das Dorf über eine Fährverbindung
von Marathon aus zu erreichen, allerdings nur nach einem schier end-
losen Fußmarsch über staubige Schotterstraßen und Holzbrücken.

Heute ist No Name einfacher zu er-
reichen: Nehmen Sie die US 1, biegen
Sie südlich vom MM 31 auf den Key
Deer Boulevard (Fla. 940) Richtung
Westen ab, und fahren Sie zweiein-
halb Kilometer bis zur Kreuzung
Watson Boulevard. Hier biegen Sie
rechts ab und fahren auf der Watson
bis zur Betonbrücke über den
Bogie Channel nach No Name. Die
Brücke führt direkt zum alten Fähr-
anleger.

Aus der Zeit der Besiedlung von
No Name blieb nur das **Old
Wooden Bridge Fishing Camp**
übrig, eine Ansammlung kleiner
Häuschen an einem Fischerhafen
(Tel. 305/872-2241). Das einzige
Lokal ist der bescheidene No Name
Pub (N. Watson Blvd., Tel. 305/872-
9115), in dem es Bier und Pizza gibt.
Er liegt auf Big Pine, jenseits der

Brücke, die nach No Name führt.
Auf der Insel führen zwar einige
Straßen zu den Überresten ge-
scheiterter Träume, aber die Land-
schaft im und um das National Key
Deer Refuge (siehe S. 196ff) ist ein-
fach traumhaft. Das Big Pine Bicycle
Center (Tel. 305/872-0130) am
MM 30 auf der Ozeanseite des High-
ways vermietet Fahrräder mit breiten
Reifen und ohne Gangschaltung,
inklusive Helmen.

Eine schöne Strecke beginnt am
MM 30,3 auf der Buchtseite des
Highways und folgt der Wilder Road
über die Brücke nach No Name.
Oder Sie radeln auf dem Key Deer
Boulevard in das National Key Deer
Refuge auf Big Pine. Meiden Sie
Feuchtgebiete, weil die Reifenspuren
im weichen Boden die Erosion be-
schleunigen. ∎

Key-Hirsche
stehen im Big
Pine's National
Key Deer Refuge
unter Schutz,
manchmal
schwimmen sie
aber auch auf
Nachbarinseln.
Sie zu füttern ist
nicht erlaubt.

No Name Key
🅰 193 G3

Tropische Laubwald-Hammocks

Verlockende Aussichten: im Schatten von Palmen in einer Hängematte liegen und das sanfte Rauschen der Wellen genießen. Diese Assoziation liegt nahe, denn *hammock* ist das englische Wort für »Hängematte«. Auf den Keys gibt es aber noch eine andere Art von Hammocks, ein Ausdruck, den Seeleute im 18. Jahrhundert prägten. Sie bezeichneten damit flache Hügel an einer Meeresküste.

An den Küsten Südfloridas – in den Everglades und auf den Florida Keys – werden die dicht bewachsenen, von Rankpflanzen überwucherten Laubwälder als Hammocks bezeichnet. Geologen nehmen an, dass sie vor 120 000 bis 110 000 Jahren entstanden, als der Meeresspiegel sank und die Korallenriffe der Keys auf dem Trockenen lagen. Eine merkwürdige Mischung aus Pflanzen- und Tiergesellschaften entwickelte sich mit ihnen und konkurriert seitdem mit den Karibischen Kiefern, die auf dem versteinerten Korallenkalkstein gedeihen, der als Kiefernfelsen bekannt ist.

Auf den Hammocks sind mehr als 20 Arten von Laubbäumen, Sträuchern und Rankpflanzen zu finden, die fast alle von den Westindischen Inseln stammen. Biologen vermuten, dass ihre Samen angespült und auf Treibholz angetrieben wurden oder mit dem Kot von Zugvögeln auf die Inseln kamen. Diese Exoten, die auch bei wenig Regen und in dünner Erde gedeihen, haben die einst kahlen Korallenhügel erobert und bilden ein Blätterdach aus Virginischer Eiche (deren zerfurchte Rinde von Auferstehungsfarn umgeben ist), Rotem Maulbeerbaum und Palmen über einem oft undurchdringlichen Gestrüpp aus Rankpflanzen und Sträuchern mit zum Teil hübschen Namen: Stechwinde, Jungfernrebe, Pfeffer, Doldenrebe, Schönfrucht, Schmalblättriger Sumach, Roter Lorbeer, Myrsine, Spitzbaum, Brechstrauch, Gelbholz, Korallenbaum, Gumbo-Limbo-Baum. Und darunter verschiedene Arten von Tillandsien – unter ihnen als bekannteste das Louisianamoos –, Wilde Ananas und mit Glück die eine oder andere Orchidee.

Tropische Hammocks waren einst an der Atlantikküste nach Norden bis Cape Canaveral und nach Westen bis an die Mündung des Manatee River an der Golfküste verbreitet. Viele von ihnen wurden zerstört, und es sind nur noch wenige übrig, die meisten davon auf den Florida Keys.

Da es zwischen den Landmassen Floridas und den Westindischen Inseln nie eine Landbrücke gab, konnten die auf den Inseln lebenden Tiere die Keys nicht erreichen. Deshalb stammen die hier heimischen Arten vom nordamerikanischen Festland und sind auf verschlungenen Wegen hergekommen – festgeklammert an Bäume, die nach Sturmfluten aufs Meer getrieben wurden, von den Calusa eingefangen oder als blinde Passagiere in ihren Kanus. Auch die Weißkopftaube von den Westindischen Inseln hat das Meer überquert, ebenso zwei Fledermausarten, die sich von den schon damals massenweise umherschwirrenden Moskitos ernährten.

Wenn Sie lange genug in einem Hammock herumstöbern, werden Sie unweigerlich auf einen Waschbären, eine Raue Grasnatter, einen Laubfrosch, einen Carolinaspecht, Baumwollmäuse oder einen Weißwedelhirsch treffen. Falls Ihnen sogar eine der Florida-Baumschnecken begegnet – Sie erkennen sie an den bunten Streifen auf ihrem Haus –, so lassen Sie sie in Ruhe. Bis vor Kurzem wurde der Bestand dieser farbenprächtigen Tierchen durch Sammler stark dezimiert. Und wenn über Ihnen etwas flattert, das blau, braun und orangefarben ist, handelt es sich um eine weitere lebende Rarität: den Schaus-Schwalbenschwanz-Schmetterling (noch eine gefährdete Art, die unter den Pestiziden zu leiden hatte, die zur Eindämmung der Moskitoplage versprüht wurden).

Andere urtümliche Wälder in den Keys befinden sich im John Pennekamp Coral Reef State Park (siehe S. 163ff), in der Lignumvitae Key State Botanical Site (siehe S. 178f) und im National Key Deer Refuge auf Big Pine Key (siehe S. 196f). ∎

Rechts: In den Hammocks ist der Boden knapp, deshalb wachsen die Pflanzen oft aufeinander und bilden symbiotische Lebensgemeinschaften

Links: Die Evergladespalmen ragen wie
grüne Antennen auf
Oben: Der Gumbo-Limbo-Baum ist an der
glänzend roten Rinde zu erkennen

Torch Keys

Die Hauptattraktionen der Torch Keys: Ruhe und Frieden, die Verlockungen einer Luxus-Ferienanlage und dazu ein Spitzenrestaurant

DIE TORCH KEYS – LITTLE, BIG UND MIDDLE TORCH – ERhielten ihren Namen von den hier wachsenden *Torchwood Trees,* die mit dem Gumbo-Limbo-Baum eng verwandt sind. Daneben gibt es auch noch einige Limonenbäume – Nachkommen eines missglückten Anbauversuchs. Ihre Blütezeit hatten die Torch Keys in den 1920er-Jahren, doch mit der Eröffnung des Overseas Highways in den 1930er-Jahren konzentrierte sich der Verkehr auf die neue Straße, und die kleinen Gemeinden an den bescheidenen Mergelstraßen der Torches waren abgeschnitten. Aber das werden Sie selbst feststellen, wenn Sie die sogenannte Aussichtsstrecke entlangfahren.

Torch Keys

🅰 193 F3

Little Palm Island Resort

www.littlepalmisland.com

🅰 193 F2

☎ 305/872-2524

Es ist diese Atmosphäre der Abgeschiedenheit, der das **Little Palm Island Resort** (siehe S. 255), ein zwei Hektar großer Zufluchtsort, in dem Luxus und Privatsphäre großgeschrieben werden, seinen Erfolg verdankt. Kokospalmen wiegen sich über den strohgedeckten Stelzenhäuschen im Wind; über den Betten hängen Moskitonetze, und Ventilatoren quirlen die milde Luft. Fernseher gibt es hier nicht und auch nur ein einziges Telefon. Der Sinn ist, die Welt hinter sich zu lassen, und deshalb ist das Inselchen auch nur mit einem Privatboot zu erreichen, das stündlich von der Dolphin Marina auf Little Torch Key am MM 28,5 ablegt. Viele Besucher kommen vor allem wegen des Restaurants Little Palm Island (siehe S. 255), dessen Bambus- und Rattantische einen tollen Meerblick ermöglichen und das das beste Restaurant der Keys außerhalb von Key West sein soll. Serviert werden kontinentale Gerichte, die Weinkarte ist beachtlich und der Service geradezu berühmt. Trotz der exotischen Isolation sind sowohl das Resort als auch das Restaurant mit dem Rollstuhl zu erreichen. Auch Fischen und Tauchen lohnt sich hier, denn die Little-Palm-Insel liegt in der **Coupon Bight State Aquatic Preserve.** ∎

Looe Key

SÜDLICH DER 220 METER LANGEN TORCH-RAMROD-BRÜCKE bestätigt MM 27, dass Sie auf Ramrod Key angekommen sind. Dieser kleine Kalksteinfelsen ist ein beliebter Ausgangspunkt für Taucher auf ihrem Weg zu den Riffen von Looe Key, die acht Kilometer weit entfernt im Atlantik liegen und zum Florida Keys National Marine Sanctuary gehören. Das 14 Quadratkilometer große Schutzgebiet umfasst die vielfältigste Korallenlandschaft der Keys, ein wahres Wunderland voller Fische und anderer Lebewesen – und das in einer idealen Tiefe für Schnorchler und Taucher jeden Ausbildungsstands. Viele Fans bezeichnen diesen Ort als bestes Tauchrevier Nordamerikas.

Looe Key
www.floridakeys.noaa.gov
🅐 193 F2
✉ Bei Big Pine Key, MM 28.5–31.5 (Key West Headquarters, 216 Ann St.)
☎ 305/292-0311
Ⓢ Frei

Looe Key – eigentlich keine Insel, sondern ein Riff – erinnert an H.M.S. *Looe,* ein britisches Kriegsschiff, das hier im 18. Jahrhundert sank. Aus der Luft zeichnet sich das Riff dunkel vor dem hellen Korallensand ab und hat die Form eines »Y« mit rund 750 Metern Länge und 180 Metern Breite. Die massiven Säulenkorallen ragen aus zehn Metern Tiefe bis fast an die Oberfläche, und in den sandigen Zwischenräumen wachsen die großen, halbkugelförmigen Mäanderkorallen, die von Hummern und über den Boden gleitenden Rochen bewacht werden. Bunte Fische finden sich hier zu Tausenden ein; ganze Schwärme schwimmen präzise Manöver um die bizarren Auswüchse der Elchgeweihkorallen. Purpurne Seefächer wiegen sich im Golfstrom, der auch über Ansammlungen von Schwämmen und Seeigeln hinwegstreicht. Diese bläuliche Szenerie wirkt fast wie eine andere Welt.

Nahezu jeder Tauchshop der Gegend bietet zweimal am Tag Halbtagsausflüge nach Looe Key an *(8:30 und 13:30 Uhr),* inklusive der gesamten Ausrüstung. Das Wasser ist zwar angenehm warm, aber beim Erforschen des Riffs geht doch Körperwärme verloren. Vielen hilft eine Taucheranzug-Weste, die für wenig Geld gemietet werden kann, gegen das Gefühl der Schwäche, die Atemnot und die gelegentliche Übelkeit, die manchmal nach einer ansonsten perfekten Stunde gemütlichen Herumpaddelns auftreten kann. Wer zu Seekrankheit neigt, sollte schon am Abend vorher anfangen, seine Medikamente dagegen zu nehmen. ∎

Eine Marinepatrouille stellt an den Riffen von Looe Key ein Warnschild für Taucher und Schnorchler auf

Sugarloaf Key & Big Coppitt Key

Sugarloaf Key
⛰ 193 E2

Big Coppitt Key
⛰ 192 D2

ENDE DES 19. JAHRHUNDERTS LIESSEN SICH DIE ERSTEN angloamerikanischen Siedler auf diesen beiden kleinen Inseln nieder. 1912 richtete der in England geborene Unternehmer Charles Chase am Ufer von Sugarloaf Key eine Schwammfarm ein, indem er Teile lebender Schwämme auf Betonbrocken verpflanzte, die in Salzwasserkäfigen lagen. Schon bald gehörte Chase fast die ganze Insel, und damit fiel ihm auch das Privileg zu, dem ersten Ort seinen Namen zu geben. Zwei Jahre später aber gab es Probleme mit der Bank in England, und seine Florida Sponge & Fruit Company ging bankrott. Er verkaufte an R. C. Perky, einen Makler mit der Vision, Sugarloaf zu erschließen. Perky taufte sein neu erworbenes Örtchen in Perky um, doch sein Geschäft erlitt das gleiche Schicksal wie das seines Vorgängers.

Es ist leicht nachzuvollziehen, woher Chase und Perky ihre Träume hatten. Die angenehme Ruhe auf Sugarloaf sorgt dafür, dass man den Kopf frei

bekommt und nachdenken kann. Um diese gemütliche Stille auf den überwachsenen Straßen der Insel zu erleben, verlassen Sie die US 1 am MM 20 (OS) – die Abzweigung ist genau am Mangrove Mama's *(Tel. 305/745-3030; siehe S. 254)*, einem hübschen Restaurant mit Bar – und nehmen entweder Fla. 939 oder 939A, die am MM 17 im Bogen zum Highway zurückführen. Ein Abstecher auf

die Old State Road (Fla. 4A) führt durch Mangrovenwälder, zwischen denen gelegentlich das blaugrüne Wasser des Atlantik aufblitzt, überquert einen schmalen Kanal und mündet schließlich am Upper Sugarloaf Key und in einer Sackgasse.

Südlich von **Perkys Fledermausturm**, am MM 17, liegen das beliebte Sugarloaf Lodge Resort und Restaurant *(Tel. 305/745-3211)*, der Yachthafen und die Landebahn. Jetzt trennen Sie nur noch elf Brücken von Key West. Die längste ist 800 Meter lang; die kürzeste und letzte – die Brücke von Stock Island nach Key West – nur 48 Meter. Allein sechs Brücken führen über die tief liegenden **Saddlebunch Keys**, die eigentlich nur von Mangroven überwucherte Korallenhügel sind.

Südlich von Sugarloaf, jenseits der Saddlebunch Keys, liegt **Big Coppitt Key**, das im Grunde nur der Schlafplatz für die Mitarbeiter des Marineflughafens auf dem etwas weiter südlich gelegenen **Boca Chica Key** ist, dessen Strände, von See aus betrachtet, zwar sehr verlockend, aber leider gesperrt sind. Wie Boca Chica ist auch **Rockland Key** ein Industriestandort. Weiter voraus liegen Key West und das Ende des Overseas Highways. ∎

Wahrscheinlich gibt es in ganz Amerika keinen Ort, der mit Key West zu vergleichen ist – jenem ungewöhnlichen, verführerischen, exzentrischen Außenposten am Ende der Straße, der sich von allen anderen unterscheidet.

Key West und Dry Tortugas

Ein Ananasmotiv in einem Zaun in Key West

Key West und Dry Tortugas

KEY WEST IST NICHT NUR DIE SÜDLICHSTE STADT DES AMERIKANISCHEN Festlandes, sondern, 1829 gegründet, auch die älteste Südfloridas. Viele empfinden ihre isolierte Insellage als unwiderstehlich exotisch. Die entspannte Shorts-und-Sandalen-Lebensweise hat schon mehr als einen Besucher dazu verleitet, die Immobilienseiten im *Key West Citizen* zu studieren. Die meisten Amerikaner bringen Key West vage mit Schriftstellern (vor allem Ernest Hemingway) und mit ungewöhnlichen Nachrichten in Verbindung – Flüchtlingsboote aus Kuba und Haiti, Jäger versunkener spanischer Schatzgaleonen, Drogenfunde der Küstenwache oder neue Sportangelrekorde.

Doch der Alltag von Key West unterscheidet sich so grundlegend vom amerikanischen Mainstream, dass es keine passenden Verallgemeinerungen gibt. Sogar die Einheimischen schütteln manchmal liebevoll erstaunt den Kopf und murmeln »Key Weird«. Für Neuankömmlinge ist die Insel eine Überraschung; allerdings schreckt die offensichtliche Missachtung aller Konventionen manche ab. Perfektionisten empfinden sie als liederlich, und ihre nie ganz korrekte Art bringt

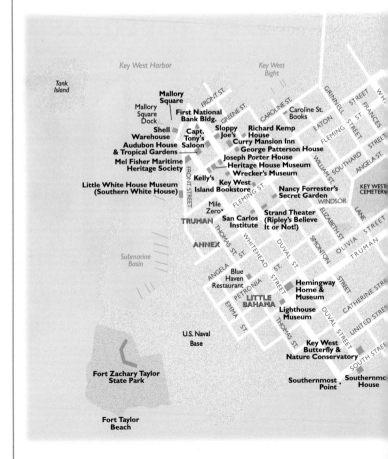

sie an den Rand der Verzweiflung: Die Bürgersteige sind von den Wurzeln der Banyanbäume zerfurcht, die Häuser mit Rankpflanzen und den orangefarbenen Blüten der Flamboyants überwuchert, als gäbe es ein Gesetz gegen das Streichen von Hauswänden. Ob es Ihnen gefällt, hängt in erster Linie davon ab, welche Erwartungen Sie mitbringen. Am besten bringen Sie gar keine mit und treten dem Ganzen unvoreingenommen gegenüber.

Im 19. Jahrhundert nannten die Kubaner die Insel *Stella Maris*, »Stern des Meeres«. Für sie war es ein Ort des Wohlstands, an dem man mit Zigarrenherstellung und Fischerei ein Auskommen fand und zugleich den kubanischen Zuckerrohrfeldern und den harten spanischen Kolonialherren entkam. Die frühen spanischen Entdecker

fanden zahllose ausgeblichene menschliche Skelette vor und gaben der Insel den Namen *Cayo Hueso*, »Knocheninsel«. Niemand weiß, woher diese Überreste stammen. Vielleicht war Key West eine Begräbnisstätte der Calusa, möglicherweise auch ein Schlachtfeld. Aber noch heute ist Key West ein Ort der Mysterien und Widersprüche, der Extreme und Kontraste.

Karibische Farben zieren ein Haus in der Altstadt von Key West

Auf der hedonistischen, selbstverliebten Insel gibt es keine natürlichen Süßwasservorkommen. Beherrscht von ihrer Beliebtheit als Reiseziel, liegt sie inmitten einer riesigen nassen Wildnis. Hier wechseln sich Vornehmes und Schäbiges ab: Auf jede Kunsthandlung, jeden Buchladen und jedes Antiquitätengeschäft kommt ein Dutzend T-Shirt-Shops. Auf jeden mit feinem Leinen gedeckten Tisch, auf dem eine Kerze in einer Sturmlampe Gerichte beleuchtet, die sich auch in Manhattan nicht verstecken müssten, kommt einer der beliebten Fettiger-Löffel-Läden, in denen frittierte Muscheln und Fritten auf Pappteller geschaufelt werden, während die Gäste an Picknicktischen unterm Blechdach sitzen. Streckenweise ähnelt der Mallory Square in der Innenstadt mit seinen glitzernden Touristenattraktionen und den Händlern mit ihrem Schnickschnack einem Themenpark. Aber wenn Sie darüber hinwegsehen – über die Schmuckstände, die Zuckerwatte, die Bonbonverkäufer

---

U.S. Naval Air Station

0 — 500 Yards
0 — 500 Meter

Garrison Bight

PALM AVENUE

ROOSEVELT BLVD.

Riggs Wildlife Refuge, Little Hamaca Park

FLORIDA ST.
PETRONIA ST.
OLIVIA STREET
LEON STREET
DUNCAN STREET
UNITED STREET
SOUTH ST
VIRGINIA AVENUE
CATHERINE ST

Tenessee Williams' Home

Zur Orientierung

Miami

FLAGLER AVE.
LAIRD ST.

Dry Tortugas

Key West

ATLANTIC BLVD.

Smathers Beach, East Martello Tower, East Martello Museum & Gallery

West Martello Tower

Higgs Beach

Key West African Cemetery

Key West International Airport

White St. Pier

und die Besucher, die den Straßenkünstlern applaudieren – und Ihren Blick über die traumhafte tropische See und den sauberen Himmel schweifen lassen, bekommen Sie wieder ein Gefühl für die Natur, in der dies alles stattfindet. Verlassen Sie die vornehmen Häuser und Villen, die im 19. Jahrhundert in der Altstadt gebaut wurden; gehen Sie auch an den neuen Wohnanlagen vorbei, und Sie werden zugewucherte Wege und Bungalowsiedlungen entdecken, die geradezu schäbig wirken: Überlebende der wiederholten wirtschaftlichen Abstürze, unter denen die Insel zu leiden hatte. (In der Weltwirtschaftskrise war Key West bankrott, und die Regierung schlug vor, die Insel aufzugeben und ihre Bewohner aufs Festland umzusiedeln.)

Als Conch (sprich: »konk«) werden heute Menschen bezeichnet, die auf Key West geboren wurden und die allem kritisch, jedoch unvoreingenommen und unabhängig gegenübertreten. Geprägt wurde der Spitzname 1646, als eine Gruppe Briten eine Kolonie auf den Bahamas gründete, sich weigerte, Steuern an den König zu zahlen, und auf ihrem eigenen Glauben beharrte. Als die Krone dennoch versuchte, Steuern zu erheben, verkündeten sie trotzig, lieber Conch (Muschelfleisch, das sie ohnehin aßen) zu essen als zu zahlen. Von da an wurden sie Conchs genannt. Die Muscheln, denen sie ihren Namen verdanken, sind allerdings inzwischen vom Aussterben bedroht; das Muschelfleisch, das auf den Keys gegessen wird, kommt tiefgefroren von den Bahamas, aus Belize oder der Karibik.

Heute sind die einheimischen Conchs bei Weitem in der Minderzahl, denn mittlerweile gibt es viel mehr sogenannte Süßwasser-Conchs, also Zugereiste. Key West zieht vor allem diejenigen an, denen es gefällt, an einem Ort zu leben, der unkonventionell ist wie sie selbst. Aus diesem Grund leben in der Stadt so viele Maler, Schriftsteller, Musiker, Lebenskünstler und andere, die am besten als Exzentriker bezeichnet werden können. Die Insel ist auch Heimat einer großen Schwulengemeinde, deren Mitglieder sich in der Verwaltung, für den Schutz des geschichtlichen Erbes und die Wiederbelebung des Gastgewerbes ihrer Stadt engagieren. Sehr viele Bewohner von Key West sind Aussteiger: Manager, die jetzt ein Restaurant führen, Unternehmer oder Künstler, denen die Isolation der Insel ebenso gefällt wie das Gefühl der Freiheit

und unbegrenzten Möglichkeiten. Für diese Menschen ist die Insel trotz des Touristenstroms und der Gefahr durch Hurrikans der beste Ort zum Leben und Arbeiten, was an den ständig steigenden Immobilienpreisen deutlich abzulesen ist.

Vor allem aber spricht Key West die Sinne an. Gegen Abend verleiht das subtropische Licht, das sich im Wasser spiegelt, den Farben eine unglaubliche Intensität; das ist auch der Grund, aus dem sich die Touristen abends am Mallory Square versammeln und applaudieren, wenn die Sonne schließlich im Meer versinkt. Die Luft riecht nach Salzwasser, duftenden Rankpflanzen und wilden Orchideen, mit einem Unterton von altem Holz und feuchter Erde. Die Durchschnittstemperatur liegt bei angenehmen 26 Grad, der Ozean ist warm und von einem klaren Blau. Der Rauch der Grills aus den Hinterhofrestaurants erfüllt die Straßen mit dem Duft der Speisen von den Bahamas und aus Kuba, die oft zu Gitarrenklängen serviert werden.

Ein gemütlicher Nachmittag am Smathers Beach, einem beliebten Surferstrand

Die Altstadt lässt sich am einfachsten zu Fuß erforschen. Hier locken neben einheimischer Architektur und historischen Monumenten auch tropische Gärten, spannende Museen und eine interessante Küste. Dass es so viele Kneipen gibt, liegt am maritimen Erbe der Stadt. Die Vielfalt an Meeresfrüchten, die die Fischer mitbringen, erlaubt es den Köchen, Gerichte zu zaubern, wie man sie sonst fast nirgendwo bekommt. Abgelegene Orte wie der Strand und der schattige Picknickbereich im Zachary Taylor State Park, der alte Leuchtturm, der Friedhof und die Gärten des Audubon-Hauses sind perfekt, um dem Trubel der Innenstadt zu entgehen. Es gibt schicke Hotels und vornehme Pensionen in restaurierten Häusern aus dem 19. Jahrhundert, aber auch preiswerte Gasthäuser, deren liebenswerte Großtuerei darüber hinwegtäuscht, dass die Unterkünfte zwar gemütlich sind, anderswo aber als schäbig gelten würden. Wie in vielen Städten Amerikas, gibt es auch in Key West Gegenden, die man nachts lieber meiden sollte. Tagsüber und am Abend ist Little Bahama« südlich der Innenstadt sehr hübsch. Ortskundige raten jedoch davon ab, sich nach Einbruch der Dunkelheit in den unbeleuchteten Gassen aufzuhalten.

Umgeben ist das alles vom Meer. Eine Flotte von Charterbooten bietet ganztägige Schnorcheltouren zu den Riffen an, die die Insel einrahmen. Es gibt ruhige Strände, die zum Dösen einladen, und belebte, an denen Segelboote vermietet werden. Und auch wenn ein Meilenstein an der Ecke Whitehead und Fleming Street verkündet, dass dies »Meile null« ist, enden die Keys hier noch nicht, sondern erst 110 Kilometer weiter westlich mit den Dry Tortugas (siehe S. 234ff). Diese einsame Ansammlung kleiner, atollähnlicher Inseln inmitten von Sandbänken und Korallenriffen wird überragt von einer gigantischen Festung aus der Zeit des Bürgerkriegs und von einem Leuchtturm aus dem 19. Jahrhundert, dessen Lichtstrahl nachts übers Meer schwenkt. ∎

LOCKRUF DES GOLDES

»Es gibt keinen Taucher und keinen Abenteurer, keinen Jäger nach Ruhm und Reichtum, der nicht irgendwann vom ganz großen Fund geträumt hat.« Das schrieb der französische Meeresforscher Jacques-Yves Cousteau, dessen Erfindung des Pressluftauchgeräts, der »Aqualunge«, der Nachkriegsgeneration von Träumern Floridas flache, mit Schätzen übersäte Riffe zugänglich gemacht hat. ■

Ankunft in Key West

OB SIE MIT DEM FLUGZEUG ODER DEM AUTO KOMMEN – ES gibt zwei Strecken, die in die Altstadt führen, von denen eine interessanter ist als die andere. Wenn Sie fahren und vorher noch nie auf der Insel waren, wird Sie der offensichtliche Kommerz auf Stock Island vermutlich schockieren. Hier findet man z. B. Sportgeräte jeder Art, doch keiner vermutet, daß die Stadt selbst durchaus sehenswert ist.

Nach dem Überqueren der Brücke von Stock Island nach Key West kommen Sie an eine T-Kreuzung mit dem Roosevelt Boulevard. Achten Sie auf Highway-Schilder zur Fla. A1A, die nach links (Süden) in Richtung »Beaches/Airport« weisen. Biegen Sie links ab, und folgen Sie dem S. Roosevelt Boulevard Richtung Süden, am Flughafen vorbei und dann nach Westen entlang der Atlantikseite der Insel. Dieser Teil von Key West, der östlich der White Street liegt, wird als *New Town* bezeichnet, die überwiegend durch das Auffüllen von Feuchtgebieten entstanden ist. Die Altstadt beginnt westlich der White Street.

An der Landseite des S. Roosevelt Boulevards liegen die sumpfigen **Salzseen**, aus denen Mitte des 19. Jahrhunderts Meersalz gewonnen wurde. In den Tümpeln wimmelt es von Krebstieren und kleinen Fischen: Das lockt viele Seevögel an, vor allem am frühen Morgen, was

Oben: Einst war die Bar Captain Tony's eine Leichenhalle, später wurde sie zur Lieblingskneipe von Ernest Hemingway

Key West
Karte S. 206

Oben rechts: Im Norden von Key West nähert sich der Overseas Highway der »Meile null«

auch die Vogelbeobachter wissen. Ein Teil des grasbewachsenen Feuchtgebiets gehört zum **Riggs Wildlife Refuge** – achten Sie auf das grüne Tor –, das eine sehr schön angelegte Aussichtsplattform besitzt. Jenseits des Salzsumpfes liegt ein weiteres Schutzgebiet, der **Little Hamaca Park**, kurz hinter der Flagler an der Government Road. Dieser ungewöhnliche Park schützt eine unberührte Enklave lebendiger Naturgeschichte. Ein Plankenpfad erlaubt es, darin umherzuwandern, ohne einen Fuß auf das empfindliche Feuchtgebiet zu setzen.

Der gut drei Kilometer lange Strand gegenüber ist **Smathers Beach**, beliebt bei Windsurfern und Hobie-Cat-Seglern. Hier werden Katamarane für zwei Personen vermietet. Sie sind preiswert, leicht zu segeln und recht stabil, wenn nicht gerade Sturm herrscht. Allerdings dürfen Sie sich damit nicht aus der Sichtweite der Vermieter entfernen – andere Teile der Insel können Sie damit also nicht erforschen.

Diese Strecke zur Altstadt führt am **East Martello Tower** vorbei, einem der ältesten Steingebäude der Insel, einer zylindrischen Festung

aus dem Bürgerkrieg, in dem die bunt gemischte Sammlung der **East Martello Museum and Art Gallery** *(3501 S. Roosevelt Blvd., Tel. 305/296-3913)* untergebracht ist. Hier können Sie sich nach der langen Fahrt die Füße vertreten und außerdem den Personen im langen und wechselvollen Stammbaum von Key West ein Gesicht zuordnen: Piraten, Soldaten, Eisenbahnern, Schwammtauchern, Rumschmugglern, Schiffsbauern, Zigarrenmachern, Garnelenfängern und politischen Flüchtlingen aus der Karibik, die die Überfahrt überlebt haben. Zu den Ausstellungsstücken gehören Arbeiten einheimischer Künstler, und ein ganzer Raum ist den Schriftstellern des Ortes gewidmet, darunter sieben Gewinnern des Pulitzerpreises. Steigen Sie unbedingt die 48 Stufen zur Aussichtsplattform des Turms hinauf, denn der Meerblick lohnt die Mühe.

Kurz hinter dem Museum wird der S. Roosevelt Boulevard zum Atlantic Boulevard und führt durch eine Siedlung mit Apartmenthäusern. Der Atlantic Boulevard endet an der White Street, der Nordgrenze der Altstadt von Key West. ∎

Die historische Altstadt

Key West

📷 Karte S. 206

DAS HISTORISCHE ZENTRUM VON KEY WEST IST NICHT DAS geografische Zentrum, sondern grenzt an den Hafen, den Key West Harbor, und den kommerziellen Anleger Key West Bight. Das offizielle Stadtzentrum ist der Mallory Square, wo die Mallory-Schifffahrtsgesellschaft einst Passagiere nach Kuba aufnahm.

LITERATUR IN KEY WEST

Ernest Hemingways Roman *Haben und Nichthaben,* 1938 erschienen, erzählt die tragische Geschichte des Conch-Fischers und Schmugglers Henry Morgan und macht die Verzweiflung der Krisenjahre von Key West ebenso deutlich wie die Bewunderung, die Hemingway für das Selbstvertrauen seiner Landsleute empfand. Mit dem Pulitzerpreis ausgezeichnet wurde auch die Dichterin Elizabeth Bishop, die von 1938 bis 1942 in 624 White Street lebte. Viele ihrer Gedichte haben Key West oder die anderen Keys zum Thema. ∎

Der Geschichte zufolge hat eine Einheit der US-Marine unter Leitung von Leutnant Matthew Perry (der später als Commodore Japan für die amerikanische Wirtschaft öffnete) 1822 erstmals die amerikanische Flagge auf der Insel gehisst. Den sumpfigen, malariaverseuchten Ort hatte im selben Jahr der Spekulant John Simonton dem spanischen Landverweser Juan Pablo Salas für 2000 Dollar abgekauft. Simonton bekam das Land und die USA ihren südlichsten Tiefwasserhafen, eine Rarität an Floridas flacher Küste. Key West wurde Standort der West India Squadron der Navy, die acht Jahre brauchte, um die mörderischen Piraten aus ihren Verstecken tief in den Mangrovenwäldern der Keys zu verjagen. In derselben Zeit begannen die ersten paar Hundert Siedler, überwiegend Neuengländer und englische Walfänger von den Bahamas, Handelsmatrosen und Schiffsberger, mit dem Bau von Häusern.

Mit dem Anwachsen von Amerikas Handelsflotte forderten die Riffe um Key West ihren Tribut. Bei ruhiger See und hellem Sonnenschein sind die zerklüfteten Korallen bis kurz vor dem Aufprall nahezu unsichtbar, und in der Hurrikansaison macht der Sturm die Schiffe ohnehin manövrierunfähig. Damals wie heute ist diese Strecke eine der meistbefahrenen Schifffahrtsstraßen der westlichen Hemisphäre. Deshalb kam es auf den Riffen zu Hunderten von Schiffbrüchen. Ihre Ladungen, die oft an der Küste von Key West angespült wurden, bewirkten einen unglaublichen wirtschaftlichen Aufschwung. Das amerikanische Bergungsgesetz, das im Grunde besagt, dass der Finder alles behalten darf, wurde überwiegend von Richtern aus Key West ausgearbeitet. Die »Abwracker« der Insel richteten ihre prächtigen Villen komplett mit diesen Fundstücken ein.

In den 1850er-Jahren ging ihre Glückssträhne jedoch zu Ende, denn es wurden die ersten Leuchttürme gebaut. Da mit diesem Wirtschaftszweig nichts mehr zu verdienen war, verlagerte man sich auf die Schwamm-Ernte, gefolgt von der Zigarrenherstellung der kubanischen Einwanderer, die im späten 19. Jahrhundert kamen. Auch der kommerzielle Fischfang lohnte sich mittlerweile, und um 1890 war Key West die reichste Stadt Floridas.

All das endete mit der Weltwirtschaftskrise. Die Schwämme waren verschwunden, die Zigarrenmanufakturen nach Tampa gezogen, und die Schiffe legten nun weiter im Norden an. Sogar die Navy hatte ihren Stützpunkt geschlossen. 1934 waren vier von fünf Einwohnern von Key West arbeitslos. Die Stadtväter verlangten staatliche Unterstützung, doch die Regierung gab das Problem prompt an den Staat Florida weiter, der beschloss, Key West mit öffentlichen Geldern in einen Touristenort zu verwandeln.

An die 4000 Inselbewohner schufteten ein halbes Jahr. Sie pflanzten Bäume, reparierten Häuser, entsorgten Berge von Müll und harkten den Seetang von den Stränden. Mit Zuschüssen des Bundesstaates wurden die Hotels wiedereröffnet und

Absolventinnen der staatlich geförderten Hausmädchenschule auf Key West eingestellt. Arbeitslose Musiker wurden angeheuert, die Key West Hospitality Band zu bilden, die Besuchern, die mit dem Zug oder dem Schiff kamen, bei ihrer Ankunft aufspielte. Andere Inselbewohner lernten kunsthandwerkliche Fähigkeiten wie etwa das Flechten von Sonnenhüten aus Palmwedeln.

Ein Touristenführer wurde geschrieben, in dem alles verzeichnet war, was die Besucher auch nur im Entferntesten interessieren konnte. Ein »typisches altes Haus« war Sehenswürdigkeit Nr. 12, die »aufgegebene Zigarrenfabrik« Nr. 35. Nummer 18 war Ernest Hemingways Haus in 907 Whitehead Street. In *A Key West Letter,* 1935 für die Aprilausgabe des *Esquire* geschrieben, erklärte er sich als von Touristen belagert, da er »zwischen Johnson's Tropical Grove (Nr. 17) und Lighthouse and Aviaries (Nr. 19)« wohnte. Das alles wäre »zwar sehr schmeichelhaft für das leicht aufgeblasene Ego Ihres Korrespondenten«, gestand er, »der Produktion aber sehr abträglich.«

So begann Key Wests Karriere als Reiseziel mit einer Empfehlung an die Reisenden, geschrieben von dem Bundesbeamten, der für die Herrichtung der Insel verantwortlich war: »Um Key West und seine Architektur, die Gassen und Wege, die freundlichen Menschen und die gesamte Schönheit wirklich kennenzulernen, muss der Besucher wenigstens mehrere Tage in dieser Stadt verbringen. Sofern Besucher nicht bereit sind, mindestens drei volle Tage zu bleiben, würde es die Verwaltung von Key West vorziehen, auf sie zu verzichten.« ∎

Jeden Abend finden sich Scharen von Menschen auf dem Mallory Square ein, um zuzusehen, wie die Sonne im Golf von Mexiko versinkt

Jongleure unterhalten auf dem Mallory Square die Besucher, die allabendlich kommen, um den oft feuerroten Sonnenuntergang zu bejubeln

Mallory Square
🅰 Karte S. 206

Mallory Square

AM DOCK DES MALLORY SQUARE LEGEN JEDES JAHR HUNderte von Kreuzfahrtschiffen an, deren Gäste schon von Händlern erwartet werden, die Eiscreme, Muscheln, T-Shirts, Luftballons und Schnickschnack jeder Art verkaufen. In Freiluftbars bearbeiten die Barkeeper gleich mehrere Shaker gleichzeitig und füllen die bunten Mischungen aus Eis, Fruchtsaft und Alkohol in Cocktailgläser – die Key-West-Versionen von Daiquiri und Piña Colada. Für Unterhaltung sorgen Zauberer, Jongleure, Stepptänzer, Pantomimen, Porträtzeichner, Feuerschlucker, Musiker, Wahrsager und manchmal sogar ein Seiltänzer.

SONNEN-UNTERGANGS-STIMMUNG

Das Ritual, sich abends auf dem Mallory Square einzufinden, um der Sonne zuzujubeln, wenn sie im Golf von Mexiko versinkt, entstand in den 1960er-Jahren. Die Sonnenuntergänge sind wirklich spektakulär, aber die Jahrmarktsatmosphäre, die dabei auf dem Mallory Square herrscht, ist nicht jedermanns Sache. ∎

Fremdenführer mit Fahrradrikschas werden darauf drängen, Sie mitzunehmen; aber lassen Sie sich etwas Zeit, denn es gibt hier viel zu sehen. Der Platz erinnert an Stephen Mallory, einen Bewohner von Key West, der 1861 der kurzlebigen Navy der Konföderierten als Minister diente. An der Ecke Front und Greene Street steht das in Rot und Terrakotta gehaltene Zollhaus aus den 1880er-Jahren, Floridas schönstes Beispiel für die Renaissance des romanischen Stils, der in Amerikas Gründerzeit weit verbreitet war. Heute ist dort das **Museum für Kunst und Geschichte** (Tel. 305/295-6616) eingerichtet, aber früher diente es als Postamt und Bundesgericht. Der kleinere Ziegelsteinbau daneben ist das älteste Marinegebäude der Insel, 1856 für die Lagerung von Schiffskohlen errichtet. Das etwas überladen wirkende **Gebäude der First National Bank** verdankt seine bunte und reich geschmückte Fassade dem Geschmack der kubanischen Zigarrenhersteller, die es im 19. Jahrhundert erbauen ließen.

Mit der Front zum Platz steht das älteste kommerziell genutzte Gebäude, errichtet aus Korallengestein, das am Bauplatz abgetragen wurde. Ursprünglich wurde hier Eis gelagert, aber jetzt ist das Shell Warehouse, ein Indoor-Basar, erfüllt vom zarten Geklimper der Windspiele, die hier verkauft werden. ∎

Mel Fisher Maritime Heritage Society

🗺 Karte S. 206
✉ 200 Greene St.
☎ 305/294-2633
www.melfisher.org
💲 $$

KAPITÄN GEIGER WAR NICHT DER EINZIGE UNTERNEHMER aus Key West, den das Ausplündern gesunkener Schiffe reich machte (siehe S. 219). Der erfolgreichste Schatzsucher jüngerer Zeit war Mel Fisher, dem es unter großen persönlichen Opfern gelang, zwei spanische Galeonen aufzuspüren, die 1622 in einem Hurrikan gesunken waren.

16 Jahre lang verbargen sich die *Nuestra Señora de Atocha* und die *Santa Margarita* vor Fisher, doch am 20. Juli 1985 fanden seine Taucher sie und bargen einen Schatz, der auf 400 Millionen Dollar geschätzt wird.

Vom Mallory Square zur »Schatz-Ausstellung« an der Front und Greene Street ist es nur ein kurzer Fußweg. Hier wird ein kleiner Teil seiner Fundstücke gezeigt: Gold, Silber, Schmuck und seltene nautische Artefakte aus den Schiffswracks, die in rund 18 Metern Tiefe entdeckt wurden. Ausgestellt sind Gold- und Silberbarren, kunstvolle Goldketten von fast drei

Metern Länge, ungeschliffene Smaragde von gigantischer Größe und juwelenbesetzte Kruzifixe. Eines der Ausstellungsstücke, einen sieben Pfund schweren Goldbarren, dürfen Besucher sogar in die Hand nehmen; ein anderes ist ein 77 Karat schwerer Smaragd, der eine Viertelmillion Dollar wert ist. Die historischen Exponate wecken Hoffnungen auf noch bedeutendere Funde, während andere auf die nüchterne Realität der modernen Schatzsuche verweisen: ungeheure Kosten, jahrelange, harte Arbeit und die Gefahren, die mit der Suche unter Wasser verbunden sind. ∎

Mel Fisher war der bekannteste Schatzsucher von Key West

Geborgene spanische Schätze

Die Altstadt erkunden

Die Altstadt von Key West durchwandern Sie am besten zu Fuß – so können Sie mit allen Sinnen genießen, was es zu sehen, zu hören und zu riechen gibt. Alternativ bieten sich Rundfahrten durch die Altstadt an.

Die beliebteste Tour ist der über 25 Blocks reichende Pelican Path, eingerichtet von der Old Island Restoration Foundation, die Sie durch ein Dutzend Straßen und zu mehr als 40 architektonisch und geschichtlich bedeutenden Gebäuden der Stadt führt. Die kostenlose Broschüre *Pelican Path – A Guide to Old Key West* gibt es im Hospitality House am Mallory Square – dem ehemaligen Fahrkartenbüro der Mallory-Schifffahrtsgesellschaft –, wo die Wanderung beginnt und endet *(Tel. 305/294-9501)*. Die Broschüre ist aber auch bei der Handelskammer zu haben *(401 Wall St., Tel. 305/294-2587)*. Der Spaziergang dauert mehrere Stunden, ein Mittagessen unterwegs inklusive. Die meisten Gebäude sind in Privatbesitz und können nicht besichtigt werden, aber im Februar und März bietet die Foundation im Rahmen der Festivitäten zu den Old Island Days mehrere Führungen durch Häuser und Gärten an.

Der Cuban Heritage Trail ist ein weiterer interessanter Spaziergang, der an fast 40 Häusern, Gebäuden und Lokalitäten vorbeiführt, die alle mit der Geschichte der Kubaner in Key West verbunden sind. Auch hier benötigen Sie eine Broschüre und Karte – es gibt sie kostenlos bei der Historic Florida Keys Preservation Foundation *(510 Greene St., Tel. 305/292-6718)*. Werfen Sie bei dieser Gelegenheit auch einen Blick auf die hervorragend kommentierte Karte der Foundation, die Key Wests historisches Viertel zeigt. Sie ist ein ausgezeichnet recherchierter Führer zu den Relikten der Inselgeschichte, in den vor Kurzem auch eine Fahrt auf dem Overseas Highway nach Key Largo aufgenommen wurde. Die Beschreibungen von Pigeon Key und des Fledermausturms auf Sugarloaf Key sind wirklich verlockend. Bei der Historic Florida Keys Foundation gibt es auch eine Broschüre für den Besuch des alten Friedhofs *(Führungen Di und Do 9.30 Uhr durch freiwillige Helfer der Foundation; Start am Haus des Küsters, am Eingang in der Margaret St., Tel. 305/292-6718 oder 305/292-6829)*. Der Stadtführer *The Walking and Biking Guide to Historic Key West* im Zeitschriftenformat ist kostenlos in fast jeder Buchhandlung erhältlich.

Wer nicht laufen will, kann die 22 Kilometer lange, 90 Minuten dauernde Stadtrundfahrt mit dem *Conch Train* mitmachen. Die offenen Wagen, die von einem putzig als Lok verkleideten Traktor gezogen werden, fahren jede halbe Stunde am Mallory Square vor 303 Front Street ab *(9.30–16.30 Uhr, Tel. 305/294-5161)*. Zusteigen kann man aber auch an der Haltestelle Flagler an 901 Caroline Street.

Vergleichbar mit dem Conch Train sind die Old Town Trolleies: kleine Busse, die halbstündlich *(9–16.30 Uhr, Tel. 305/296-6688)* von dem Platz am Roosevelt Boulevard abfahren. Auch diese Stadtrundfahrt dauert 90 Minuten, aber hier kann man nach Lust und Laune an jeder Haltestelle aussteigen und die Fahrt mit einem späteren Rundfahrtbus fortsetzen. ■

Die Conch-Republik

Am 20. April 1982 sperrte die amerikanische Grenzpolizei auf der Suche nach illegalen Einwanderern und Drogenschmugglern den Overseas Highway unterhalb von Florida City. Alle Autofahrer mussten ihre Papiere vorzeigen. Der resultierende Stau war eine Katastrophe für das Ansehen der Region, und die Bewohner der Keys empörten sich darüber, dass man sie wie Verdächtige behandelte. Nach drei Tagen verkündete die Stadtverwaltung von Key West die Abspaltung von der Union. Im Rahmen eines rauschenden Festes auf dem Mallory Square wurde Key West zur unabhängigen Nation mit dem Namen Conch-Republik erklärt. Die Conch-Flagge wurde gehisst, Visa und Grenzpässe ausgegeben und eine eigene Währung geprägt. Danach »ergab« sich die Rebellennation prompt wieder, verlangte Auslandshilfe vom Staat und feierte eine Woche lang. Noch heute wird jedes Jahr im April der Conch-Frühling mit den Conch Republic Days gefeiert. ■

Oben: Blechdächer und Plantagen-Fensterläden sind typisch für die Häuser in Key West
Unten: Der beliebte Conch Train startet zu einer Stadtrundfahrt

Audubon House & Tropical Gardens

NICHT WEIT VOM MALLORY SQUARE, AN DER ECKE WHITE-head und Greene Street, steht ein hübsches, zweistöckiges weißes Haus in einem prachtvollen, gepflegten Garten, den viele für den schönsten Floridas halten.

Zweifellos ist das historische Haus das eleganteste der Insel, ausgestattet mit einer attraktiven Mischung aus zeitgenössischen Möbeln und dekorativen Elementen – Gemälden, Porzellan, Kleidung, Puppen und Spielzeug. Der Name des Hauses ist jedoch irreführend, denn der Zusammenhang mit dem berühmten Ornithologen und Maler wilder Vögel ist rein sentimentaler Natur und historisch nicht haltbar.

John James Audubon, der Key West und die Dry Tortugas 1832 kurz besuchte, hat sich hier nie aufgehalten; das Haus gehörte John Geiger, einem Kapitän, der wie viele seiner Landsleute ein Vermögen mit der Bergung der Ladung havarierter Schiffe machte. Er baute das tadellos erhaltene Haus in den 1830er-Jahren für seine Familie. Seine Erben lebten mehr als 120 Jahre darin: bis 1958.

Durch seine Nähe zum Mallory Square war es vom Abriss bedroht, was Denkmalschützer verhinderten, die Haus und Garten in ein Museum zum Gedenken an Audubons Besuch in Key West umwandelten. Die Restaurierung des Hauses war der Auslöser für die Rettung weiterer historischer Gebäude.

Besucher dürfen das geräumige Haus auf eigene Faust besichtigen. Im Kinderzimmer im Obergeschoss ist Spielzeug aus den 1830er-Jahren zu bewundern, darunter zwei Paar Rollschuhe. Überall im Haus hängen Originalgrafiken und -gemälde von Audubon, und im Obergeschoss ist Porzellan mit Vogel- und Wildmotiven ausgestellt. Der Garten mit den gepflasterten Wegen, den Orchideen und einem Gewächshaus im Stil der 1840er-Jahre ist ein wundervoller Ort zum Verweilen. ∎

Oben: Tafelgeschirr wie dieses war oft die Beute von Schiffen, die in Seenot geraten waren

Links: Das Heim der reichen Familie Geiger

Audubon House & Tropical Gardens
www.audobonhouse.com

Karte S. 206

205 Whitehead St. at Greene St.

305/294-2116

$$. Audioführungen in Englisch und weiteren Sprachen. Schriftliches Material auch in Deutsch erhältlich

Caroline Street

ES GIBT VIELE GRÜNDE, DURCH DIESES MUSTERBEISPIEL des alten Key West zu wandern, das am oberen Ende der Whitehead Street vom President's Gate zum Truman Annex und weiter zum dicht bebauten Ufer der Key West Bight führt. Gegenüber dem zeremoniellen Eingang zum alten Marinestützpunkt (der nur für den Oberbefehlshaber und hochrangige Würdenträger geöffnet wurde) steht das mit weiß gestrichenen Brettern verkleidete, immer wieder renovierte Haus, das einst der Hauptsitz der Aeromarine Airways war.

Anfang der 1920er-Jahre beförderte diese Pionier-Fluglinie Passagiere und Postsäcke an Bord ausgemusterter Curtiss-F5-L-Wasserflugzeuge der Navy-Küstenpatrouille nach Kuba. In jedem Flugzeug wurde eine Brieftaube mitgeführt – für den Fall eines Absturzes. Mit dem Jungfernflug der Aeromarine am 1. November 1920 entstand zugleich eine der ersten offiziell anerkannten internationalen Luftpostverbindungen Amerikas. Die Gesellschaft ließ sich hier nieder, weil die Küste nah war – die Navy füllte erst später mehrere Hundert Meter Land bis zu den alten U-Boot-Liegeplätzen auf; heute befinden sich hier ein schicker Yachthafen und eine Promenade. Bei Aeromarine kostete der Flug ins 170 Kilometer entfernte Havanna 50 Dollar, und er dauerte, je nach Wind und

Zur Gastlichkeit bestimmt, beherbergen noch heute einige vornehme Altstadt-Villen, allen voran das Haus der Currys, ihre Gäste in viktorianischer Behaglichkeit

Wetter, zwischen 90 Minuten und zwei Stunden. (Die Überfahrt auf einem Mallory-Dampfschiff dauerte den ganzen Tag und kostete 19 Dollar.) Von 1921 an flog Aeromarine auch die 298 Kilometer lange Strecke nach Nassau auf den Bahamas und änderte seinen Namen in Aeromarine West Indies Airways. Nach nur zwei Jahren hatte die Fluggesellschaft fast 20 000 Passagiere sicher ans Ziel gebracht, doch da sich das Unternehmen als Verlustgeschäft erwies, wurde es 1923 geschlossen. Heute erinnern sich nur noch wenige an Aeromarine, aber das Restaurant **Kelly's** *(Tel. 305/293-8484, siehe S. 257)* wird allgemein mit den Anfangsjahren der später weltberühmten Pan American Airways Inc. in Verbindung gebracht, die vier Jahre nach dem Bankrott der Aeromarine die Routen übernahm. Auf dem Dach des Restaurants liegt das unverkennbare blaue Weltkugel-Logo von Pan Am.

Neben Kelly's befindet sich das hübsche, kleine **Heritage House Museum**, ein Archiv zur Geschichte von Key West, eingerichtet in einer Conch-Villa der 1830er-Jahre, in der sieben Generationen eines alten Key-West-Clans lebten, bis es schließlich ein Museum wurde. Es enthält noch die originale Einrichtung, darunter Gegenstände, die im 19. Jahrhundert aus China mitgebracht wurden. In dem wundervollen tropischen Gar-

ten hinter der Villa steht das Häuschen, in dem der Dichter Robert Frost zeitweilig wohnte.

Die 500 Blocks der Caroline Street sind zweifellos das schönste Wohngebiet der Altstadt, in dem sich beeindruckende Villen aneinanderreihen – die schönste ist wohl der **Curry Mansion Inn** (siehe S. 255) mit seinen 28 Zimmern, 1905 erbaut von einem Sohn William Currys, einem der erfolgreichsten Unternehmer des 19. Jahrhunderts.

1886 zerstörte ein verheerendes Feuer viele der frühen Villen in diesem Viertel. Aus der Asche entstanden jedoch noch prachtvollere Bauten, darunter das **George Patterson House** *(522 Caroline St.)*, eine üppige Interpretation des Queen-Anne-Stils, und das **Richard Kemp House** an der Ecke des nächsten Blocks *(601 Caroline St.)*, das als großartiges Beispiel für die Mischung von Conch- und klassizistischen Elementen gilt. Erbaut wurde dieses Meisterwerk von Schiffszimmerleuten. Kemp, ein Engländer von den Bahamas, begründete die Schwammindustrie von Key West.

Auch in den nächsten beiden Blocks Richtung Meeresufer sind Klassizismus-Variationen zu sehen, alles prächtige Witwensitze, die in der Nähe der hemdsärmeligen und barfüßigen Bier-und-Pommes-Atmosphäre der Key-West-Bight-Docks ein wenig fehl am Platz wirken. ■

Conch-Architektur

Key Wests Gebäude im Conch-Stil, der manchmal auch Bahamas-Stil genannt wird und im Grunde eine Mischung verschiedener Stilelemente der 19. Jahrhunderts ist, spiegelt die Techniken der Schiffszimmerleute wider. Sie waren so konstruiert, dass sie der subtropischen Hitze, Feuchtigkeit und Stürmen widerstanden: mit oben angeschlagenen Fensterläden, belüfteten Dachböden, steilen Dächern aus verzinktem Stahlblech, schattigen Säulenveranden und Stützpfeilern anstelle von Fundamenten. Die meisten bestehen aus Kiefernholz und wurden, bevor Key West in den 1930er Jahren »touristenfein« gemacht wurde, selten gestrichen, sondern nur von der Sonne silbrig ausgeblichen. ■

Little White House Museum

Unkomplizierte Zeiten: Harry S. Truman brauchte in seinem Hauptquartier in Key West nur ein einziges Telefon

TROTZ DER ABNEIGUNG GEGEN DIE BUNDESREGIERUNG WAR das Militär seit den 1820er-Jahren gern gesehener Gast in Key West, und die Stadt war eine der wenigen Amerikas, von der aus das Land regiert wurde. Das geschah nach der Ernennung von Harry S. Truman, der dem 1945 verstorbenen Franklin Roosevelt ins *Oval Office* folgte. Vor der Öffentlichkeit erschien Truman eisern entschlossen und zuversichtlich, aber das Amt kostete ihn seine ganze Kraft. Nach dem Sieg im Zweiten Weltkrieg sah er sich der ungeheuren Aufgabe gegenüber, Amerikas Interessen in der chaotischen Nachkriegszeit voranzutreiben. 1946 war er so erschöpft, dass seine Ärzte sich Sorgen machten. Ein längerer Urlaub war undenkbar – es gab zu viel zu tun. Er brauchte außerhalb der Winterkälte Washingtons einen sicheren Rückzugsort, wo er arbeiten, sich im Freien bewegen, im Kreise seiner Freunde und Berater entspannen und bei Bedarf schnell nach Washington zurückkehren konnte.

Little White House Museum

www.trumanlittlewhitehouse.com

Karte S. 206

111 Front St.

305/294-9911

$$

SOUTHERN WHITE HOUSE

Die Marinebasis in Key West passte perfekt, günstigerweise stand das Haus des Kommandanten gerade leer. Das große, 1890 erbaute Doppelhaus mit den schattigen Veranden, tropischen Fensterläden und großen Zimmern für gesellige Treffen ähnelte eher einem Klubhaus als einer militärischen Einrichtung. Ein US-Marinehospital lag nur wenige Schritte entfernt, und zum Militärgelände gehörte der schönste Strand von Key West (heute ist er Bestandteil des Fort Zachary Taylor State Park, siehe S. 224). Truman und sein Gefolge flogen zur Marinebasis Boca Chica und übernahmen das Haus, das inzwischen zu einem Einfamilienhaus umgebaut worden war. Im Partyraum diente ein Pokertisch zugleich als Präsidenten-Schreibtisch, und die Bar war von morgens bis Mitternacht mit einem Matrosen besetzt. Die Bedrohung des Präsiden-

ten wurde als so gering eingeschätzt, dass nur ein Beamter des Secret Service eingesetzt wurde, dessen Hauptaufgabe der Telefondienst war.

Neben seiner Arbeit spielte Truman Poker, schwamm im Meer und begann das gesellige Trinken schon morgens um sieben mit einem Whisky und Orangensaft. Seine Kraft und Lebensfreude kehrten zurück. »Am liebsten«, gestand er nur halb im Scherz, »würde ich die Hauptstadt nach Key West verlegen und einfach hierbleiben.« In den folgenden sechs Jahren seiner Amtszeit kehrte er zehnmal zurück und ging manchmal auch in die Altstadt, wo er bekannt dafür war, seinen Kaffee mit signierten Dollarscheinen zu bezahlen. Auch die Präsidenten Eisenhower und Kennedy nutzten Trumans Winter-Regierungssitz.

Mittlerweile hat sich vieles verändert, vor allem hinsichtlich der Verhaltensnormen eines Präsidenten. Die halbstündige Führung durch das Little White House ist wie ein Rückblick in eine viel einfachere und wesentlich gemütlichere Welt. Auf Trumans filzbezogenem Pokertisch, gebaut von Zimmerleuten der Navy und noch heute an seinem Platz, stehen Geschosshülsen als Aschenbecher und Zigarrenhalter. Der auf Wahrung des Anstands bedachte Truman hatte sich eine passende Tischplatte anfertigen lassen, die hastig aufgelegt wurde, um die Pokerkarten zu verstecken, wenn Außenstehende eingelassen wurden. In einem dieser Augenblicke unterschrieb er auf dieser Platte den Marshallplan, ein Programm zur finanziellen Unterstützung Westeuropas beim Wiederaufbau nach dem Zweiten Weltkrieg.

TRUMAN ANNEX

Umgeben ist Trumans Zufluchtsort vom Truman Annex, einem parkähnlichen Gelände mit Apartment- und Stadthäusern der gehobenen

Rechts: Das elegante Mobiliar im Little White House staubte ein, denn Truman zog es vor, an einem Pokertisch zu arbeiten

Klasse, erbaut auf einem Grundstück, das bis in die 1980er-Jahre der Marine gehörte. Das Hospital, in dem einst malariageschüttelte Marinesoldaten gepflegt wurden, ist einem Apartmenthaus gewichen, das einen schönen Blick auf den Yachthafen und die Uferpromenade bietet.

Der Annex ist ein geschlossenes Wohngebiet, dessen Tore aber zwischen acht Uhr und Sonnenuntergang offen stehen. Ein Spaziergang über das Gelände führt zurück zu den Sehenswürdigkeiten auf und um die Whitehead Street: zum **Hemingway Home and Museum** (siehe S. 226f) und alten **Leuchtturm von Key West** (siehe S. 225), zum Little-Bahama-Viertel entlang der Thomas Street – mit dem Restaurant Blue Heaven in einem wundervollen Haus mit Garten *(729 Thomas St., Tel. 305/296-8666)*, dessen Gerichte von den Westindischen Inseln Gourmets zum Schwärmen bringen – und in die Southard Street, die am **Fort Zachary Taylor State Park** und dem einladenden, baumbestandenen Korallenstrand endet, an dem Präsident Truman einst in völliger Abgeschiedenheit schwimmen ging. ∎

Fort Zachary Taylor State Park

Auf dem einstigen Exerzierplatz finden heute Picknicks und Konzerte statt

Fort Zachary Taylor State Park

www.floridastateparks.org/forttaylor/

📍 Karte S. 206

✉ Southard St., Truman Annex, Key West

☎ 305/292-6713

🕐 Halbstündige Führungen 12 und 14 Uhr

$ $

Bis 1973 befand sich hier das Hauptquartier des Karibik-Kommandos der Navy. Auf dem Weg zum Strand ist rechts die niedrige Festungsanlage zu sehen, nach der der 35 Hektar große Park benannt wurde.

1845 wurde mit dem Bau der Festung begonnen, die ausländische Abenteurer vom Golf und der Karibik fernhalten sollte. Damals lag der Bauplatz rund 350 Meter vor der Küste, aber Treibsand und Aufschüttungen sorgten allmählich für die Verbindung zur Insel, weshalb die auf dem Meeresgrund verankerten Fundamente mit Granitblöcken abgestützt werden mussten. Der Bau zog sich über 21 Jahre hin und kostete deutlich mehr Leben, aber schließlich war die Unterkunft für 500 Mann fertig und die Anlage mit fast 200 Kanonen bestückt, die 300 Pfund schwere Geschosse fünf Kilometer weit schießen konnten.

Modernisierungen sorgten dafür, dass die Festung auch im Zweiten Weltkrieg noch genutzt werden konnte. 1968 entdeckten Hobbyarchäologen bei einer Grabung Waffenkammern, Geschütze und Munition, die seit 1898 gebunkert worden waren. Heute verfügt das Museum der Festung über Amerikas umfangreichste Sammlung von Waffen aus der Zeit des Bürgerkriegs.

Das Fort ist eine architektonische Meisterleistung. Führungen finden zweimal täglich statt. ■

Fort Taylor Beach

Fort Taylor Beach

📍 Karte S. 206

✉ Ende der Southard St. beim Truman Annex

☎ 305/292-6713

$ $

An diesem ausnehmend hübschen Strand können Sie im Schatten der Bäume dösen, dem Wispern des tropischen Windes und dem Plätschern der Wellen lauschen. Hier gibt es Picknicktische, Grills, Toiletten, Duschen und einen kleinen Verkaufsstand. Der einzige Nachteil ist der Korallenkies, auf dem das Barfußlaufen unangenehm ist – bringen Sie also alte Turnschuhe mit. Sobald Sie aber im Wasser sind, ist es traumhaft. ■

Lighthouse Museum

Nachts fiel das Licht des alten Leuchtturms am Ende der Whitehead Street auf die Bäume in Ernest Hemingways Garten. Der dicke, ursprünglich 17 Meter hohe Turm wurde 1848 in Betrieb genommen und von einem Leuchtturmwärter betreut, der mit seiner Familie in einem hübschen Häuschen am Fuß des Turms wohnte. (Die örtlichen Bergungsunternehmer waren nicht begeistert, denn diese Navigationshilfe bedeutete weniger Wracks und damit den Niedergang ihres Gewerbes.) Als die Bäume und Häuser der Insel höher wurden, kehrten die Maurer zurück, um auch den Turm aufzustocken. Mit 28 Metern war er schließlich so hoch, dass ihn die Seeleute von überall sehen konnten.

1969 ging das Licht aus, ersetzt durch automatische Warnlichter an anderen Stellen, aber man kann die Wendeltreppe mit den 88 Stufen bis zur Aussichtsplattform hochsteigen. Die Rundumsicht ist ein hervorragendes Fotomotiv. Höchster Punkt der Stadt ist aber der Top, eine Lounge auf dem sechsstöckigen La Concha Holiday Inn in der Innenstadt (430 Duval St.). Das Haus der Leuchtturmwärters ist so perfekt restauriert, dass es nagelneu wirkt. Es ist angefüllt mit Seekarten, Schiffsmodellen, alten Fotos und Antiquitäten aus anderen stillgelegten Leuchttürmen der Keys. Hier gibt es auch einige Artefakte von der U.S.S. Maine, die auf den Dry Tortugas Kohle bunkerte, bevor sie 1898 ihrem explosiven Ende im Hafen von Havanna entgegendampfte (siehe S. 231). Hier ist auch die originale Fresnel-Linse zu sehen, deren ausgeklügelte Konstruktion das Flackern einer Laterne zu einem lebensrettenden Lichtstrahl bis weit aufs Meer hinaus verstärken konnte. ∎

Lighthouse Museum
www.kwahs.com/
lighthouse.htm
🅰 Karte S. 206
✉ 938 Whitehead St.
☎ 305/294-0012
💲 $–$$

San Carlos Institute

Bis 1961, als die Vereinigten Staaten ihre diplomatischen Beziehungen zu Kuba abbrachen, unterstützte Havanna das San Carlos Institute, ein politisches und soziales Zentrum. In der Anfangszeit wurde es auch als Opernhaus genutzt und vielfach als die Halle mit der besten Akustik des ganzen Südens gerühmt. Der kubanische Patriot José Martí (siehe S. 231) hielt von der Empore eine Rede, die die in Miami lebenden Kubaner noch immer inspiriert. Heute ist das Institut ein Museum kubanischer Kultur in Key West.

Das erste dauerhafte Gebäude dieser Einrichtung wurde 1884 in der Fleming Street errichtet und nach Carlos Manuel de Cespedes benannt, einem kubanischen Plantagenbesitzer, dem der Revolutionsslogan Cuba libre! zugeschrieben wird – worunter man heute eher einen Longdrink aus Rum und Cola versteht. Am Wochenende wird der packende, einstündige Dokumentarfilm Nostalgia Cubano über das Kuba der 1930er- bis 1950er-Jahre gezeigt. Die sozialen Unruhen, die zum Sturz des Batista-Regimes durch Castro führten, treten vor den fantastischen Aufnahmen der immer noch überaus lebendigen Kultur Kubas in den Hintergrund. Werfen Sie auch einen Blick in das Theater, dessen Kulissenmalerei wieder in den ursprünglichen prunkvollen Zustand versetzt wurde. Das Foyer ist mit wundervollen, handbemalten spanischen Majolikafliesen dekoriert. ∎

San Carlos Institute
🅰 Karte S. 206
✉ 516 Duval St.
☎ 305/294-3887
🕐 Geschl. Mo
💲 $

Oben: Der alte Leuchtturm von Key West

Hemingway
sagte, sein Heim
erinnere ihn an
Joan Mirós Bild
Die Farm, aber es
hätte auch von
Utrillo gemalt
worden sein
können

Hemingway Home & Museum

ALS ERNEST HEMINGWAY UND PAULINE PFEIFFER IM DEZEM-
ber 1931 einzogen, besaßen sie das einzige Haus in Key West mit einem
Keller: Er war durch den Aushub des Korallengesteins entstanden, das
für den Hausbau gebraucht wurde. Die zweistöckige Villa mit ihren
dicken Kalksteinwänden, einem Mansardendach, Terrassenfenstern,
hohen, grünen Fensterläden und dem umlaufenden Balkon mit Eisen-
gitter liegt auf einem 4000 Quadratmeter großen Eckgrundstück zwischen Banyanbäumen und ist eines der auffallendsten Häuser der Insel.

**Hemingway Home
& Museum**

www.hemingwayhome.com

Karte S. 206

907 Whitehead St.

305/294-1136

$$

Als die Hemingways es für 8000 Dol-
lar kauften, war es eine baufällige
Ruine, die nach dem Schiffsbauer,
der das Haus 1851 errichtet hatte,
Asa Tift House hieß. Hemingway
verwandelte das Haus in eine mit
Dienstboten ausgestattete Enklave
und eine kreative Zuflucht für ein
Genie, dessen Hingabe an seine Ar-
beit so groß war, dass ihn schon das
Schreiben von nur 500 Worten kör-
perlich erschöpfen konnte. Heming-
way brauchte absolute Ruhe und
fand sie in einem Raum, der über
dem Kutscherhaus im Garten ein-
gerichtet wurde. Pauline ließ für
20 000 Dollar einen 20 Meter langen
Meerwasser-Swimmingpool in den
Kalkstein des Grundstücks bauen –
eine für das von der Wirtschaftskrise
gebeutelte Key West unglaubliche
Extravaganz.

Bis 1940, dem Jahr seiner Scheidung von Pauline, lebte Hemingway in diesem Haus. In seinen zwölf Jahren in Key West (acht davon an dieser Adresse), in denen er nicht nur schrieb, sondern auch angeln und jagen ging, trank, reiste, als Kriegsberichterstatter arbeitete und Affären hatte, brachte er seine besten Werke hervor, darunter *Tod am Nachmittag, Die grünen Hügel Afrikas, Haben und Nichthaben* sowie eine Sammlung außergewöhnlicher Kurzgeschichten, vor allem *Das kurze glückliche Leben des Francis Macomber* und *Schnee auf dem Kilimandscharo*.

Für alle Menschen, die von Hemingways Prosa und seinem fast mythischen Leben fasziniert sind, liegt Magie in der Luft, sobald sie die Steinmauer passieren, die das Grundstück umgibt. Die Führungen dauern eine halbe Stunde, und im Haus befinden sich immer noch einige Möbel und Einrichtungsgegenstände der Hemingways, darunter auch die Kronleuchter aus venezianischem Glas: Pauline ließ sie im Esszimmer anstelle der Deckenventilatoren, die sie hässlich fand, aufhängen.

Fans wird empfohlen, über das Grundstück zu streifen und den rot gefliesten und mit Büchern gefüllten Arbeitsraum des Meisters aufzusuchen, der sich seit den Tagen seiner einsamen Arbeit – auf dem Stuhl eines Zigarrenmachers, vor einem runden Tisch mit klappbaren Seitenteilen – kaum verändert hat. Die alte Smith-Corona-Schreibmaschine ist allerdings nicht authentisch, denn Hemingway schrieb fast immer mit der Hand und ließ seine Manuskripte von anderen tippen. ∎

Key West bight

Verzweifelte Charaktere streifen in Hemingways Roman *Haben und Nichthaben* durch das Hafenviertel. Die Bürgersteige sind alles, was aus jener Zeit geblieben ist – aber vielleicht nicht mehr lange, denn die Erneuerung schreitet fort. Heute heißt die Gegend Harbor Walk und führt an den Docks vorbei, an denen die Schiffe der Schatzsucher neben Charterbooten und privaten Yachten liegen. ∎

Duval Street

DIE DUVAL STREET, NACH DEM ERSTEN GOUVERNEUR DES
Territoriums Florida benannt, hat alles zu bieten: von spanischen Silber-
Reales und Edelsteinen aus gesunkenen Galeonen bis hin zu Designer-
Sonnenbrillen und Gebäck. Vermutlich sind auf einer Strecke von
sechs Blocks in dieser Straße der Altstadt mehr T-Shirts und Bikinis zu
haben als irgendwo sonst in Amerika. Neben Fast Food sind auch Ver-
suche einer Haute Cuisine zu finden, aber die meisten Restaurants bewegen sich irgendwo dazwischen.

Bis in die 1920er-Jahre war die Duval
Street ein Sandweg. Gepflastert wurde sie erst, als die Inselbewohner
während der Wirtschaftskrise ihre
Stadt touristenfein machten. Als sie
dann in den 1930er-Jahren endlich
geteert wurde, landeten viele der
Pflastersteine in der Mauer, die
Hemingways Anwesen umgibt. Die
älteren Conchs erinnern sich noch
an die Zeit, in der es in der Duval
Street raue Bars wie Sloppy Joe's
und Captain Tony's Saloon gab. Sie
schwärmen von den längst ver-
schwundenen Stundenhotels, den
kubanischen Cafés und Häusern der
Zigarrenmacher und den Filmen, die
sie im alten **Strand Theater**
(527 Duval St.) gesehen haben. Erbaut wurde es 1918 von kubanischen
Handwerkern, in neuerer Zeit war
dort **Ripley's Believe It or Not!**
eingerichtet, bis das Museum des
Absurden in die 108 Duval Street
umzog.

Heute gibt es hier wesentlich
freundlichere, doch ebenso laute
Bars – aber die Gäste sind vorwiegend Touristen und Studenten in
den Ferien, nicht mehr arbeitslose
Eisenbahner, sonnengebräunte
Fischer und Matrosen auf der Suche
nach einem Schiff. Mit dem Auto
kann man die Duval Street in wenigen Minuten durchfahren, aber es
lohnt sich, zu Fuß zu gehen: vom
Mallory Square bis zur Truman Avenue, wo die Läden weniger werden.
Abhängig von Ihrer Stimmung und
Ihrer Einstellung zur freien Markt-
wirtschaft, werden Sie die Straße
entweder faszinierend oder einfach
grauenhaft finden. In den Frühjahrsferien kommen Studenten in Scharen in die Stadt, kippen Bier, Marga-
ritas und Piña Coladas und rasen auf
Mopeds herum, deren Zweitakt-Ge-
knatter jeden Nerv tötet.

In dem Abschnitt zwischen
Greene und Caroline Street ist die
Duval Street eine Straße der Bars,
Saloons, Pubs und noch mehr Bars.
Sloppy Joe's in der 201 Duval
Street ist heruntergekommen,
sehr beliebt und meistens voller
Touristen, die die vielen Fotos von
Hemingway sehen wollen, der einst
Stammgast im ursprünglichen
Sloppy Joe's an der Ecke 428 Greene
Street war – wo sich heute **Captain
Tony's Saloon** befindet, eine wei-
tere Traditionskneipe. Sloppy Joe
war Joe Russell, der gelegentlich
Rum schmuggelte und den der
Hemingway-Biograf Carlos Baker
als »zähen, kleinen Kerl mit einem
Steingesicht« beschrieb. Russell und
Hemingway wurden Freunde, und
der Schriftsteller charterte oft
Russells Kabinenkreuzer für Angel-
touren. Auf einer dieser Touren fing
Hemingway seinen ersten Marlin
und war seitdem fasziniert von
diesem Sport. Für das literarische
Werk ist jedoch interessanter, dass
Hemingway durch Beobachtung seines Freundes zu dem tragischen Hel-
den einer Kurzgeschichte inspiriert
wurde, aus der später der Roman
Haben und Nichthaben hervorging.

Duval Street
⚑ Karte S. 206

Wrecker's Museum
✉ 322 Duval St.
☎ 305/294-9502
$ $$

An der Südwestecke von Duval und Caroline Street steht das **Joseph Porter House** (*Nr. 10 der Pelican-Path-Tour*), eines der schönsten Beispiele für die merkwürdige Mischung aus Neuengland-, Bahamas- und kreolischem Stil, der für die Conch-Architektur typisch ist. Das Haus ist zum Teil privat, aber im Erdgeschoss sind einige Boutiquen, die Gästen den Aufenthalt auf der Veranda gestatten. Das elegante Haus trägt den Namen eines 1847 hier geborenen Arztes.

Ein Stück die Straße hinunter liegt das **Wrecker's Museum** in einem weiteren Conch-Klassiker, der als ältestes Haus von Key West gilt. Das mit weißem Holz verschalte Gebäude ist ein typisches Beispiel für den Wohnsitz eines der frühen Einwohner. Das Haus wurde 1829 in der Whitehead Street erbaut, drei Jahre später hierherversetzt (das geschah zu jener Zeit relativ häufig) und auf einen Meter hohe Pfosten gestellt, damit es trocken blieb, wenn eine Sturmflut die Innenstadt überschwemmte. In dem kleinen Museum sind in sechs Räumen Antiquitäten des 18. und 19. Jahrhunderts, Schiffsmodelle und Ausstellungsstücke zu sehen, die erklären, wie das »Abwracken« nicht nur zu einem respektablen, sondern auch zu einem ungemein lohnenden Gewerbe wurde. Schauen Sie unbedingt auch in den Hinterhof, denn dort befindet sich die letzte der Outdoor-Küchen, die es früher überall in Key West gab. ∎

Unter dem Dach des ursprünglichen Sloppy Joe's lernte Hemingway seine dritte Frau Martha Gellhorn kennen. Drinnen sind die Wände mit Fotos tapeziert, die die Freundschaft zwischen dem Schriftsteller und dem Gründer der Bar dokumentieren

**Im üppigen Grün
von Nancys Oase
mitten in der
Altstadt**

Nancy Forresters
Geheimer Garten

EINEN BLOCK VON DER DUVAL STREET ENTFERNT LIEGT EIN
traumhafter, 4000 Quadratmeter großer botanischer Garten, dem man
die Pflege ansieht: Orchideen, Farne, Bromelien, Blütensträucher, Rankpflanzen und mehr als 150 Palmenarten entfalten hier ihre ganze Pracht.

**Nancy Forresters
Geheimer Garten**
www.nfsgarden.org

🗺 Karte S. 206

✉ I Free School Lane,
Simonton St.
zwischen Fleming &
Southard Sts.

☎ 305/294-0015

💲 $$

Natürlich ist Nancy Forresters
Garten nicht wirklich geheim, aber
Sie werden sich wie ein Entdecker
fühlen, wenn Sie die Free School
Lane hinuntergehen und ihren
privaten Urwald betreten. Sie
werden bleiben wollen, und das
können Sie, denn mitten im Garten
steht ein großartig renoviertes
Häuschen, das zwei Personen Platz
bietet. Der Garten ist täglich vom
späten Vormittag bis abends ge-
öffnet, doch danach gehört er allein

den Bewohnern des Häuschens. Es
hat eine Klimaanlage, und die
Veranda ist mit Fliegengittern um-
spannt.

Zu mieten ist es für eine Nacht,
eine Woche oder einen Monat. Auf
dem Weg von der Duval Street zu
Nancys Garten kommen Sie am
Key West Island Bookstore
(513 Fleming St., Tel. 305/294-2904)
vorbei, wahrscheinlich der besten
Adresse für neue und antiquarische
Bücher. ■

Key West Cemetery

WIE VIELES IN KEY WEST, SO WURDE AUCH DER FRIEDHOF verlegt (eine Folge des Hurrikans von 1846). Jetzt befindet er sich am Rand der Altstadt, in einer ruhigen Nachbarschaft mit kleinen Häusern, von denen einige aufwendig restauriert sind, während andere seit Jahrzehnten keine neue Farbe gesehen haben.

Hier ruhen Generationen der Gründerfamilien von Key West

Da der »neue« Friedhof auf Korallengestein mit einem hohen Grundwasserspiegel liegt, sind die Gräber oberirdische Krypten, die denen in New Orleans ähneln. Der makabre Humor der Einwohner von Key West wird in den Grabinschriften deutlich: »Ich habe dir doch gesagt, dass ich krank bin«, wettert eine. Steinerne trauernde Engel, deprimierte Schwäne und melancholische Lämmer beklagen das vorzeitige Ableben: »Der Tag ist vergangen, und das Morgen wird nie mein sein«. In einer kleinen Umzäunung rund um einen Flaggenmast, der einem Schiffsmast gleicht, und einen unerschütterlichen Steinsoldaten mit einem Ruder liegen die Gräber von 22 Marinesoldaten,.

Ein anderes Monument gedenkt der Kubaner, die beim Kampf um die Unabhängigkeit ihrer Insel von Spanien starben, und der jüdische Teil des Friedhofs zeigt die Vielfältigkeit der Inselgeschichte auf eine Weise, wie sie anderswo nicht zu erleben ist. Wenn es Ihre Zeit erlaubt, nehmen Sie an einer der Führungen mit einem der hervorragend informierten freiwilligen Führer der Historic Florida Keys Foundation teil; sie beginnen am Büro des Küsters, am Eingang Margaret Street. Der Spaziergang dauert 90 Minuten und findet statt, bevor die Sonne auf die schattenlosen Kieswege niederbrennt. Die Tore sind von Sonnenauf- bis -untergang geöffnet. ■

Key West Cemetery
- Karte S. 206
- Angela, Frances, Olivia, & Windsor Sts.
- 305/292-6718 oder 305/292-6829
- Tägl. geöffnet. Führungen Di & Do, 9.30 Uhr

Das kubanische Erbe

Um 1890 war Key West die reichste Stadt Floridas. Unter den führenden Einwohnern waren kubanische Bankiers, Reeder und Zigarrenfabrikanten. Zu ihnen gesellten sich Hunderte freiwillig ins Exil gegangener Kubaner, die gegen die spanische Kolonialherrschaft kämpften, geführt von dem charismatischen José Martí, der Key West zur Basis seiner *Partido Revolutionario Cubano* machte. Anfang April 1895 brachen Martí und General Máximo Gómez von Santo Domingo aus zur Küste ihres Heimatlandes auf und lösten in Kuba den Unabhängigkeitskrieg aus. Mittlerweile ist fast in Vergessenheit geraten, dass Key West einst als Wiege der kubanischen Unabhängigkeit galt. ■

West Martello Tower

DER WEST MARTELLO TOWER SIEHT EIN WENIG RAMPO-
niert aus, was daran liegt, dass ihn die in Fort Zachary Taylor statio-
nierten Soldaten einst als Ziel für Schießübungen benutzten. Er wurde
1861 als befestigter Aussichtspunkt über die Küste gebaut, hat den Beschuss überstanden, wurde im Spanisch-Amerikanischen Krieg wieder
genutzt und ist jetzt in den deutlich freundlicheren Händen des Key
West Garden Club, der ihn mit Pflanzen, Büchern über Gartenbau und
Kunstgegenständen gefüllt hat und jedes Frühjahr eine Orchideen-
schau veranstaltet. Die Begrünung des alten Wachtturms ist eine lebende Enzyklopädie tropischer Pflanzen und Orchideen – und das direkt
an einem schönen Strand. Die Öffnungszeiten variieren; sollte geschlossen sein, rufen Sie an, und fragen Sie nach Informationen.

**West Martello
Tower**

www.keywestgardenclub.com

 Karte S. 207

Atlantic Blvd. &
White St.

305/294-3210

ZUFLUCHT DES
DRAMATIKERS

Vom Turm aus führt die White
Street landeinwärts in die Altstadt –
eine hübsche Strecke durch ein sehr
altes Viertel, die nur wenige Blocks
vom Mallory Square entfernt endet.
Machen Sie auf dem Weg den vier
Minuten dauernden Abstecher von
der White in die Duncan Street und
sehen Sie sich Haus Nr. 1431 an, in
dem Tennessee Williams lebte. Es
gehörte dem Autor von *Endstation
Sehnsucht* von 1949 bis zu seinem
Tod 1983. Es ist der Öffentlichkeit

zwar nicht zugänglich, aber die Statue des Schriftstellers, der einer der
begabtesten Dramatiker Amerikas
war, macht das im Bahamas-Stil erbaute Haus durchaus sehenswert.
Williams hat ein Arbeitszimmer angebaut und im Garten einen Pool
angelegt; er lebte und arbeitete hier
gern und produktiv. Das Haus in der
Nähe der Leon Street war der Dreh-
ort für die Verfilmung von Williams'
Stück *Die tätowierte Rose*. Sogar in
Schwarz-Weiß wirkt Williams'
Vision von Key West schwül und
erotisch aufgeladen. ∎

Der südlichste Punkt und das südlichste Haus

Rund 150 Kilometer hinter dem Paar, das sich hier ablichten lässt, liegt Kuba

WENN SIE RICHTUNG SÜDEN DIE DUVAL STREET HINUNTERsehen, entdecken Sie an ihrem Ende das leuchtend blaue Meer, und bei Hochwasser schlagen die Wellen gegen die Betonmauer, die errichtet wurde, damit niemand mit dem Auto auf den South Beach fährt. Die Duval Street endet an einem großen, bojenförmigen Kegel aus Beton, der der südlichste Punkt der Vereinigten Staaten sein soll. Auf der anderen Seite der Kreuzung steht eine beeindruckende, mit Türmchen geschmückte Villa im Queen-Anne-Stil, die den Namen *Southernmost House* trägt. Das Haus und der Kegel sind großartige Motive für Fotos, aber der südlichste Punkt ist nicht das, was er zu sein behauptet.

Der Punkt von Key West, der Kuba tatsächlich am nächsten liegt, befindet sich etwa eine halbe Meile westlich im US-Marinestützpunkt und ist damit Zivilisten nicht zugänglich. Diese Tatsache hat unter den Bewohnern der Conch-Republik schon häufiger für Verärgerung gesorgt. Aber da zwischen Tatsache und Fiktion nur ein paar Hundert Meter liegen, muss man schon sehr unromantisch sein, um darauf herumzureiten. Ganz abgesehen davon, dass ein wesentlich schlichteres Haus an der Kreuzung von Whitehead und South Street einen Block weiter westlich tatsächlich weiter im Süden steht als die schicke Villa am Ende der Duval Street. Der wirklich südlichste Punkt der Vereinigten Staaten liegt weit, weit entfernt: auf den Hawaii-Inseln, auf demselben Breitengrad wie Mexiko City. Aber hier sprechen wir vom amerikanischen Festland. Und an Tagen mit hohem Wellengang schwappt das Wasser bis auf die Straße, was es durchaus glaubhaft erscheinen lässt, dass hier tatsächlich Amerika endet und die Karibik beginnt. ■

Southernmost Point
Karte S. 206

Dry Tortugas National Park

WENIGE WOCHEN NACH SEINER ANKUNFT IN KEY WEST IM
Jahr 1928 fuhr Hemingway mit einem Führer, einem gemieteten
Boot und zwei Freunden zum Angeltrip zu den Dry Tortugas, einem
elf Kilometer langen Archipel aus sieben niedrigen Koralleninseln,
rund 100 Kilometer westlich von Key West. Er kehrte noch oft
zurück, fasziniert von der Wildheit der unbewohnten Inseln, den
sternenklaren Nächten, den unzähligen Seevögeln und dem klaren,
fischreichen Wasser. Außerdem steht hier die erstaunliche Ruine von
Fort Jefferson, ein aus 16 Millionen Ziegelsteinen gemauerter Koloss.

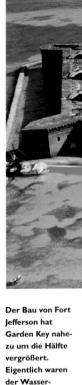

1930 verbrachten Hemingway, sein
legendärer Lektor Maxwell Perkins
und drei weitere Freunde 17 Sturm-
tage glücklich und zufrieden damit,
ihre Leinen in der blauen Lagune
unterhalb der riesigen Geschütze der
Festung auszuwerfen. Es gibt ein
Foto des Schriftstellers und seines
Lektors, wie wir sie in der Nähe des Eingangs stehen, hinter sich die Geschützpforten, die den leeren Augen-
höhlen eines Schädels ähneln. Wenn
Sie heute an dieser Stelle stehen, wird
sich an diesem Hintergrund kaum
etwas geändert haben, geschweige
denn an der unendlichen, blauen
Linie des Horizonts.

Seit 1992 bilden die Inseln das
Herzstück von Amerikas neuestem
und außergewöhnlichstem Nationalpark, einem Schutzgebiet für
Vögel und Meerestiere, zu dessen

260 Quadratkilometern
auch einige der gesündesten
Korallenriffe gehören, die es vor
der amerikanischen Küste gibt. Sofern Sie nicht mit dem Wasserflugzeug anreisen, dauert ein Besuch auf
den Tortugas einen ganzen Tag, von
dem Sie die Hälfte mit der dreistündi-
gen Anfahrt von Key West auf dem
Ausflugsboot verbringen werden. So
oder so wird Ihnen dieser Trip unvergesslich bleiben.

Es muss erwähnt werden, dass nur
rund 35 Hektar des Parks über der
Wasseroberfläche liegen und dass
Ihr Besuch Sie auf die sechs Hektar
großen **Garden Key** führen wird,
der zu drei Vierteln vom massiven
Sechseck Fort Jeffersons eingenom-
men wird. Die drei weiter östlich
liegenden Inseln sind kaum mehr als
Sandhaufen; die beiden an Garden
Key angrenzenden Inseln, **Bush Key**
und **Long Key**, stehen unter Naturschutz. Long Key darf nicht betreten
werden (seit einigen Jahren verbindet

**Der Bau von Fort
Jefferson hat
Garden Key nahe-
zu um die Hälfte
vergrößert.
Eigentlich waren
der Wasser-
graben und die
Außenmauer als
Schutz gedacht,
sind aber zum
Lebensraum un-
zähliger Meeres-
bewohner ge-
worden**

**Dry Tortugas
National Park**
www.nps.gov/drto
✉ P.O. Box 6208,
   Key West, FL 33041
☎ 305/242-7700
💲 $

eine Sandbank Bush und Garden Key). Fünf Kilometer weiter westlich enden die Tortugas mit dem rund zwölf Hektar großen **Loggerhead Key**, auf dem seit 1858 ein 46 Meter hoher Leuchtturm die Seefahrer vor den Riffen warnt, denen seit dem 17. Jahrhundert mehr als 200 Schiffe zum Opfer gefallen sind.

GARDEN KEY

Garden Key ist die interessanteste der Inseln. An den baumbestandenen Picknickplatz schließt ein wundervoller weißer Sandstrand an, der sanft zum flachen Wasser abfällt, das auch jene einlädt, die noch nie geschnorchelt sind.

Nehmen Sie sich mindestens eine Stunde Zeit, das gespenstische **Fort Jefferson** zu erkunden, das gebaut wurde, um die amerikanische Vorherrschaft in der Floridastraße zu sichern. Die Festung wird manchmal auch »Gibraltar des Golfs« genannt, und so sieht sie auch aus: Zweieinhalb Meter dicke und 15 Meter hohe Mauern bilden ein Sechseck, dessen 2000 massive Bogen auf einer Länge von 800 Metern drei Reihen von Geschützpforten stützen, die für 450 Kanonen vorgesehen waren, darunter auch riesige Rodman-Geschütze, die ein 300 Pfund schweres Geschoss fünf Kilometer weit schießen konnten. Aber die Festung war von Anfang an in jeder Hinsicht ein Fiasko, denn sie zerbarst buchstäblich unter ihrem eigenen Gewicht, weil das bröckelige Korallengestein unter ihr nachgab. Glücklicherweise war die ganze Anlage so beeindruckend, dass sie nie im Kampf erprobt werden musste.

Als der Bürgerkrieg ausbrach, war sie unterbesetzt und mit nur einer

Ein hypnotisierender Blick durch den Geschützgang im ersten Stock

Über das Besucherzentrum von Fort Jefferson erhebt sich der eiserne Leuchtturm aus dem 19. Jahrhundert, der nicht mehr im Dienst ist. Jetzt warnt ein Lichtsignal auf dem nahen Loggerhead Key die Seeleute vor den Riffen und Untiefen der Tortugas

funktionstüchtigen Kanone bestückt. Auf die Forderung der konföderierten Marine, sich zu ergeben, reagierte der Kommandant der Festung mit der Drohung, die feindlichen Schiffe zu vernichten. Ein Beschuss mit den 450 Kanonen hätte in der Tat eine verheerende Wirkung gehabt – doch alles, was sich hinter den Geschützpforten verbarg, waren ein paar Soldaten, die ängstliche Blicke auf die Rebellenflotte warfen. Die Konföderierten zogen es vor, sich zurückzuziehen, und kamen nicht wieder, und der einsame Außenposten wurde zum Gefängnis, vor allem für Deserteure.

Nach 30 Jahren, in denen immer wieder an ihr gebaut wurde, fiel die Festung 1874 dem Gelbfieber, einem Hurrikan und dem Aufkommen neuer Geschütze zum Opfer, gegen die selbst die zweieinhalb Meter dicken Mauern wirkungslos waren. Ab 1898 diente die Festung als Kohlebunker für die Marine; 1907 wurde sie endgültig aufgegeben.

Bei der Ankunft sollten Sie einen Blick auf die Anschlagtafel werfen und nachsehen, wann die Ranger die nächste Führung anbieten. Wenn Sie campen wollen, erkundigen Sie sich sofort nach einem freien Platz, denn wer zuerst kommt, hat die besten Chancen. Das **Besucherzentrum** befindet sich am Eingang; der Buchladen der Florida National Parks and Monuments Association öffnet nur auf Verlangen. Sehen Sie sich das Video auf dem Rekorder an, den Sie selbst starten müssen, und folgen Sie dann den Hinweisschildern durch die eindrucksvolle Architektur von Fort Jefferson und auf den parkähnlichen Exerzierplatz.

Wendeltreppen aus Granit führen zu den Wehranlagen und einem Rundpanorama, von dem aus das Beobachten der Vögel mit dem Fernglas eine reine Freude ist. Beim Spaziergang auf der Brustwehr werden Sie in der Nähe des längst stillgelegten Leuchtturms aus dem 19. Jahrhundert mehrere Geschütze aus der Zeit des Bürgerkriegs entdecken. Sich hier niederzulassen und zuzusehen, wie die dunklen Fregattvögel vorbeisegeln, ist ein unvergessliches Erlebnis.

SCHNORCHELN

Nach der langen Anreise sollten Sie unbedingt die Gelegenheit zum Schnorcheln nutzen. Die Betreiber der Fähren bemühen sich zwar, stets ein paar Taucherbrillen, Schnorchel und Flossen an Bord zu haben, aber Sie sollten vorsichtshalber ihre eigene Ausrüstung mitbringen. Wenn Sie nicht ins Wasser wollen, holen Sie sich die Broschüre *Walking the Seawall*, und tun Sie genau das: Wandern Sie über die 900 Meter lange Steinmauer, die Fort Jeffersons Wassergraben umgibt, der Flügelschnecken, Stachelrochen, Schnappern und vielen anderen Lebewesen einen sicheren Lebensraum bietet.

Das beste ufernahe Schnorchelrevier liegt auf der Seeseite der Mauer: in brusttiefem Wasser auf einer Sandbank voller Fächer- und Mäanderkorallen und Schildkrötengras, in dem viele der hier identifizierten 442 Fischarten umherschwimmen. Wenn Sie zu zweit sind oder jemanden – zur Sicherheit – zum Mitkommen überreden können, sollten Sie von der Badestelle am Campingplatz aus an der Mauer entlangschwimmen, wo sich stets viele Fische aufhalten. Halten Sie Ausschau nach Barrakudas, die zwar nur selten angriffslustig sind, aber ihre Reviere verteidigen.

Dank einer Sandbank, die in den letzten Jahren entstanden ist, können Sie in die urzeitliche Vegetation von Bush Key mit Kalifornischer Eibe, Meertrauben, Mangroven, Meerhafer und Feigenkakteen hinüberwandern. Es war genau diese Landschaft, die auch Juan Ponce de León sah, als er 1513 hier ankerte. Ponce de León stellte außerdem fest, dass es in den

Gewässern nur so von Schildkröten wimmelte – Suppenschildkröten, Echte und Unechte Karettschildkröten und Lederschildkröten –, nach ihnen nannte er diese Inseln *Cayos las Tortugas*. Heute sind die Schildkröten infolge von vier Jahrhunderten übermäßiger Bejagung selten geworden, aber jedes Jahr zwischen März und September kehren schätzungsweise 100 000 Seeschwalben nach Bush Key zurück, um in Sandnestern zu brüten. (In diesen Monaten ist das Betreten der Insel verboten.)

ANREISE

Zu den Dry Tortugas gelangt man mit dem Boot oder dem Wasserflugzeug; beide hängen vom Wetter ab. Nähere Informationen und eine Liste autorisierter Lufttaxi- und Charterbootfirmen gibt es bei der Dry-Tortugas-Nationalparkverwaltung *(Tel. 305/242-7700)*, aber buchen müssen Sie direkt beim jeweiligen Unternehmen. Sie sollten jedoch wissen, dass die Dry-Tortugas-Parkverwaltung im Everglades-Nationalpark liegt *(40001 Fla. 9336, Homestead, Tel. 305/242-7700)* und dass es in Key West kein Büro gibt. Schriftliche Anfragen können aber an folgende Adresse gerichtet werden: P.O. Box 6208, Key West, FL 33041-6208.

Die Anfahrt mit dem Boot von Key West dauert etwa drei Stunden. Wer mit dem eigenen Boot kommt, sollte sich nach den von der NOAA (National Oceanic and Atmospheric Administration) herausgegebenen Karten 11434 *(Sombrero Key Dry Tortugas)* und 11438 *(Dry Tortugas)* richten. Öffentliche Anlegestellen gibt es nicht; private Boote müssen vor der Küste an ausgewiesenen

Schnorchler vergnügen sich im flachen, klaren Wasser vor Loggerhead Key und seinem Leuchtturm aus der Zeit des Bürgerkriegs. Gegenwärtig wird die Insel von allen dort nicht heimischen Pflanzen befreit, damit wieder eine ursprüngliche Vegetation entstehen kann

Der größte Teil des Dry Tortugas National Park liegt unter Wasser, deshalb sind Tauchen oder Schnorcheln die besten Methoden, ihn zu erkunden

Stellen ankern. Die Überfahrt sollten aber nur erfahrene Kapitäne mit hochseetüchtigen Booten wagen. Für den Hin- und Rückflug müssen etwa 179 Dollar pro Person für den halben Tag (was etwas knapp ist) und um 305 Dollar für einen ganzen Tag veranschlagt werden *(Sea Planes of Key West, Tel. 305/294-0709)*. Mit dem Boot kosten Hin- und Rückfahrt zwischen 70 und 100 Dollar *(Fast Cat II, Tel. 800/236-7937)*.

Der Park hat das ganze Jahr über geöffnet, aber die meisten Besucher kommen im Frühjahr: Dann ist das Vorausbuchen von Flug oder Überfahrt zu empfehlen. Übernachtungen sind nur auf Garden Key möglich; Loggerhead und Bush Key sind nur tagsüber für Besucher zugänglich. Von März bis September (der Brutzeit der Seeschwalben) ist das Betreten von Bush Key nicht erlaubt. Tagesbesucher zahlen keinen Eintritt. Hunde sind nur auf dem Campingplatz gestattet und müssen während des gesamten Aufenthaltes angeleint sein.

CAMPING

Auf Garden Key gibt es zehn einfache Zeltplätze unter Bäumen, die in der Reihenfolge des Erscheinens vergeben werden. Auf dem Anleger stehen Komposttoiletten zur Verfügung. Pro Person wird eine kleine Campingplatzgebühr erhoben, und die maximale Aufenthaltsdauer beträgt 14 Tage. Gruppen von zehn oder mehr Personen brauchen eine spezielle Genehmigung, die bei der Dry-Tortugas-Parkverwaltung im Everglades-Nationalpark (siehe S. 237) zu bekommen ist.

BESONDERE TIPPS

Der Anleger, das Besucherzentrum und das Erdgeschoss von Fort Jefferson sind mit dem Rollstuhl zu erreichen, ebenso der Campingplatz. Die mit Ziegelsteinen gepflasterten Wege in der Festung und der sandige Boden auf dem Campingplatz erschweren jedoch das Vorankommen.

Die Dry Tortugas sind tatsächlich trocken: Abgesehen von nur einem öffentlichen Trinkbrunnen, gibt es kein Süßwasser für die Camper und auch keine Duschen. Wenn Sie zelten wollen, müssen Sie also Wasser, Brennmaterial, Essen und andere Vorräte mitbringen. Tagesausflügler brauchen Wasser, Badesachen, eine Jacke oder einen Pullover (auf der Rückfahrt mit dem Boot kann es windig, feucht und kühl sein), eine Schnorchelausrüstung und ein Fernglas zum Betrachten der Vögel und der benachbarten Inseln. Erfahrene Camper schwören auf die solarbeheizte Dusche – ein Plastiksack mit angebauter Brause, mit dem sie nach dem Schwimmen das Salzwasser abwaschen. Vergessen Sie nicht, den Sack in Key West zu füllen.

Noch etwas zum Schluss: Wie lange Sie auch in diesem subtropischen Paradies verweilen wollen – Ihre Alltagssorgen werden Sie zurücklassen müssen, denn es gibt keine Telefonverbindung. ∎

Reise-informationen

**Sonnenschirme am Miami
Beach**

REISEINFORMATIONEN

REISEPLANUNG

Miami ist eine sonnige, wasserreiche Urlaubsregion mit ca. 900 Quadratkilometern Küstengewässern, 60 Marinas, 90 000 zugelassenen Schiffen und Booten sowie an die 5000 Hektar Parkgelände – und das alles bei einer jährlichen Durchschnittstemperatur von fast 24 °C.

Das einzigartige tropische Klima bereitet heiße und schwüle Sommermonate, denen ein warmer Winter folgt. 21 °C im Januar sind keine Seltenheit; manchmal kann die Temperatur aber auch auf 10 °C fallen. Von November bis Mitte Mai ist Hochsaison. Während dieser Zeit finden in South Beach die meisten Veranstaltungen statt; Filme werden gedreht und Modeschauen abgehalten. Mit hohen Temperaturen am Tag, kühlen Abenden und geringer Luftfeuchtigkeit zeigt sich das Wetter dann von seiner besten Seite. Allerdings sind die Preise der Hotels und Autovermietungen von November bis Mai sehr hoch. Ende Mai sinken die Preise wieder – von Mai bis Oktober ist es heiß mit hoher Luftfeuchtigkeit bei häufig auftretenden kurzen, aber heftigen Schauern. Die Gefahr von Stürmen und Hurrikans besteht vornehmlich von August bis November. Auf den Keys beträgt die durchschnittliche Tagestemperatur 25,5 °C; nachts sinken die Temperaturen auf ca. 19 °C. Kühle Brisen vom Atlantik und Golf verhindern höhere Temperaturen. Key West ist Floridas Stadt mit den geringsten Niederschlägen und fast das ganze Jahr über sonnenverwöhnt. Allerdings können die Temperaturen im Dezember und Januar auch mal auf bis zu 10 °C fallen.

ANREISE NACH MIAMI

MIT DEM FLUGZEUG

Miami International Airport (MIA), Tel. 305/876-7000.

Zentral gelegen, ca. 11 km nordwestlich der Innenstadt. Touristeninformationen erhalten Sie nach der Zollabfertigung am Informationsschalter in Halle E sowie in Halle D und G desselben Terminals.

MIT DEM ZUG

Obwohl Henry Flagler mit seiner Eisenbahn Florida erschloss, entdecken Touristen erst seit kurzer Zeit wieder die Bahn als Transportmittel in den Süden. Entlang der Ostküste fährt von New York nach Miami der Silver Service von Amtrak; aus Los Angeles kommt der Sunset Limited.

ANREISE ZU DEN KEYS

MIT DEM FLUGZEUG

Vom Miami International Airport, aber auch von Orlando, Tampa und Fort Lauderdale bestehen sehr gute Flugverbindungen zu den Flughäfen von Key West und Marathon. Die Flugzeit von Miami nach Key West beträgt 45 Minuten.

MIT DEM AUTO

Um auf die US 1 zu gelangen, fahren Sie vom Miami International Airport über die LeJeune Road südlich zur Fla. 836 west. Diese führt zur mautpflichtigen Fla. 821 west, über die man in den Süden Richtung Florida City und auf die US 1 fährt. (Beachten Sie die nachfolgenden Hinweise zum Thema Mietautos am Miami International Airport.)

Nicht ein Auto, sondern ein Boot scheinen Sie zu steuern, wenn Sie auf der US 1 fahren, die über 42 Brücken die Keys mit dem Festland verbindet. Auf der einen Seite liegt der Atlantik in Türkis, auf der anderen Seite die Florida Bay in kräftigem Blau. Dieser Overseas Highway von Key Largo nach Key West ist die einzige Straßenverbindung zu den Keys,

zu der auch die berühmte Seven Mile Bridge gehört.

Kleine grüne Schilder entlang der Straße geben als Mile Marker (MM) die Entfernungen an. Key West stellt mit MM 0 den Ausgangspunkt dar; South Miami liegt bei MM 126.

MIT DEM SHUTTLEBUS

Reisende können vom Miami International Airport einen Shuttlebus nach Key West besteigen, der an vielen Orten entlang der Keys hält. Die Fahrt nach Key West dauert ca. 4 1/2 Stunden. Die Abfahrtszeiten vom Flughafen sind täglich um 6.30, 12.45, 16 und 19 Uhr. Hin und zurück kostet es nach Marathon ca. 30 $, nach Key West 64 bis 69 $. Die Rückreise nach Miami können Sie auch mit dem Flugzeug antreten.

Greyhound Keys Shuttle, Tel. 800/410-5397

UNTERWEGS IN MIAMI UND AUF DEN KEYS

MIT DEM AUTO

AUTOVERMIETUNGEN
Die meisten Autovermietungen haben ihre Niederlassungen außerhalb des Flughafengeländes und sind mit einem Shuttlebus zu erreichen. Wenn Sie nachts ankommen, können Sie mit dem Taxi ins Hotel fahren und mit der Autovermietung vereinbaren, dass das Auto am nächsten Morgen dort für Sie bereitsteht. Die Broschüre *Follow the Sun* mit speziellen Karten und Reiseinformationen in mehreren Sprachen erhalten Sie an den Informationsschaltern des Airports sowie bei den Filialen der Autovermietungen im Flughafen und außerhalb des Flughafengeländes.

Im Bereich Miami sollten Sie nach den Straßenschildern mit der Sonne, dem *Follow-the-Sun*-Zeichen, Ausschau halten. Sie weisen den Weg zum beliebten Miami Beach, nach Coconut Grove und Downtown Miami.

Alamo Rent A Car
3355 N.W. 22nd St., Miami, FL
33142, Tel. 305/633-4132 oder
800/327-9633; www.alamo.com

Avis Rent-A-Car
2318 Collins Ave., Miami Beach,
FL 33139, Tel. 305/538-4441 oder
800/331-1212; www.avis.com

Budget Car and Truck Rental
3901 N.W. 28th St., Miami, FL
33142, Tel. 800/527-0700;
www.budget.com

Dollar Rent-A-Car
Miami International Airport
3670 N.W. South River Dr., Miami, FL 33142, Tel. 866/434-2226;
www.dollar.com

Enterprise Rent-A-Car
3975 N.W. South River Dr., Miami, FL 33142, Tel. 305/633-0377
oder 800/325-8007; www.enterprise.com

Excellence Luxury Car Rental
3950 N.W. 26th St., Miami, FL
33142, Tel. 305/526-0000 oder
888/526-0055; www.excellenceluxury.com

Hertz Rent-A-Car
3795 N.W. 21st St., Miami, FL
33142, Tel. 305/871-0300 oder
800/654-3131; www.hertz.com

National Car Rental
2301 N.W. 33 Ave., Miami, FL
33142, Tel. 305/638-1026;
www.nationalcar.com

Sami's Rent A Car
Clarion Hotel, 5301 NW 36th
St., Miami, FL 33166, Tel. 305/871-1100 oder 877/937-7267, Fax
305/871-0705

Autovermietung für Behinderte
Wheelchair Getaways, 8 Bay
Harbour Rd., Tequesta, FL 33469,
Tel. 561/748-8414 oder 800/637-7577, Fax 561/748-8677

PARKEN
Bei Überschreitung der Parkzeit
sind 18 $ fällig; wird nicht innerhalb von 30 Tagen gezahlt, erhöht
sich das Bußgeld auf 45 $.

Parkhäuser
Die Miami Parking Authority
(190 N.E. 3rd St., Downtown
Miami; geöffnet Mo–Fr 7.30–16.30 Uhr, Tel. 305/373-6789)
informiert über Lage, Gebühren
und Öffnungszeiten der Parkhäuser.

Abschleppzonen
Wenn Ihr Auto abgeschleppt
wurde, wenden Sie sich an die
Stadtverwaltung. In Miami ist
Beach Towing, Tel. 305/534-2128,
verantwortlich.

AAA EMERGENCY ROAD SERVICE
Die AAA-Mitglieder erhalten im
Notfall kostenlose Pannenhilfe
und werden kostenlos abgeschleppt. Der Beitritt kann telefonisch erfolgen. AAA-Mitglieder
haben im Notfall Vorrang.

VERKEHRSMITTEL VON UND ZUM FLUGHAFEN

Es ist nicht empfehlenswert, in
Miami für die Fahrt vom Flughafen ins Hotel öffentliche Verkehrsmittel zu benutzen. Die
Busse fahren stündlich vom Ankunftsterminal ab, haben aber nur
wenige Anschlussverbindungen.

SUPER SHUTTLE
22595 N.W. 38th St., Miami, FL
33142, Tel. 305/871-2000. Ein Minibus-Service vom und zum Miami International Airport; Reservierungen sind nur für den Weg
zum Flughafen erforderlich. Pro
Person kostet die Fahrt vom Airport zu den Hotels oder Attraktionen in South Beach und im
Art-déco-Viertel 15 $, zum Coconut Grove ebenfalls 15 $, nach
Coral Gables 14 $ und Richtung
Downtown Miami 13 $.

TAXI
Für die 13 km vom Flughafen ins
Zentrum von Miami werden ca.
18 $ berechnet. Die Fahrt ins etwa 23 km entfernte Miami Beach
kostet rund 24 $. Um mit dem
Taxi in den Norden von Miami
Beach zu gelangen, muss man
38 $ zahlen. Unter Tel. 305/375-

2460 werden alle Fragen zum
Thema Taxi beantwortet; hier
werden auch Beschwerden entgegengenommen.

Flamingo Taxi
198 N.W. 79th St., Miami, FL
33150, Tel. 305/759-8100

Florida Keys Taxi Dispatch
6631 Maloney Ave., Key West, FL
33040, Tel. 305/292-1234

Friendly Cab Co.
800 14th St., Key West, FL
33040, Tel. 305/292-0000

Metro Taxi
1995 N.E. 142nd St., North Miami, FL 33181, Tel. 305/888-8888

VERKEHRSMITTEL IN MIAMI

Die Miami-Dade Transit Agency
ist für das öffentliche Verkehrsnetz in Miami verantwortlich.
Informationen über Metrobus,
MetroMover und Metrorail
erhalten Sie unter Tel. 305/770-3131 oder auf
www.miamidade.gov/transit/;
Tickets und Wertmarken erhalten Sie an jeder Metrorail-Station.

METROBUS
Mehr als 19 Buslinien bedienen
den Großraum Miami sowie die
Strände. Die Einzelfahrt kostet
1,25 $ (Betrag muss passend
sein). Rentner, Behinderte und
Studenten mit Ausweis zahlen
60 Cent.

METROMOVER
Miamis moderne Magnetbahn
fährt im 90-Sekunden-Takt von
6 bis 24 Uhr auf einer 6,5 km
langen Hochstrecke durch
Downtown Miami nach Brickell
und in die Omni Business
Districts. Die Fahrten sind
kostenlos. Vom Zug aus hat
man einen großartigen Blick auf
die Biscayne Bay. Die Wagen
sind klimatisiert, sauber und
komfortabel. An den Stationen
Government Center und
Brickell Avenue kann man in
die Metrorail umsteigen.

METRORAIL

Die Metrorail ist die teure und wenig benutzte Schnellbahn, die auf einer 38 km langen Hochstrecke durch Miami führt. Zu den Haltestellen zählen Coconut Grove, Vizcaya, Brickell Avenue und Government Center. Die Züge fahren im Durchschnitt alle 20 Minuten zwischen 6 und 24 Uhr (alle fünf Minuten zur Hauptverkehrszeit). Der Preis für eine Einzelfahrt beträgt 1,25 $ (reduzierter Preis 60 Cent) – der Betrag muss passend gezahlt werden. An den Stationen Government Center und Brickell Avenue kann man in den Metro-Mover umsteigen.

SOUTH BEACH LOCAL

Durch SoBe fährt im 10- bzw. 15-Minuten-Takt der South Beach Local, ein Bus der Miami-Dade Transit Agency, der den traditionellen Electrowave-Shuttlebus abgelöst hat. Eine Fahrt kostet 25 Cent.
15-Min.-Takt Mo–Sa 7.45–10 Uhr und 18–1 Uhr, So 10–12 und 18–1 Uhr,
10-Min.-Takt Mo–Sa 10–18 Uhr, So 12–18 Uhr;
www.miamibeachfl.gov/newcity/sobe_local.asp

VERKEHRSMITTEL IN KEY WEST

In den engen Straßen der Altstadt von Key West ist das Autofahren sehr mühsam. Empfehlenswerter ist es in jedem Fall, Key West zu Fuß oder mit einem gemieteten Fahrrad oder Moped zu erkunden. Außerdem bieten sich Straßenbahnen und Züge für Besichtigungstouren an.

Old Town Trolley Tours
1910 N. Roosevelt Blvd., Key West, Tel. 305/296-6688 oder 800/868-7482.
Mit den Old Town Trolleys werden kommentierte Rundfahrten zu den historischen Stätten von Key West geboten.

Conch Tour Trains
1805 Staples Ave., Key West, FL 33040, Tel. 305/294-5161 oder 800/868-7482.
Traktoren, die als kleine Loks »verkleidet« sind, ziehen die mit Segeltuch überdachten Waggons zu den Sehenswürdigkeiten der Stadt.

KREUZFAHRT-TERMINAL PORT OF MIAMI

Miami ist weltweit das beliebteste Ziel für Kreuzfahrtschiffe. Zehn Kreuzfahrtgesellschaften nutzen den Port of Miami (Tel. 305/371-7678; www.co.miami-dade.fl.us/portofmiami) zur Abfertigung ihrer Schiffe. Die zwölf Terminals sind voll klimatisiert und bieten behindertengerechte Zugänge. Hier finden Sie Duty-free-Shops und Zollabfertigungen.

Cruise Travel Specialists
Cruises Only, 150 N.W. 168th St., North Miami Beach, FL 33169, Tel. 305/653-6111.

PRAKTISCHE TIPPS

KOMMUNIKATION

ZEITUNGEN

Der Miami Herald ist die wichtigste Tageszeitung im Süden Floridas. In der Freitagsausgabe gibt es Veranstaltungstipps und Restaurantempfehlungen für das folgende Wochenende.
In Miami erscheint daneben wöchentlich die New Times mit vielen Restauranttipps und Hinweisen zu Kunst- und Kulturveranstaltungen.

POST

General Mail Facility
2200 N.W. 72nd Ave., Miami, FL 33126, Tel. 305/470-0222 oder 800/275-8777. Hier erfahren Sie, wo Sie Postfilialen finden, und erhalten weitere Informationen zum Postwesen.

BÜCHER

Der Süden Floridas hat viele Buchautoren inspiriert. Es folgt nur eine Auswahl der Schriftsteller, die Südflorida ganz oder auch nur zum Teil als Handlungsort für ihre Geschichten auswählten:
John D. MacDonald, Abschied in Dunkelblau (Thriller); Elmore Leonard, La Brava (South-Beach-Krimi); Carl Hiaasen, Striptease (bekannter Kolumnist des Miami Herald – gutes Buch, schlechter Film); Jimmy Buffett, Cuba libre (Rockgitarrist verschwindet auf den Keys); John Hersey, Key West Tales (nur engl.; Kurzgeschichten aus Key West); Tom McGuane, Ninety-Two in the Shade (nur engl.; spielt in Key West); Ernest Hemingway, Haben und Nichthaben (Hemingway lebte in Key West); Marjorie Kinnan Rawlings, Frühling des Lebens (Pulitzerpreis-gekrönter Roman mit Schauplätzen im mittleren Florida).

ANGEL- UND JAGDSCHEINE

Tax Collector's Office
140 W. Flagler St., Raum 101, Miami, Tel. 305/375-5452.
Angel- und Jagdscheine sowie die Erlaubnis zum Salzwasserangeln sind erforderlich und werden an o. g. Adresse, aber auch in einzelnen Angel- und Sportgeschäften oder in Supermärkten ausgestellt. Touristen erhalten Genehmigungen, die drei bis zehn Tage gültig sind. Erlaubnisscheine für Süß- und Salzwasser können auch eine Gültigkeit von bis zu einem Jahr haben.

EINRICHTUNGEN FÜR BEHINDERTE

Florida Paraplegic Association
Tel. 305/868-3361

Miami-Dade Transit Agency, Special Transportation Service
2775 S.W. 74th Ave., Miami, FL 33155, Tel. 305/263-5400; Mo–Fr 8–17 Uhr

Miami Lighthouse for the Blind
601 S.W. 8th Ave., Miami, FL 33130, Tel. 305/856-2288; Mo–Do 8:30–16:30 Uhr, Fr 8–16 Uhr

Tri-Rail
Ausgangspunkt dieser Vorortbahn nach West Palm Beach ist

der Tri-Rail-/Metrorail-Transfer-Bahnhof in der Nähe des Metro-rail-Endpunktes Hialeah. Alle Züge und Bahnhöfe sind durch Rampen rollstuhlgerecht.

RESERVIERUNGS-SERVICE UND BESUCHER-INFORMATION

Greater Miami Convention & Visitors Bureau
701 Brickell Ave., Suite 2700, Miami, FL 33131,
Tel. 305/539-3063;
www.gmcvb.com

Miami Beach Chamber of Commerce
420 Lincoln Rd., Suite 2A, Miami Beach, FL 33139,
Tel. 305/672-1270;
www.miamibeachchamber.com

Miami Visitor Center in der Aventura Mall
19501 Biscayne Blvd., Aventura, FL 33180, Tel. 305/935-3836

Miami Visitor Center am Bayside Marketplace
401 N. Biscayne Blvd., Miami, FL 33132, Tel. 305/539-8070

Sunny Isles Beach Resort Association Visitor Information Center
16701 Collins Ave., Suite 219, Sunny Isles, FL 33160,
Tel. 305/947-5826

Tropical Everglades Visitor Association
160 US 1, Florida City, FL 33030, Tel. 305/245-9180;
www.tropicaleverglades.com

Greater Fort Lauderdale Convention & Visitors Bureau
100 East Broward Blvd., Ste. 200, Fort Lauderdale, FL 33301,
Tel. 954/765-4466 oder 800/22-SUNNY;
www.sunny.org

Key Largo Chamber of Commerce/Florida Keys Visitor Center
106000 Overseas Hwy.,
Key Largo, FL 33037,

Tel. 305/451-1414 oder 800/822-1088;
www.floridakeys.org

Islamorada Chamber of Commerce
82185 Overseas Hwy., Islamorada, FL 33036,
Tel. 305/664-4503 oder 800/322-5397;
www.fla-keys.com

Marathon Chamber of Commerce
12222 Overseas Hwy., Marathon, FL 33050, Tel. 305/743-5417 oder 800/262-7284;
www.floridakeysmarathon.com

Lower Keys Chamber of Commerce
MM 31/Overseas Hwy., Big Pine Key, FL 33043, Tel. 305/872-2411 oder 800/872-3722;
www.lowerkeyschamber.com

Key West Welcome Center
3840 N. Roosevelt Blvd., Key West, FL 33040, Tel. 305/296-4444 oder 800/284-4482;
www.keywestinfo.com

Historic Tours of America
Tel. 305/292-TOUR,
Fax 305/745-4220

Art Deco Welcome Center
Miami Design Preservation League,
Ocean Front Auditorium,
1001 Ocean Dr., Miami Beach, FL 33139, Tel. 305/672-2014,
Fax 305/672-4319;
www.mdpl.org
Hier können Sie telefonisch Art-déco-Führungen buchen.

Accommodations Express
801 Asbury Ave., 6th Floor, Ocean City, NJ 08226, Tel. 409/525-0800 oder 800/444-7666, Fax 609/525-0111;
www.accommodationsexpress.com

Central Reservation Service
220 Lookout Pl., Maitland, FL 32751, Tel. 305/408-6100 oder 800/950-0232, Fax 800/785-1812;
www.reservations-services.com

Greater Miami and The Beaches Hotel Association
407 Lincoln Rd., Suite 10G, Miami Beach, Tel. 305/531-3553 oder 800/SEE-MIAMI,
Fax 305/531-8954;
www.gmbha.org

Miami-Dade Gay & Lesbian Chamber of Commerce
4500 Biscayne Blvd., Miami, FL 33137, Tel. 305/534-3336

Surfside Tourist Board
9301 Collins Ave., Surfside, Tel. 305/864-0722 oder 800/327-4557, Fax 305/993-5128;
www.townofsurfsidefl.gov/

IM NOTFALL

911 ist die Notrufnummer für Polizei, Krankenwagen und Feuerwehr. Weitere Informationen erhalten Sie bei der Polizei unter Tel. 305/595-6263.

VERLUST VON KREDITKARTEN

Um verlorene oder gestohlene Kreditkarten oder Reiseschecks zu melden, wählen Sie bitte eine der folgenden Telefonnummern:

Kreditkarten
American Express, Tel. 800/528-4800
Diners Club, Tel. 800/234-6377
Discover, Tel. 800/347-2683
MasterCard, Tel. 800/826-2181
Visa, Tel. 800/336-8472

Reiseschecks
American Express, Tel. 800/221-7282
MasterCard, Tel. 800/223-9920
Thomas Cook, Tel. 800/223-7373
Visa, Tel. 800/227-6811

HOTELS & RESTAURANTS

Die aufgeführten Hotels umfassen Bed-and-Breakfast-Pensionen, kleine Gästehäuser, die nicht unbedingt über TV und Telefon in den Zimmern verfügen, aber Wert auf persönlichen Service legen, einstöckige Motels mit geringem Serviceangebot und große, mehrstöckige Hotels mit umfassendem Service, Coffee-Shops und Restaurants.

Die Hotels und Restaurants sind nach Preiskategorien sortiert. Die Zimmer verfügen jeweils über ein Bad mit Dusche oder Badewanne. Die Preise verstehen sich ohne Steuern. Viele Stadtverwaltungen verlangen von den Hotels und Restaurants zusätzlich zu den 6 Prozent Umsatzsteuer und den 0,5 Prozent lokale Umsatzsteuer noch weitere Abgaben auf Zimmerpreise sowie Essen und Getränke. In South Beach und im Miami-Dade County beträgt der Gesamtsteuersatz 12,5 Prozent, in Surfside 10,5 Prozent sowie 9,5 Prozent in Bal Harbour. Die meisten Hotels berechnen das Frühstück extra.

Für die Restaurants sind Reservierungen stets empfehlenswert; es wird speziell darauf hingewiesen, wenn Reservierungen unerlässlich sind. Einige Lokale bieten generell feste Menüs an, andere haben sonntags Brunch oder *early bird specials* (zwischen 16 und 18 Uhr) auf der Karte. Viele Restaurants öffnen bereits um 17 Uhr.

Selbstverständlich sind die Keys durch das Meer besonders geprägt. Deshalb bieten sowohl glitzernde Ferienanlagen als auch einfache B&Bs immer auch die Gelegenheit, die schönsten Wassersportarten des südlichen Floridas zu nutzen. Angler wollen vielleicht lieber rechtzeitig schlafen gehen, aber die anderen können bis spät in die Nacht das Leben in den berühmten Bars und Restaurants von Key West genießen. Man hat hier stets das Gefühl, sich am Rande der Welt zu befinden, was daran liegen mag, dass die Inselgruppe am südlichsten Zipfel der USA liegt. Und die Keys stärken den Appetit – auf Essen und Getränke.

Nicht alle Hotels und Restaurants sind für Behinderte leicht zugänglich. Viele Gebäude in South Beach und Key West sind nur über eine oder mehrere Stufen zu erreichen. Es ist empfehlenswert, sich telefonisch nach den örtlichen Gegebenheiten zu erkundigen.

MIAMIS INNEN-STADTVIERTEL

Vom Cultural Center mit seinen Springbrunnen bis hin zum pulsierenden Geschäftsviertel prägt die mulitkulturelle Bevölkerung Miamis das Stadtbild.

Little Havanas Calle Ocho (8th St.) ist bekannt für ihre Restaurants mit *mojito-laced lechón* (Schwein mariniert mit Rum und Limonen) und *carne asada* (gebratenes Fleisch). Die angesagten kubanischen SoBe- (South Beach) -Restaurants wie Yuca und Larios on the Beach erregen mit ihrer innovativen Küche zwar Aufsehen, in traditionellen Lokalen bekommt man aber immer noch gutes Essen zu vernünftigen Preisen, wie etwa Schweinefleisch, Huhn, Fisch sowie gelben oder weißen Reis mit Yucca, schwarzen Bohnen und Koch- oder frittierten Bananen als Beilage. Im nördlichen Miami liegen einige der besseren Restaurants und Geschäfte.

DOWNTOWN MIAMI

🏨 HOTEL INTER-🍴 CONTINENTAL MIAMI
$$$$$
100 CHOPIN PLAZA
FL 33131
TEL. 305/577-1000 oder
800/327-3005
FAX 305/372-4440
Großes, luxuriöses Hotel direkt am der Biscayne Bay am Bayside Marketplace und am Bayfront Park. Elegante Zimmer, erstklassiger Service. Das beste Hotel in Downtown Miami.
🛏 644 Zimmer & Suiten
🅿 Valet 🔀 🚫 🚫 🚭
📺 🚫 Alle gängigen Kreditkarten

🏨 EVERGLADES
$$
244 BISCAYNE BLVD.
FL 33132
TEL. 305/379-5461 oder
800/559-6859
Günstige Preise und großartige Lage gegenüber dem Bayside Marketplace und dem Port of Miami machen den Innenstadt-Oldtimer auch heute noch zu einem beliebten Ziel für Touristen.
🛏 376 🅿 Valet 🔀 🚫
🚭 🚫 Alle gängigen Kreditkarten

🏨 PORT OF MIAMI HOTEL
$$
1100 BISCAYNE BLVD.
TEL. 305/358-3080
Obwohl es früher einfach nur ein gewöhnliches Howard-Johnson-Hotel war, ist dieses preisgünstige Haus heute insbesondere wegen seiner Lage empfehlenswert. Die Strände von South Beach liegen nur wenige Autominuten entfernt.
🛏 115 Zimmer 🅿 🔀 🚫
🚭 🚫 Alle gängigen Kreditkarten

FISH MARKET
$$-$$$
RADISSON HOTEL
1601 BISCAYNE BLVD.
TEL. 305/374-0000
Hohes Niveau im eleganten Speiseraum, der als Teil der Hotellobby mit vielen Spiegeln und Marmor ausgestattet ist. Fischgerichte sind selten besser als hier.
■ 100 🅿 Valet 🔒 Geschl. Sa mittags & So 🚭 🆒
🌀 Alle gängigen Kreditkarten

LITTLE HAVANA 33130

MIAMI RIVER INN BED & BREAKFAST
$$
118 S.W. SOUTH RIVER DR.
TEL. 305/325-0045 oder
800/468-3589
FAX 305/325-9227
Dieses historische Gästehaus ist in fünf mit Schindeln verkleideten Gebäuden aus der Zeit um 1906 untergebracht. Charmante Zimmer, individuell, aber stets traditionell eingerichtet. Üppiger Garten.
🛏 40 Zimmer & Suiten 🅿
🚭 🆒 📺 🌀 Alle gängigen Kreditkarten

LA ESQUINA DE TEJAS
$$
101 S.W. 12TH AVE.
TEL. 305/545-5341
Preisgünstiges kubanisches Fast-Food-Restaurant, das durch Ronald Reagan bekannt wurde. Sein Lieblingsgericht steht auf der Karte. Großartige Sandwiches.
■ 210 🆒 🌀 Alle gängigen Kreditkarten

LA CARRETA
$
3632 S.W. 8TH ST.
TEL. 305/444-7501
Kubanisches Restaurant im alten Stil, gehört zu einer Restaurantkette. Klassische Gerichte in großen Portionen, Cafeteria mit starken Kaffees, süßen Leckereien und Zuckerrohrsaft.
■ 300 🆒 🌀 Alle gängigen Kreditkarten

VERSAILLES
$
3555 S.W. 8TH ST.
TEL. 305/444-0240
Berühmtes kubanisches Restaurant, kitschig und mit vielen Spiegeln eingerichtet. Ein Muss für Touristen. Alle erdenklichen kubanischen Gerichte in großzügigen Portionen.
■ 400 🆒 🌀 Alle gängigen Kreditkarten

NORTH MIAMI 33180

THE FAIRMONT TURNBERRY ISLE RESORT & CLUB
$$$$$
19999 W. COUNTRY CLUB DR.
AVENTURA, FL
TEL. 305/932-6200 oder
800/327-7028
FAX 305/933-6554
Beeindruckendes Hotel im mediterranen Stil. Die beste Ferienanlage Miamis in einer über 3 ha großen, tropischen Oase an der Bucht gelegen. Übergroße Zimmer, große Terrassen, zwei Golfplätze und 117 Bootsliegeplätze.
🛏 392 Zimmer & Suiten
🅿 🚭 🆒 🏊 📺 🏋
🌀 Alle gängigen Kreditkarten

DER BESONDERE TIPP

CHEF ALLEN'S
Beste regionale Gerichte. Allen Sussers kunstvolle New-World-Küche muss man probiert haben. Offener Blick auf die Zubereitung, von Pompano in Folie mit schwarzen Trüffeln und gelben Tomaten bis hin zu den sehr guten Desserts. Festpreismenüs.
$$$
19088 N.E. 29TH AVE.
NORTH MIAMI BEACH
TEL. 305/935-2900
■ 140 🅿 Valet 🔒 Geschl. Sa–Do mittags 🚭 🆒
🌀 Alle gängigen Kreditkarten

IL PASTAIO
$
11500 BISCAYNE BLVD.
NORTH MIAMI BEACH
TEL. 305/892-1500
Beliebte italienische Trattoria mit guter Pilzsuppe, Carpaccio vom Rind und über zwei Dutzend Pastagerichten mit kreativen Soßen zu vernünftigen Preisen.
■ 90 🆒 🌀 Alle gängigen Kreditkarten

MIAMI BEACH

Die Restaurants von SoBe (South Beach) bieten ganz neue feine und schicke Kochkünste in Art-déco-Hotels und anderen super durchgestylten Lokalen. Des Meisters Ian Schrager Prachtstück ist das Delano-Hotel, das 1995 eröffnet wurde, als die Lincoln Road zwischen Washington Ave. und Lenox Street im großen Stil saniert wurde.

MIAMI BEACH 33139

CASA GRANDE
$$$$$
834 OCEAN DR.
TEL. 305/672-7003
FAX 305/673-3669
Luxuriöses All-Suite-Hotel der Island-Outpost-Kette. Alle Zimmer mit Meerblick und herrlichen Details. Möbel aus Teak und Mahagoni sowie indonesische Batiken schaffen ein perfektes SoBe-Ambiente.
🛏 34 🅿 Valet 🆒
🌀 Alle gängigen Kreditkarten

DELANO
$$$$$
1685 COLLINS AVE.
TEL. 305/672-2000 oder
800/555-5001
FAX 305/532-0099
Ian Schragers ultracooles Hotel. Unaufdringlicher Luxus erreicht Philippe Starck mit strahlend weißer Dekoration, Antiquitäten und dem täglichen Granny-Smith-Apfel. Siehe Restaurant Blue Door, S. 247.
🛏 208 Zimmer & Suiten
■ 200 🅿 Valet 🚭
🚭 🆒 📺 🌀 Alle gängigen Kreditkarten

🚭 Nichtraucher 🆒 Klimaanlage 🏊 Hallenbad 🏊 Swimmingpool 🏋 Fitnessclub 🌀 Kreditkarten

HOTELS & RESTAURANTS

🏨 MARLIN
$$$$$

1200 COLLINS AVE.

TEL. 305/604-3595 oder
800/OUT-POST

FAX 305/673-9609

Luxuriöses Art-déco-Hotel
(All Suite) von Barbara
Hulanicki im Biba-Stil der
1960er Jahre mit karibischen
Einflüssen. South Beach
Studios sind hier ansässig und
locken dadurch die Musik-
branche an.

🛏 12 🅿 Valet ⇄ 🆂 🆂
🆂 Alle gängigen Kreditkarten

🏨 SEA VIEW
$$$$$

9909 COLLINS AVE.

BAL HARBOUR, FL 33154

TEL. 305/866-4441 oder
800/447-1010

FAX 305/866-1898

Strandhotel und Resort im
europäischen Stil mit mediterranen Cabanas. Gegenüber
liegen die berühmten Bal-
Harbour-Shops. Eher konser-
vatives Publikum, das zwar ans
Meer möchte, aber nicht unbedingt den Trubel von SoBe
sucht.

🛏 220 Zimmer & Suiten
🅿 ⇄ 🆂 🆂 🆂 🆂
🆂 Alle gängigen Kreditkarten

🏨 THE TIDES
$$$$$

1220 OCEAN DR.

TEL. 305/604-5070

FAX 305/604-5180

Eines der besten Hotels von
South Beach. Suiten mit Blick
über das Meer; die Zimmer
im 9. und 10. Stock gehören
zu den höchsten Aussichts-
punkten am Ocean Drive.

🛏 45 Zimmer & Suiten
🅿 Valet ⇄ 🆂 🆂 🆂
🆂 🆂 Alle gängigen Kredit-
karten

🏨 HOTEL OCEAN
$$$$

1230 OCEAN DR.

TEL. 305/672-2579

FAX 305/672-7665

Die vollständige Renovierung
brachte das Ambiente der
französischen Riviera in dieses

Hotel. Französische Eigentümer und Hotelmanager wie
auch französische Küche.

🛏 27 ⇄ 🆂 🆂 Alle
gängigen Kreditkarten

🏨 HOTEL IMPALA
🍴 **$$$$**

1228 COLLINS AVE.

TEL. 305/673-2021

FAX 305/673-5984

Kleines, diskretes Refugium für
Prominente. Mediterranes
Flair mit maßgefertigten
Möbeln, Kunstwerken im
Original und europäischem
Service. Die Zimmer sind
klein, aber elegant. Das
Restaurant Spiga verdient
Erwähnung, siehe S. 249.

🛏 17 Zimmer & Suiten
🍴 100 🅿 Valet ⇄ 🆂
🆂 🆂 Alle gängigen Kreditkarten

🏨 ALBION
$$$

1650 JAMES AVE.

TEL. 305/913-1000

FAX 305/531-4580

Weißer Strand, ein zum Pool
hin offener Aufenthaltsraum,
eine moderne Dachterrasse
und Suiten mit Solarien
prägen dieses trendige Hotel.

🛏 96 🅿 Valet ⇄ 🆂 🆂
🆂 📺 🆂 AE, MC, V

🏨 BAY HARBOR INN &
SUITES
$$$

9660 E. BAY HARBOR DR.

BAY HARBOUR ISLANDS,
FL 33154

TEL. 305/868-4141

FAX 305/867-9094

Gästehaus am Ufer des landschaftlich schönen Indian
Creek. Ruhige Lage. Kontinen-
tales Frühstück auf der hauseigenen Yacht Celeste. Nahe
den Bal-Harbour-Shops.

🛏 38 🅿 ⇄ 🆂 🆂
🆂 AE, MC, V

🏨 CARDOZO
$$$

1300 OCEAN DR.

TEL. 305/535-6500 oder
800/782-6500

FAX 305/532-3563

Klassisches Art-déco-Hotel,
Heimat der Eigentümer
Gloria und Emilio Estefan.
Stilvolle und moderne
Zimmer mit handgefertigten
Möbeln. Großartiges, un-
konventionelles Haus.

🛏 43 🅿 Valet ⇄ 🆂
🆂 Alle gängigen Kredit-
karten

🏨 CAVALIER
$$$

1320 OCEAN DR.

TEL. 305/604-5064

FAX 305/531-5543

Erstklassiges Art-déco-Haus,
1996 vollständig renoviert.
Hotel, Restaurant und Bar
sind gleichermaßen beliebt.

🛏 45 Zimmer & Suiten
🅿 Valet ⇄ 🆂 🆂
🆂 Alle gängigen Kredit-
karten

🏨 ESSEX HOUSE HOTEL
& SUITES
$$$

1001 COLLINS AVE.

TEL. 305/534-2700 oder
800/553-7739

FAX 786/276-9922

Europäischer Charme,
moderne Einrichtungen und
erschwinglicher Luxus prägen
dieses von Hohauser ent-
worfene Hotel im klassischen
Art-déco-Stil. Stilvolle
Zimmer in Pastelltönen;
schallisoliert.

🛏 58 ⇄ 🆂 🆂 Alle
gängigen Kreditkarten

🏨 GREENVIEW HOTEL
$$$

1671 WASHINGTON AVE.

TEL. 305/531-6588

FAX 305/531-4580

Außergewöhnliches Art-
déco-Hotel von Henry
Hohauser, modernisiert durch
die Familie Rubell. Das coole,
urbane Interieur mit be-
merkenswerter Beschaulich-
keit wurde vom Pariser
Designer Chaban Minassian
entworfen .

🛏 45 ⇄ 🆂 🆂 AE, MC,
V

🏨 Hotel 🍴 Restaurant 🛏 Zimmer ⇄ Sitzplätze 🅿 Parkplatz 🕐 Öffnungszeiten ⇄ Lift

🏨 HOTEL ASTOR
🍽 $$$

956 WASHINGTON AVE.
TEL. 305/531-8081
FAX 305/531-3193
Das Art-déco-Haus von 1936 wurde mit großer Liebe zum Detail renoviert. Helle Holzmöbel, polierte Terrazzoböden und angenehme Farben bestimmen das Ambiente. Siehe Astor Place Bar and Grill, S. 248.
🛏 41 Zimmer & Suiten
🍴 144 🅿 Valet ⬌ 🅢
🎾 🅢 Alle gängigen Kreditkarten

🏨 KENT
$$$

1131 COLLINS AVE.
TEL. 305/604-5068
FAX 305/604-5180
Ein auffallendes Art-déco-Hotel. Beliebte Lobby mit modernen Einflüssen und zeitgemäßem Chic. Eine erschwingliche Unterkunft in South Beach.
🛏 54 Zimmer & Suiten
🅿 Valet ⬌ 🅢 🅢
🅢 Alle gängigen Kreditkarten

🏨 PARK CENTRAL
$$$

640 OCEAN DR.
TEL. 305/538-1611 oder
800/727-5236
FAX 305/534-7520
Authentisch im Stil der 1940er Jahre renoviertes Strandhotel im klassischen Hohauser-Stil. Prägend sind die Eckfenster und modernen Finessen. Modeleute besuchen die Lobby-Bar.
🛏 125 Zimmer & Suiten
🅿 ⬌ 🅢 🎾 📺
🅢 Alle gängigen Kreditkarten

🏨 PELICAN HOTEL
$$$

826 OCEAN DR.
TEL. 305/673-3373 oder
800/7-PELICAN
FAX 305/673-3255
Dreistöckiges, vom Art déco inspiriertes, etwas frivoles Ambiente. Wunderbar vielseitiges Styling der Zimmer; wundervolles Bad.
🛏 30 Zimmer & Suiten
🅿 Valet ⬌ 🅢 🅢
🅢 Alle gängigen Kreditkarten

🏨 AVALON/MAJESTIC
$$

700 OCEAN DR.
TEL. 305/538-0133 oder
800/933-3306
FAX 305/ 534-0258
Klassisches Art-déco-Hotel. Kleine, saubere Zimmer mit einfacher, moderner Ausstattung. Wichtiger ist aber, dass dies ein sehr freundliches Hotel in bester Strandlage ist.
🛏 108 🅿 Valet ⬌ 🅢
🅢 Alle gängigen Kreditkarten

🏨 BEACHCOMBER
$

1340 COLLINS AVE.
TEL. 305/531-3755 oder
888/305-HOTEL
FAX 305/673-8609
Malerisches Art-déco-Hotel im Herzen von SoBe mit kleinen, funktionellen Zimmern und tropisch-lockerer Atmosphäre; lohnendes Frühstücksbüffet. Der Strand ist einen Häuserblock entfernt.
🛏 28 🅿 ⬌ 🅢 🅢
🅢 Alle gängigen Kreditkarten

🏨 CARLTON
$

1433 COLLINS AVE.
TEL. 305/538-5741
FAX 305/534-6855
Im Herzen des Art-déco-Viertels gelegenes, malerisches Hotel in Familienbesitz. Hier ist der Service sehr persönlich.
🛏 67 Zimmer & Suiten 🅿
⬌ 🅢 🎾 🅢 Alle gängigen Kreditkarten

🏨 CLAY HOTEL & INTERNATIONAL HOSTEL
$

1438 WASHINGTON AVE.
TEL. 305/534-2988 oder
800/379-CLAY
FAX 305/673-0346
Im National Register of Historic Places aufgeführt. Junge, lebendige Atmosphäre – aber hier sind Gäste jeden Alters willkommen. Saubere und ruhige Zimmer; teils Hostel mit Schlafräumen, teils Hotel mit Doppelzimmern.
🛏 106 ⬌ 🅢 🅢
🅢 MC, V

🍽 ESCOPAZZO
$$$$

1311 WASHINGTON AVE.
TEL. 305/674-9450
Mit Gefühl und Leidenschaft geführtes Haus. Die italienische Küche gehört zu den besten von South Beach. Empfehlenswerte Soufflés, gut gewürzter geräucherter Fisch, Risotto mit Rucola und Ziegenkäse. Reservierung erforderlich.
🍴 65 🕐 Geschl. mittags & Mo 🅢 🅢 Alle gängigen Kreditkarten

🍽 THE FORGE
$$$$

432 41ST. ST.
TEL. 305/538-8533
Klassisches, teures Rokoko-Restaurant mit ausgezeichneter kontinental-amerikanischer Küche. Rührei mit Kaviar in Eierschalen serviert, 500-g-Steaks und Bio-Rucola-Salat, Schnecken und Soufflés. Mittwochs Clubabend mit Disco. Reservierung erforderlich.
🍴 275 🅿 Valet 🕐 Geschl. mittags 🅢 🅢 🅢 Alle gängigen Kreditkarten

DER BESONDERE TIPP

🍽 THE BLUE DOOR

Stilvolles Lokal im sensationellen weißen Delano-Hotel (siehe S. 245). Kreative Speisekarte von Claude Troisgras. Vornehmlich französische Küche, auch südamerikanische bzw. lokale Zutaten und asiatische Einflüsse. Zauberhafte Desserts, z. B. Crêpe Soufflé mit Passionsfrucht. Reservierung erforderlich.
$$$$
DELANO HOTEL
1685 COLLINS AVE.
MIAMI BEACH
TEL. 305/ 674-6400
FAX 305/674-5649
🍴 195 🅿 Valet 🅢 🅢
🅢 Alle gängigen Kreditkarten

🅢 Nichtraucher 🅢 Klimaanlage 🅢 Hallenbad 🅢 Swimmingpool 📺 Fitnessclub 🅢 Kreditkarten

HOTELS & RESTAURANTS

🏨 B.E.D.
$$$
929 WASHINGTON AVE.
TEL. 305/532-9070
Das ultimative South-Beach-Dining-Erlebnis. Das Restaurant bietet neue französische Küche, wie Filet Mignon und Ahi-Thunfisch in Sesam geschmort. Und Sie essen tatsächlich in einem King-size-Bett.
🛏 156 🕐 Geschl. mittags & So 🅿 Valet 📵 🃏 Alle gängigen Kreditkarten

🍴 CHINA GRILL
$$$
404 WASHINGTON AVE.
TEL. 305/534-2211
Hochklassiges und modernes asiatisch-chinesisches Restaurant im Sinne von New Yorks *East-meets-West*. Probieren Sie z. B. den gedörrten, leicht angebratenen Thunfisch mit japanischem Pfeffer und Avocado-Sashimi. Viele Prominente; Reservierung erforderlich.
🛏 500 🅿 Valet 📵 📵 🃏 Alle gängigen Kreditkarten

🍴 CRYSTAL CAFÉ
$$$
726 41ST ST.
TEL. 305/673-8266
Klime Kovaceskis versteckte Perle. Publikumsmagnete sind brillante Gerichte mit Ossobuco und viel Gemüse, die Schnitzel, das Bœuf Stroganoff sowie Paprikagerichte mit Brühe und Gewürzen.
🛏 70 🕐 Geschl. Mo 📵 🃏 Alle gängigen Kreditkarten

🍴 NEMO
$$$
100 COLLINS AVE.
TEL. 305/532-4550
Neue amerikanische Küche mit Zutaten aus biologischem Anbau. Ein Art-déco-Lokal zum Sehen und Gesehen werden. Gebratenes Huhn mit Olivenkartoffeln und Knoblauch-Soße oder würzige vietnamesische Salate. Reservierung erforderlich.
🛏 300 🅿 Valet 📵 📵 🃏 AE, MC, V

🍴 OSTERIA DEL TEATRO
$$$
1443 WASHINGTON AVE.
TEL. 305/538-7850
Es ist ein Nebenraum in Dino Pirolas norditalienischem Restaurant. Das hausgemachte Brot ist großartig, die Pasta außergewöhnlich, der Fisch fantasievoll. Probieren Sie Heilbutt mit Knoblauch und Oliven; die Desserts nicht zu vergessen. Reservierung erforderlich.
🛏 60 🕐 Geschl. mittags & So 📵 🃏 Alle gängigen Kreditkarten

🍴 SUSHISAMBA DROMO
$$$
600 LINCOLN RD.
TEL. 305/673-5337
Beliebtes Lokal mit japanischen, brasilianischen und peruanischen Gerichten. Sushi-Samba-Atmosphäre nach New Yorker Vorbild, wie häufig in Miami. Caipirinhas und verschiedene Sake passen gut zum Sushi und lassen den Abend schwungvoll beginnen.
🛏 300 📵 📵 🃏 Alle gängigen Kreditkarten

🍴 NOBU MIAMI BEACH
$$$
1901 COLLINS AVE.
TEL. 305/695-3232
Ein Lokal für Society- und Modeleute. Angesagtestes Sushi und Sashimi sowie die neuesten Cocktails.
🛏 125 🅿 Valet 🕐 Geschl. mittags 📵 📵 🃏 Alle gängigen Kreditkarten

🍴 NEXXT CAFÉ
$$
700 LINCOLN RD.
TEL. 305/532-6643
Eines der beliebtesten Lokale an der Lincoln Road; es regiert das Motto »Sehen und Gesehen werden«. Große, leckere Portionen; viele amerikanische Sandwiches und Hauptgerichte.
🛏 400 📵 📵 🃏 Alle gängigen Kreditkarten

🏨 ASTOR PLACE
🍴 BAR & GRILL
Beeindruckendes Hotel-Restaurant in innovativer Umgebung unter einem Glasdach. Die neuen Köche Mike Rodriguez und Mike Neal bieten nordamerikanische Küche mit asiatischen und europäischen Einflüssen. Sehr beliebt ist das Filet Mignon mit etwas Ingwer sowie der Seebarsch mit Wildpilzen.
$$$
HOTEL ASTOR
956 WASHINGTON AVE.
SOUTH BEACH
TEL. 305/672-7217
🛏 195 ℹ 144 🕐 Geschl. mittags 📵 🃏 Alle gängigen Kreditkarten

🍴 TALULA
$$
210 33RD ST.
TEL. 305/672-0778
Kreative amerikanische Küche, draußen oder auf der Veranda serviert. Einladende, vielseitige Dekoration. Wöchentlich wechselnde Weine.
🛏 130 🕐 Geschl. Mo, Sa mittags & So 📵 📵 🃏 Alle gängigen Kreditkarten

🍴 JOE'S STONE CRAB
$$
11 WASHINGTON AVE.
TEL. 305/673-0365
Dieses bekannte Lokal hat sich seit 1913 kaum verändert (obwohl es kürzlich umzog). Gäste stehen Schlange für *stone crabs* (Steinkrebse) in Senfsoße (Okt.–Mai), frittierte Paprika und perfekte *Key lime pie*. Keine Reservierungen.
🛏 475 🕐 Geschl. Anfang Aug. bis Mitte Okt. 🅿 Valet 📵 📵 🃏 Alle gängigen Kreditkarten

🍴 LARIOS ON THE BEACH
$$
820 OCEAN DR.
TEL. 305/532-9577

In diesem kubanischen Restaurant wird Quintin Larios von Gloria und Emilio Estefan unterstützt. South-Beach-Ambiente; sehr beliebt bei Kuba-Amerikanern, die sich nach Großmutters Küche sehnen. Beste Aussichtsplätze draußen vor dem Lokal.
114 🚭 🖾 Alle gängigen Kreditkarten

🍴 PACIFIC TIME
Schickes Lokal an der Lincoln Road, wo Jonathan Eismann (früher China Grill, Manhattan) bei seinem Show-Kochen Gerichte mit Betonung auf Pazifik/New World zaubert. Feiner, aufwendig zubereiteter Fisch mit Zutaten aus der Region und japanischen bzw. chinesischen Einflüssen. *Early bird specials.* Reservierung erforderlich.
$$$
LINCOLN ROAD MALL
915 LINCOLN RD.
MIAMI BEACH
TEL. 305/534-5979
130 🕐 Geschl. mittags 🚭 🖾 Alle gängigen Kreditkarten

🍴 A FISH CALLED AVALON
$$
700 OCEAN DR.
TEL. 305/532-1727
Zwangloses Restaurant mit Bar im Art-déco-Stil, das Sitzplätze drinnen wie draußen bietet. Frischer Fisch aus der Region und Livemusik.
200 🕐 Geschl. mittags P Valet 🚭 🖾 Alle gängigen Kreditkarten

🍴 MANGO'S TROPICAL CAFÉ
$$
9004 OCEAN DR.
TEL. 305/673-4422
Aufregende kubanische Barkeeper und Kellnerinnen, die auch mal einen Tabledance hinlegen. Das Strandlokal mit den besten Desserts und

Hauptgerichten, wie karibisches Mahi Mahi und Margarita-Huhn.
570 🚭 🖾 Alle gängigen Kreditkarten

🍴 SPIGA
$$
HOTEL IMPALA
1228 COLLINS AVE.
TEL. 305/534-0079
Sehr gutes italienisches Restaurant im kleinen Hotel Impala.(siehe S. 246). Hausgemachte Pasta, Brote und Desserts; die Spezialität sind Fischgerichte. Reservierung erforderlich.
75 P 🕐 Geschl. mittags 🚭 🖾 Alle gängigen Kreditkarten

🍴 SUSHI DORAKU
$$
1104 LINCOLN RD.
TEL. 305/695-8383
Sushi-Bar mit modernem Konzept im Besitz von Benihana. Teil des großen South Beach Movie Complex. Die Teller mit den Sushis laufen auf einem Fließband vorbei – nehmen Sie sich einfach einen davon. Heißer Tipp: South Beach Roll und Spider Roll.
130 🕐 Geschl. Sa mittags & So 🚭 🖾 Alle gängigen Kreditkarten

🍴 YUCA
Hochklassiges Restaurant mit origineller *Nuevo-Latino*-Küche nach Luis Contreras mit karibischen und südamerikanischen Einflüssen. Zum Beispiel New-York-Steak mit Süßkartoffeln oder Ingwer-Püree mit Chorizo und Jalapeños. Reservierung erforderlich.
$$$
501 LINCOLN RD.
MIAMI BEACH
TEL. 305/532-9822
190 🕐 Geschl. mittags P Valet 🖾 AE, MC, V

🍴 BALANS
$
1022 LINCOLN RD.
TEL. 305/534-9191
Dieses Lokal mit britischen Besitzern kommt gut an. Empfehlenswert ist die Ziegenkäseplatte mit Portobello oder die chilenische Seebarsch mit würziger Kruste, nicht zu vergessen Desserts wie Schokoladen-Käsekuchen.
140 🚭 🖾 Alle gängigen Kreditkarten

🍴 CAFÉ PRIMA PASTA
$
414 71ST ST.
NORTH MIAMI BEACH
TEL. 305/867-0106
Kleiner, günstiger Italiner – die gelungene Kombination aus Strandlage, sehr gutem Service und dem Ruf, die beste italienische Küche der Gegend zu haben. Hausgemachte Pasta, empfehlenswerte Kalbfleischgerichte.
150 🚭 🖾 Keine Kreditkarten

🍴 LEMON TWIST
$
908 71ST ST.
NORTH MIAMI BEACH
TEL. 305/868-2075
Ultracooler Treff mit mediterraner Küche rund um Oliven, Sardellen, Tomaten und Zitrone. Hervorragende Gazpacho.
60 🕐 Geschl. mittags 🚭 🖾 AE, MC, V

🍴 NEWS CAFÉ
$
1300 OCEAN DR.
TEL. 305/538-6397
Eher europäisch als amerikanisch – und der beste Ort, um Leute zu beobachten. Draußen am Tisch bestellen Sie Burger, Omelette oder Salat, und während Sie warten, lesen Sie nationale und internationale Zeitungen.
150 P Valet 🚭 🖾 Alle gängigen Kreditkarten

🍴 VAN DYKE CAFÉ

$

846 LINCOLN RD.

TEL. 305/534-3600

Derselbe Besitzer wie das News Café (siehe oben), aber über zwei Etagen und lebendiger. Derselbe euroamerikanische Stil, gleiche Speisekarte und ebenso großartig, um Leute zu beobachten.

🪑 200 🅿 🍴 Alle gängigen Kreditkarten

KEY BISCAYNE

Am Strand dieser ehemaligen Kokosnussplantage stehen jetzt viele große, luxuriöse Häuser auf Grundstücken, deren Wert in die Millionen geht. Großartiger Meeresblick mit Restaurants und Hotels in allerbesten Lagen.

KEY BISCAYNE 33149

🏨 SONESTA BEACH RESORT KEY BISCAYNE

$$$$$

350 OCEAN DR.

TEL. 305/361-2021 oder

800/SONESTA

FAX 305/361-3096

Abgelegene Luxusferienanlage, beeindruckend an einem breiten, weißen Strand gelegen. Im karibischen Stil gestaltete Zimmer mit Balkon und eine große Auswahl an sportlichen Aktivitäten.

🛏 300 Zimmer & Suiten

🅿 🔁 🍴 🅿 📺 🍴 Alle gängigen Kreditkarten

🍴 RUSTY PELICAN

$$

3201 RICKENBACKER CAUSEWAY

TEL. 305/361-3818

Charakteristisches Restaurant am Meer mit kontinentalen Fischgerichten; die Skyline von Miami im Hintergrund. Sonntags sehr guter Brunch. Oder Sie nehmen einfach einen Drink und genießen die Aussicht.

🪑 450 🅿 Valet 🍴 Alle gängigen Kreditkarten

🍴 SUNDAYS ON THE BAY

$$

5420 CRANDON BLVD.

TEL. 305/361-6777

Lebendiges Fischrestaurant direkt am Meer. Junges Publikum. Schönste Sonnenuntergänge. Am besten ist aber der Sonntagsbrunch.

🪑 100 🅿 🍴 Alle gängigen Kreditkarten

COCONUT GROVE

Wo sich früher Künstler und Schriftsteller trafen, verbringen heute Reiche den Winter oder das ganze Jahr. Ein paar Läden für Kunsthandwerk sind neben den teuren Boutiquen und hübschen Restaurants erhalten geblieben. Luxuriöse Yachten liegen in der Biscayne Bay. Am Wochenende bevölkert junges Publikum den Shopping- und Entertainment-Komplex CocoWalk.

COCONUT GROVE 33133

🏨 GRAND BAY HOTEL

$$$$$

2669 S. BAYSHORE DR.

TEL. 305/858-9600 oder

800/327-2788

FAX 305/859-2026

Luxushotel der Oberklasse im Herzen von Coconut Grove. Markanter Stil, gemütliche Atmosphäre. Viele Prominente ziehen dieses Haus den Hotels in Miami vor.

🛏 178 Zimmer & Suiten

🅿 Valet 🔁 🍴 🅿 📺 🍴 Alle gängigen Kreditkarten

🏨 MAYFAIR HOUSE

$$$$$

3000 FLORIDA AVE.

TEL. 305/441-0000 oder

800/433-4555

FAX 305/447-9173

Gemütliches All-suite-Hotel, trotz der Lage nahe den hektischen Streets of Mayfair Mall. Viele Zimmer mit begrüntem Balkon zur Straße, einige mit Whirlpool.

🛏 179 🅿 🔁 🍴 🅿 📺 🍴 Alle gängigen Kreditkarten

🏨 GROVE ISLE CLUB & RESORT

$$$$

4 GROVE ISLE DR.

TEL. 305/858-8300 oder

800/88-GROVE

FAX 305/858-5908

Komfortables Hotel an der Biscayne Bay, über eine Brücke zu erreichen. Beliebt bei Familien und für kleine Konferenzen geeignet. Großes Sportangebot.

🛏 50 🔁 🍴 🅿 🍴 Alle gängigen Kreditkarten

🏨 COCONUT GROVE AREA BED & BREAKFAST

$$$

P.O. BOX 331891, 33233

TEL. 305/665-2274 oder

800/695-8284

FAX 305/666-1186

Charmantes einstöckiges Haus, in dem noch viele Details aus der Zeit der vorletzten Jahrhundertwende erhalten sind. Ruhige, elegante Zimmer, Gourmetfrühstück. Exklusive Gegend.

🛏 3 🅿 🍴 🍴 AE, MC, V

🍴 CAFÉ TU TU TANGO

$$

3015 GRAND AVE. (COCOWALK)

TEL. 305/529-2222

People-watching kann in dieser kosmopolitischen Tapas-Bar im ersten Stock zur Gewohnheit werden. Sie kosten derweil die vielseitigen Gerichte, wie Krabbenpastete, Frittatas, Empanadas oder Paella. Beste Sangria der Stadt.

🪑 200 🅿 🍴 AE, MC, V

🍴 GROVE ISLE

$$

4 GROVE ISLE DR.

TEL. 305/858-8300

Wundervolle Strandlage. Moderne amerikanische Küche. Gäste können auch auf der überdachten Terrasse Platz nehmen. Ein Geheimtipp.

🪑 100 🍴 Alle gängigen Kreditkarten

🏨 Hotel 🍴 Restaurant 🛏 Zimmer 🪑 Sitzplätze 🅿 Parkplatz 🔁 Öffnungszeiten 🅿 Lift

CORAL GABLES

In Coral Gables sind die Restaurants konservativer als im schillernden South Beach. Einige der renommiertesten Lokale finden sich aber hier. Die Restaurants gehören zu den besten der Stadt.

CORAL GABLES 33134

🏨 BILTMORE
$$$$$
1200 ANASTASIA AVE.
TEL. 305/445-1926 oder
800/727-1926
FAX 305/913-3152
Historisches Gebäude, das mit seinen römischen Säulen, handbemalten Decken, spanischen Fliesen und Marmorböden mediterrane Eleganz ausstrahlt. Den Pool muss man gesehen haben – unglaublich.
🛏 280 Zimmer & Suiten
🅿 🔁 🆂 🆂 🗃 🖾
🅢 Alle gängigen Kreditkarten

🏨 HOTEL PLACE
🍴 ST. MICHEL
$$$
162 ALCAZAR AVE.
TEL. 305/444-1666 oder
800/848-HOTEL
FAX 305/529-0074
Mondänes Hotel im europäischen Stil im Herzen von Coral Gables. Das Gebäude wurde 1926 erbaut. Viele Antiquitäten, dunkles Holz und frische Blumen. Siehe unten Restaurant St. Michel.
🛏 27 🅿 🔁 🆂 🆂 Alle gängigen Kreditkarten

🏨 OMNI COLONNADE HOTEL
$$$
180 ARAGON AVE.
TEL. 305/441-2600 oder
800/THE-OMNI
FAX 305/445-3929
Im Hause von George Merrick, dem Gründer von Gables, befindet sich heute das elegante Hotel mit hochwertiger Einrichtung und ebensolchem Service.

Zentrale Lage zwischen Geschäfts- und Einkaufsviertel. Überwiegend Geschäftsleute.
🛏 157 Zimmer & Suiten
🅿 🔁 🆂 🆂 🗃 🖾
🅢 Alle gängigen Kreditkarten

🍴 LE FESTIVAL
$$$
2120 SALZEDO ST.
TEL. 305/442-8545
Das wohl beste französische Restaurant in Coral Gables. Sahne und Butter vollenden die Soßen zu den reichhaltigen Pâtés; Ente à l'Orange und Soufflés, alles perfekt zubereitet.
🪑 200 🕐 Geschl. So 🆂
🅢 AE, DC

🍴 RESTAURANT ST. MICHEL
$$$
HOTEL PLACE ST. MICHEL
162 ALCAZAR AVE.
TEL. 305/444-1666
Historisches Hotel-Restaurant mit europäischem Ambiente – in jeder Hinsicht ausgezeichnet. Die besten Crêpes der Stadt und herausragende Fischgerichte. Romantische Lage, charmante Bedienung. Reservierung erforderlich; *early bird specials.*
🪑 92 🅿 🆂 🆂 🅢 Alle gängigen Kreditkarten

🍴 CACAO 1737
$$$
141 GIRALDA AVE.
TEL. 305/445-1001
Im Jahre 1737 wurde die Schokolade entdeckt, und dieses Lokal ist ein Traum für alle Schokoladen-Liebhaber. Es ist auch beliebt wegen seiner *Nuevo-Latino*-Küche, wie z.B. peruanischen Krebs und gelbe Kartoffeln Napoleon.
🪑 85 🕐 Geschl. So
🅿 Valet 🆂 🆂 🅢 Alle gängigen Kreditkarten

🍴 NORMAN'S
Fantasievolle internationale Gerichte des renommierten Kochs Norman Van Aken, z.B. gegrillter Lachs mit Schalotten und Teeblättern oder gebratenes Schweinefleisch mit haitianischem Gries. Angebote für Theatergänger sowie Feinschmeckermenüs für 65–80 $. Reservierung erforderlich.
$$$$
21 ALMERIA AVE.
CORAL GABLES
TEL. 305/446-6767
🪑 150 🅿 Valet 🆂 🆂
🅢 Alle gängigen Kreditkarten

SOUTH MIAMI

Siehe Hotels und Restaurants unter Ausflüge von Miami aus:

AUSFLÜGE

Ausgangspunkte für einen Ausflug in die Everglades – den *River of Grass* – sind sowohl Homestead als auch Florida City. Hier gibt es zahlreiche Geschäfte und kleine Restaurants. Unterkunft bieten aber oft nur einfache Motels.

🏨 EVERGLADES MOTEL
$$
605 S. KROME AVE.
HOMESTEAD, FL 33030
TEL. 305/247-4117
Kleines, gut geführtes Motel. Ordentliche Zimmer, die freundlich und zeitgemäß eingerichtet sind.
🛏 14 🅿 🆂 🆂 🗃
🅢 Alle gängigen Kreditkarten

🏨 RIVERSIDE HOTEL
$$
620 E. LAS OLAS BLVD.
FORT LAUDERDALE, FL 33301
TEL. 954/467-0671 oder
800/325-3280
FAX 954/832-0200
Attraktiv wegen der Lage im beliebten historischen Viertel, mit üppge bewachsenem

---

🆂 Nichtraucher 🆂 Klimaanlage 🗃 Hallenbad 🏊 Swimmingpool 🖾 Fitnessclub 🅢 Kreditkarten

Garten am New River. Charme der Alten Welt, einige Zimmer mit Himmelbett. Kostenloser Transfer zum Strand.

🛏 109 Zimmer & Suiten
🅿 Valet 🆂 📶 📠
🆊 Alle gängigen Kreditkarten

🍴 MICCOSUKEE RESORT & GAMING
$-$$$$
500 S.W. KROME AVE.
HOMESTEAD
TEL. 877/242-6464
Dieser riesige, moderne Komplex bietet viel mehr als nur ein Abendessen: Casino oder indianische Kultur. Und dennoch, Restaurant, Büfett, Feinkostangebote und Snackbar sind empfehlenswert.

🪑 372 (Büfett) 🅿 Valet
🆂 🆊 Alle gängigen Kreditkarten

🍴 MARK'S LAS OLAS
$$-$$$
1032 E. LAS OLAS BLVD.
FORT LAUDERDALE
TEL. 954/463-1000
Mark Militello ist einer der bekanntesten Köche in Südflorida. Sein Show-Restaurant zieht ein elegantes Publikum an. Die New-World-Küche bietet einmalige Geschmackskombinationen. Reservierung erforderlich.

🪑 150 🅿 Valet 🆂 🆂
🆊 Alle gängigen Kreditkarten

🍴 EL TORO TACO
$
1 S. KROME AVE.
HOMESTEAD
TEL. 305/245-8182
Authentisch mexikanische, bodenständige Kochkünste der Familie Hernandez. Es erwarten Sie chilenische Rellenos, Hühnchen-Fajitas, gegrilltes T-Bone mit feuriger Salsa Verde oder großartige Guacamole.

🅿 🆂 🆂 🆊 DC, MC, V

Der Film *Gangster in Key Largo*, in dem Humphrey Bogart und Lauren Bacall Verbrechen und Hurrikans bekämpften, machte diesen Ort berühmt, obwohl hier nur wenige Szenen gedreht wurden. Noch ein bisschen mehr spürt man dem Flair alter Filme im Marina des Holiday Inn am MM 99,7 nach, wo die berühmte *African Queen* liegt, die Bogart damals so unvergleichlich steuerte.

KEY LARGO 33037

🏨 JULES' UNDERSEA LODGE
$$$$$
51 SHORELAND DR.
MM 103,2
TEL. 305/451-2353
FAX 305/451-4789
Das einzige Unterwasser-Hotel der Welt. Die Gäste müssen in ihre zwei Zimmer mit Küche hinunterschwimmen. In wasserfesten Containern wird alles weitere – auch das Essen – nach unten gebracht. Beliebt bei Tauchern auf Hochzeitsreise.

🛏 2 🆂 🆊 Alle gängigen Kreditkarten

🏨🍴 MARRIOTT KEY LARGO BEACH RESORT
$$$$
OVERSEAS HWY., MM 103,8
TEL. 305/453-0000 oder 800/932-9332
FAX 305/453-0093
Luxusinseln – eine der neuesten Anlagen der Keys, nur 55 Minuten vom Miami International Airport entfernt. Sehr große Zimmer, einige De-luxe-Suiten mit zwei Schlafzimmern. Viele Freizeitangebote. Siehe Gus' Grille.

🛏 147 Zimmer & Suiten
🅿 🛗 🆂 📶 📺
🆊 Alle gängigen Kreditkarten

🏨 SUNSET COVE MOTEL
$$
99630 OVERSEAS HWY.
MM 99,5-B
TEL. 305/451-0705
FAX 305/451-5609
Gemütliche Anlage mit dem Flair des *Old Florida*. Kleine Hütten, z. T. reetgedeckt, ein hölzerner Angelpier, und zweimal täglich kommen die hungrigen Pelikane. Vernünftige Preise.

🛏 11 🅿 🆂 🆊 Alle gängigen Kreditkarten

🍴 GUS' GRILLE
$$$
MARRIOTT KEY LARGO BAY BEACH RESORT,
MM 103,8
TEL. 305/453-0000
Die kreative, auf Fischgerichte spezialisierte Küche hat ihre Wurzeln in der Karibik und in Florida: z. B. Snapper mit Mandelkruste, Avocado, Orangen und süßer Schnittlauchbutter. Grandioser Blick auf den Golf.

🅿 🆂 📶 🆊 Alle gängigen Kreditkarten

🍴 CRACK'D CONCH
$$
OVERSEAS HWY., MM 105
TEL. 305/451-0732
Eines der besten Fischlokale der Upper Keys. Rustikale Einrichtung. Cremige Fischsuppen und würzige Muschelsalate; große Auswahl an Bieren. Keine Reservierung.

🅿 🕐 Geschl. Mi 🆂 🆊 Alle gängigen Kreditkarten

🍴 FLAMINGO SEAFOOD BAR AND GRILL
$$
45 GARDEN COVE DR.
MM 106.5
TEL. 305/451-8022
Entspanntes Restaurant im Besitz eines Franzosen mit einer Vorliebe für Muscheln, Lamm und Gelbschwanz nach Art der Insel. Schwer zu finden, aber der Weg lohnt sich.

🅿 🆂 🆊 Alle gängigen Kreditkarten

🏨 Hotel   🍴 Restaurant   🛏 Zimmer   🪑 Sitzplätze   🅿 Parkplatz   🕐 Öffnungszeiten   🛗 Lift

🍴 THE FISH HOUSE ENCORE!

$$-$$$

102341 OVERSEAS HIGHWAY
MM 102
TEL. 305/451-0650

Das ENCORE! – tatsächlich ein altes »Fisch-Haus« – hat bei insgesamt sehr zwanglosem Ambiente eine Piano-Bar sowie Tische unter freiem Himmel. Das Essen ist aber erstklassig, z. B. Steinkrebse (von Okt. bis Mai), Cayman-Huhn und Lamm.

🛏 125 🕐 Geschl. mittags
🚭 🅿 🆒 🅪 Alle gängigen Kreditkarten

🍴 PILOT HOUSE

$$

PILOT HOUSE MARINA
13 SEAGATE BLVD.
MM 99
TEL. 305/451-3142

Ein Oldtimer aus den 1950er Jahren, berühmt für Harveys Fischsandwich. Fischgerichte wie etwa Snapper mit Hummer gefüllt und mit Shrimps garniert, dazu hausgemachte florentinische Pasta oder das Steak Diane und New York Strip Steak. Mittwochs Lobster-Menü.

🅿 🆒 🅪 Alle gängigen Kreditkarten

PLANTATION KEY

🍴 MARKER 88

$$$

MM 88
TEL. 305/852-9315

Legendäres Unikum der Upper Keys. Fisch Rangoon geht einher mit Bananen, Papayas, Ananas, Mango, Johannisbeergelee und Zimtbutter. Oder es gibt Hummer, Steinkrebse und Shrimps aus Florida. Ein Muss ist die gebackene Limone Alaska als Dessert. Rustikale Einrichtung, romantische Sonnenuntergänge.

🅿 🕐 Geschl. mittags 🆒
🅪 Alle gängigen Kreditkarten

UPPER MATECUMBE KEY 33036

🏨 CHEECA LODGE

$$$$$

81801 OVERSEAS HWY.
ISLAMORADA
TEL. 305/664-4651 oder
800/327-2888
FAX 305/664-2893

Ferienanlage der Oberklasse mit besten Angel- und Tauchangeboten. Blau-weiße Häuser im Plantagenstil auf dem 10 ha großen, üppig bewachsenen Grundstück. Zurückhaltender Luxus in einfach möblierten, großen Zimmern. Siehe Restaurant Atlantic's Edge.

🛏 203 🅿 🔄 🆒 🎾
🅪 Alle gängigen Kreditkarten

🏨 PELICAN COVE RESORT

$$$

84457 OLD OVERSEAS HWY.
MM 84,5
ISLAMORADA
TEL. 305/664-4435 oder
800/445-4690
FAX 305/664-5134

Zeitgemäße Einrichtung, Balkone und Meeresblick bestimmen das Ambiente dieses schönen, gut geführten Hotels. Viele Freizeitangebote, aber nicht nur Wassersport.

🛏 50 🅿 🆒 🎾 🅪 Alle gängigen Kreditkarten

🍴 ATLANTIC'S EDGE

$$$

CHEECA LODGE
MM 82
ISLAMORADA
TEL. 305/664-4651

Erstklassige Anlage. Elegante Gerichte aus Andy Niedenthals Küche mit Einflüssen aus Florida und der Karibik. Spezialitäten wie Snapper mit Zwiebelkruste auf Roma-Tomaten und Baby-Artischockenherzen in einer warmen Balsamico-Vinaigrette. Romantische Lage. Sonntags Brunch (von Thanksgiving bis Juni).

🅿 🕐 Geschl. mittags 🆒
🅪 Alle gängigen Kreditkarten

🍴 ZIGGIE'S CONCH RESTAURANT

$$$

83000 OVERSEAS HWY.
MM 83,5
ISLAMORADA
TEL. 305/664-3391

Unvergessliche Fischgerichte in entspannter 1950er-Jahre-Atmosphäre. Steinkrebs, unterschiedliche Conchs, Gelbschwanz nach Müllerin Art, Austern mit unterschiedlichen Füllungen oder Florida-Lobster in Senfsoße. Ein Muss.

🅿 🕐 Geschl. mittags, Mi & Labour Day bis Okt. 🆒
🅪 Alle gängigen Kreditkarten

🍴 SMUGGLER'S COVE

$$-$$$

MM 85,5
ISLAMORADA
TEL. 800/864-4363

Der Name des Restaurants am Meer lässt auf interessante Gäste schließen. Conchs, Austern und Fisch – hier wird sogar der von Ihnen frisch gefangene Fisch zubereitet.

🛏 150 🆒 🚭 🅪 Alle gängigen Kreditkarten

🍴 LOR-E-LEI RESTAURANT & CABANA BAR

$$

MM 82
ISLAMORADA
TEL. 305/664-4656

Die Fischgerichte gehören zu den besten der Keys. Rockmusik live. Seit Jahrzehnten eine Institution in Islamorada.

🛏 330 draußen, 250 drinnen
🅿 🆒 🚭 🅪 Alle gängigen Kreditkarten

🍴 LAZY DAYS OCEANFRONT BAR & SEAFOOD GRILL

$$

79867 US 1
MM 79,9
ISLAMORADA
TEL. 305/664-5256

Direkt am Atlantik, höher gelegenes Gelände im Plantagenstil mit herrlichem Meerblick und kreativen

---

🚭 Nichtraucher 🆒 Klimaanlage 🏊 Hallenbad 🏊 Swimmingpool 💪 Fitnessclub 🅪 Kreditkarten

Fischgerichten aus der Küche Floridas und der Karibik, z. B. Dolphin mit einer Salsa aus tropischen Früchten und Mango-Rum Soße.

🅿 🆂 💳 Alle gängigen Kreditkarten

🍴 PAPA JOE'S LANDMARK RESTAURANT
$$
MM 79,7
ISLAMORADA
TEL. 305/664-8109
1937 erbautes, bodenständiges Fischlokal mit Langzeit-Spezialitäten wie etwa Hummer oder Tagesfänge, insbesondere die der Gäste. Auch Steaks, Prime Ribs und Kalbfleisch.

🅿 🆂 💳 Alle gängigen Kreditkarten

🍴 MANNY & ISA'S KITCHEN
$
MM 81,6
ISLAMORADA
TEL. 305/664-5019
Ein unauffälliges, gemütliches Restaurant mit weniger als zehn Tischen, aber mit der besten kubanischen Hausmannskost auf den Keys. Schwarze Bohnensuppe, Paella und Hummer-Enchiladas. Berühmt ist *Manny's Key lime pie.*

🅿 🕐 Geschl. Di 🆂 💳 Alle gängigen Kreditkarten

LONG KEY 33001

🍴 LITTLE ITALY
$
MM 68,5
TEL. 305/664-4472
Gute und herzhafte italienische Küche in einem günstigen, familienfreundlichen Lokal. Umfangreiche Speisekarte mit Fischgerichten, Linguine mit roter Muschelsoße, Kalbfleisch mit Parmesan sowie Huhn. Große Portionen.

🅿 🆂 💳 Alle gängigen Kreditkarten

MIDDLE KEYS

Die Middle Keys reichen vom MM 85 bis zum MM 45 und gelten als Eldorado für Angler und Taucher in den USA. Während des ganzen Jahres trifft man hier auch Festlandbewohner aus Florida, die die Nähe der Keys nutzen. Aber erwarten Sie hier keine Strände – zumindest keine natürlichen. Der Sand für die schmalen Strandabschnitte stammt aus der Karibik.

DUCK KEY 33050

🏨 HAWK'S CAY RESORT 🍴 & MARINA
$$$$$
MM 61
TEL. 305/743-7000
FAX 305/743-0641
Anlage im Stil der Westindischen Inseln auf einer privaten Insel; großzügige Zimmer. Es gibt einen Marina, ein Wassersportcenter, einen Sandstrand, eine Salzwasserlagune und einen Kinder-Club. Die Dolphin Connection bietet ein interaktives Programm.

🛏 193 🅿 🍴 🆂 🏊 💳 Alle gängigen Kreditkarten

KEY VACA 33050

🍴 KEYS FISHERY MARKET AND MARINA
$$$
BEI MM 49,2 AN DER 35TH STREET
MARATHON
TEL. 866/743-4353
Lockeres Open-Air-Lokal; einigermaßen unbekannt, aber erwähnenswert sind die Kokosnuss-Shrimps und das Hummer-Reuben-Sandwich.

🪑 250 🅿 💳 Alle gängigen Kreditkarten

🏨 SOMBRERO REEF INN & FISHING LODGE
$$
500 SOMBRERO BEACH RD.
MM 50
MARATHON
TEL. 305/743-4118

Entspannte Bed-and-Breakfast-Pension am Meer mit Blick über den Atlantik; lockerer Florida-Stil. Alle Zimmer mit eigenem Eingang und Meeresblick. Rampe und Anlegestellen für Boote.

🛏 4 Suiten 🆂 💳 MC, V

LOWER KEYS

Die Lower Keys beginnen am Ende der Seven Mile Bridge. Die Inseln wie Big Pine, Sugarloaf und Summerland sind weniger bebaut und deshalb ruhiger als die Upper Keys. Am schönsten ist es im Bahia Honda State Park an der Atlantikseite von Big Pine Key. Hier liegt an einer der schönsten Küsten des südlichen Floridas ein ebensolcher Strand.

BIG PINE KEY 33050

🏨 BARNACLE BED AND BREAKFAST
$$
1557 LONG BEACH DR.
MM 33
TEL. 305/872-3298
FAX 305/872-3863
Ein Haus im karibischen Stil inmitten eines schönen Gartens mit Whirlpool, Hängematte und Privatstrand. Interessante Einrichtung und nur jeweils zwei Zimmer im Haupthaus und in der Hütte.

🛏 4 🅿 🆂 💳 MC, V

SUGARLOAF KEY

🍴 MANGROVE MAMA'S RESTAURANT
$$
19991 OVERSEAS HWY.
TEL. 305/745-3030
Eine einfache Hütte, die den Hurrikan von 1935 überstand. Einfache Tische im Haus oder im Schatten eines Bananenhains. Frische Fischgerichte und Fischsuppen, großartige *Key lime pie,* aber auch Teriyaki-Huhn und feurige gegrillte Back Ribs.

🅿 🆂 💳 Alle gängigen Kreditkarten

🏨 Hotel 🍴 Restaurant 🛏 Zimmer 🪑 Sitzplätze 🅿 Parkplatz 🕐 Öffnungszeiten 🛗 Lift

LITTLE TORCH KEY

LITTLE PALM
ISLAND

Ein Paradies! Privatinsel, nur mit dem eigenen Boot oder einer 15-minütigen Fahrt mit dem Wassertaxi zu erreichen. Palmenbedeckte Suiten sind über zwei üppig bewachsene Hektar Land verteilt, alle mit Hängematte auf der Terrasse. Kein Telefon, kein TV. Der Koch Anthony Keene nutzt regionale Zutaten, um europäische, karibische und asiatische Gerichte zu zaubern, die das Wasser im Mund zusammenlaufen lassen. Reservierung erforderlich. Donnerstags Gourmet-Night.

$$$$$
MM 28,5, LITTLE TORCH KEY, FL 33042
TEL. 305/872-2551 oder
800/343-8567
FAX 305/872-4843
ⓘ 30 🛇 ☎ 🛇 Alle gängigen Kreditkarten

KEY WEST UND DRY TORTUGAS

In Key West gibt es die landesweit größte Dichte an Gästehäusern und B&Bs. Meistens sind sie auch noch kurios und exzentrisch.

KEY WEST 33040

WYNDHAM CASA
MARINA

$$$$
1500 REYNOLDS ST.
TEL. 305/296-3535 oder
800/626-0777
FAX 305/296-4633
Romantisches Haus an der Küste. Das älteste Hotel der Keys, 1921 vom Eisenbahnmagnaten Henry Flagler erbaut. Es gibt einen Privatstrand, zwei Pools und ein Restaurant, das für seinen Sonntagsbrunch bekannt ist.
ⓘ 314 🅿 🛇 🛇 ☎
🛇 Alle gängigen Kreditkarten

OCEAN KEY HOUSE
SUITE RESORT &
MARINA

$$$$$
ZERO DUVAL ST.
TEL. 305/296-7701 oder
800/328-9815
FAX 305/295-7016
Das vierstöckige Haus an der Duval Street ist der richtige Ort für Leute, die viel Platz und moderne Einrichtungen wünschen. Die Dockside Bar im Hotel bietet die beste Sicht auf den Sonnenuntergang.
ⓘ 100 Suiten 🅿 🛇 🛇
🛇 🛇 Alle gängigen Kreditkarten

PIER HOUSE
$$$$$

1 DUVAL ST.
TEL. 305/296-4600 oder
800/327-8340
FAX 305/296-7569
Stilvolles, luxuriöses Haus in der Altstadt mit karibischem Flair, abgeschirmt durch einen tropischen Garten. Genießen Sie den Spa, den künstlich angelegten Sandstrand oder die Bars und Restaurants. Hoch gelobtes Restaurant, siehe S. 256.
ⓘ 142 Zimmer & Suiten
🅿 🛇 🛇 ☎ 🛇
🛇 Alle gängigen Kreditkarten

CHELSEA HOUSE
$$$

707 TRUMAN AVE.
TEL. 305/296-2211 oder
800/845-8859
FAX 305/296-4822
Ruhiges und entspanntes, grau-weißes Juwel von einem Haus, umgeben von üppigen tropischen Pflanzen. Die Zimmer im Haupthaus sind z. T. mit Antiquitäten ausgestattet, die Zimmer beim Pool im mediterranen Stil gestaltet.
ⓘ 21 🛇 🛇 ☎ 🛇 Alle gängigen Kreditkarten

THE MARQUESA
HOTEL

Luxus-Hotel in zwei Häusern aus dem Jahr 1880, die im National Register of Historic Places aufgeführt sind; außerdem noch zwei moderne Häuser. Geschmackvolle Zusammenstellung moderner und antiker Möbel, Marmorbäder, zwei Pools und das gepriesene Café Marquesa (siehe S. 256).

$$$$
600 FLEMING ST.
KEY WEST, FL 33040
TEL. 305/292-1919 oder
800/869-4631
FAX 305/294-2121
ⓘ 27 🛇 🛇 🛇 AE, MC, V

CURRY MANSION INN
$$$

511 CAROLINE ST.
TEL. 305/294-5349 oder
800/253-3466
FAX 305/294-4093
Weitläufiges viktorianisches Landhaus, ein Meisterstück der prächtigen Belle Époque; Besichtigungen möglich. Zimmer mit Antiquitäten und Korbmöbeln im Anbau.
ⓘ 28 🛇 🛇 ☎ 🛇 Alle gängigen Kreditkarten

HERON HOUSE
$$$

512 SIMONTON ST.
TEL. 305/294-9227 oder
800/294-1644
FAX 305/294-5692
Komfortables Gästehaus, einfach, aber geschmackvoll eingerichtet. Großzügige Terrassen und Balkone vor den großen Zimmern. Die Wände sind mit Teak, Eichen- oder Zedernholz getäfelt.
ⓘ 25 🛇 🛇 ☎ 🛇 Alle gängigen Kreditkarten

ISLAND CITY HOUSE
HOTEL
$$$

411 WILLIAM ST.
TEL. 305/294-5702
FAX 305/294-1289

🛇 Nichtraucher 🛇 Klimaanlage ☎ Hallenbad 🛇 Swimmingpool 🛇 Fitnessclub 🛇 Kreditkarten

Das Arch House, eines der drei Häuser von 1880, in denen sich jetzt das Hotel befindet, ist das einzige erhaltene Kutschhaus auf den Keys. Sie wählen zwischen Suiten oder Studios.

⊡ 24 Zimmer & Suiten **⬛**
⬛ **⬛** Alle gängigen Kreditkarten

🏨 SIMONTON COURT HISTORIC INN
$$$
320 SIMONTON ST.
TEL. 305/294-6386
FAX 305/293-8446
Neun charaktervolle Gebäude stehen jetzt in den Gärten auf dem Gelände der alten Zigarrenfabrik. Einer der vier Pools ist am Abend beleuchtet. Für Erwachsene.

⊡ 26 **⬛** **⬛** **⬛** AE, MC, V

🏨 CONCH HOUSE HERITAGE INN
$$
625 TRUMAN AVE.
TEL. 305/293-0020
FAX 305/293-8447
Eines der ältesten Herrenhäuser der Insel, im National Register of Historic Places aufgeführt. Große, elegante Zimmer im Haupthaus und karibische Korbmöbel im tropischen Cottage am Pool.

⊡ 8 **🅿** **⬛** **⬛** **⬛** Alle gängigen Kreditkarten

🏨 DUVAL HOUSE
$$
815 DUVAL ST.
TEL. 305/294-1666
FAX 305/292-1701
Kein Telefon, kein TV oder Radio und keine Nummern an den Türen. Einfache Korbmöbel, einige Antiquitäten und am Pool üppiger Hibiskus. Ruhiges viktorianisches Zuckerbäckerhäuschen.

⊡ 28 **⬛** **⬛** **⬛** **⬛** Alle gängigen Kreditkarten

🏨 EDEN HOUSE
$$
1015 FLEMING ST.
TEL. 305/296-6868
FAX 305/294-1221

Liebevoll restauriertes, gut geführtes Hotel. Vernünftige Preise für die mit Korbmöbeln eingerichteten Zimmer im Haupthaus. Teurer sind die Suiten in den drei angrenzenden Conch-Häusern.

⊡ 40 **⬛** **⬛** AE, MC, V

🏨 THE MERMAID AND THE ALLIGATOR
$$
729 TRUMAN AVE.
TEL. 305/294-1894
FAX 305/295-9925
Ehemals das Haus eines Bürgermeisters (Baujahr 1904), ist dies jetzt ein ungewöhnliches, großzügiges Gästehaus mit Einflüssen aus dem Orient und dem Art déco sowie mit Bücherregalen in der Diele. Günstigere Zimmer ohne eigenes Bad im Conch House.

⊡ 4 **⬛** **⬛** **⬛** AE, MC, V

🍽 CAFÉ DES ARTISTES
$$$$
1007 SIMONTON ST.
TEL. 305/294-7100
Französisches Restaurant mit langer Tradition und erstklassiger Küche. Formell und etwas teurer, aber sehr kreativ. Probieren Sie den Snapper sautiert in Tarragon-Butter mit Shrimps und Muscheln. Exzellente Weinkarte.

🕒 Geschl. mittags **⬛**
⬛ AE, MC, V

🍽 PIER HOUSE RESTAURANT
$$$$
1 DUVAL ST.
TEL. 305/296-4600 oder 800/327-8340
FAX 305/296-7569
Umwerfendes Lokal mit Glasfront zum Meer – großartiger Hintergrund für die ehrgeizige amerikanische Küche mit starkem karibischen Einfluss. Viele regionale Fischgerichte. Gute Weine.

🅿 **🕒** Geschl. mittags **⬛**
⬛ Alle gängigen Kreditkarten

🍽 MICHAEL'S RESTAURANT
$$$
532 MARGARET ST.
TEL. 305/295-1300
In einer Seitenstraße des Altstadtviertels gelegen, bietet dieses Lokal sowohl drinnen als auch draußen neben dem Springbrunnen eine gewisse Eleganz. Herzhafte Gerichte mit Rindfleisch, Pasta und Fischgerichten, aber auch Käsefondues.

⬛ 100 **🕒** Geschl. mittags
⬛ **⬛** Alle gängigen Kreditkarten

DER BESONDERE TIPP

🍽 LOUIE'S BACKYARD
Sahnestück an der Atlantikküste. Wunderschönes Restaurant unter freiem Himmel, exquisite Einrichtung, neue karibische Küche auf der Basis einheimischer Fische. Probieren Sie *Bahamian Conch Chowder* mit Cayennepfeffer-Soße. Reservierung erforderlich.
$$$$
700 WADDELL AVE.
KEY WEST
TEL. 305/294-1061
🕒 Geschl. mittags im Sept.
⬛ **⬛** Alle gängigen Kreditkarten

🍽 SQUARE ONE
$$$
1075 DUVAL ST.
TEL. 305/296-4300
Stilvolles, anspruchsvolles Bistro mit innovativer *New-World*-Küche. Wegweisend sind hier z. B. die sautierten Muscheln auf pochiertem Spinat mit Senfsahnesoße. Reservierung erforderlich.

🅿 Zufahrt Simonton St.
🕒 Geschl. mittags **⬛**
⬛ Alle gängigen Kreditkarten

🍽 DIM SUM'S FAR EAST RESTAURANT
$$
613½ DUVAL ST.
TEL. 305/294-6230

Panasiatische Küche mit Spezialitäten aus Vietnam, Thailand und China. Probieren Sie die Ente in Soße mit schwarzen Bohnen oder pfannengerührte Nudeln mit Gemüse sowie Fisch mit feuriger Pfeffersoße.

🅿 🕒 Geschl. mittags ❄
🏊 Alle gängigen Kreditkarten

DER BESONDERE TIPP

🍴 CAFÉ MARQUESA
🈯

Eines der fantasievollsten Lokale in Key West, mit einem Hauch von europäischer Brasserie. Innovative Küche und atemberaubende Darreichung; probieren Sie den Gelbflossen-Thunfisch in Salsa Verde oder die würzigen, gegrillten jamaikanischen Garnelen. Reservierung erforderlich.

$$$
600 FLEMING ST.
KEY WEST
TEL. 305/292-1244
🕒 Geschl. mittags ❄
🏊 Alle gängigen Kreditkarten

🍴 DUFFY'S STEAK AND LOBSTER HOUSE
$$
1007 SIMONTON ST.
TEL. 305/296-4900
Ein Art-déco-Ableger des Café des Artistes nebenan (siehe S. 256). Steaks, Rippchen und Hummer sind hier immer gut und günstig. Alle Gerichte sind einfach angerichtet und werden mit Salat und frischem Brot sowie Kartoffeln gereicht.

❄ 🏊 Alle gängigen Kreditkarten

🍴 KELLY'S CARIBBEAN BAR & GRILL
$$
301 WHITEHEAD ST.
TEL. 305/293-8484
Ein ehemaliges Pan-Am-Büro und mit Memorabilien aus der Fliegerei. Außerdem ist es die südlichste Brauerei. Trinken Sie

das *Havana Red Ale* zum gegrillten Schweinefleisch und der frischen Mango-Salsa. Keine Reservierung.

❄ 🏊 Alle gängigen Kreditkarten

🍴 MANGOES
$$
700 DUVAL ST.
TEL. 305/292-4606
Karibische Fischgerichte werden drinnen oder draußen serviert; als Spezialität z.B. gebratener Yellow Snapper mit Passionsfrucht oder superdünne Pizzen. Großartig, um Leute zu beobachten.

🅿 Valet ❄ 🏊 Alle gängigen Kreditkarten

🍴 SIAM HOUSE
$$
829 SIMONTON ST.
TEL. 305/292-0302
Suriya Siripant stammt aus Bangkok. Deshalb ist seine thailändische Küche so authentisch. Selbst gezüchtete Kräuter; das Lunch-Büfett ist günstig. Reservierung empfehlenswert.

❄ 🏊 Alle gängigen Kreditkarten

🍴 ORIGAMI
$$
1075 DUVAL ST.
TEL. 305/294-0092
Eines der besten japanischen Restaurants der Stadt. Berühmt für das Sushi-Deluxe-Dinner und das Origami-Super-Special.

🪑 60 🅿 Valet 🕒 Geschl. mittags ❄ 🌬 🏊 Alle gängigen Kreditkarten

---

🍴 CAMILLE'S RESTAURANT
$
703½ SIMONTON ST.
TEL. 305/296-4811
Kleines, von früh bis spät geöffnetes Diner-Restaurant. Deftiges Lamm mit Knoblauch-Oregano-Marinade oder Himbeer-Coulis, aber auch *Stone Crab Clawmeat Cakes* mit würziger Rum-Mango-Soße.

🪑 150 🕒 Geschl. mittags
🅿 Valet ❄ 🌬 🏊 Alle gängigen Kreditkarten

🍴 EL SIBONEY
$
900 CATHERINE ST.
TEL. 305/296-4184
Einfache Einrichtung bestimmt dieses sehr beliebte Lokal. Kubanische Gerichte in riesigen Portionen zu niedrigen Preisen. Ropa Vieja, Boliche, Paella, verschiedene Sandwiches und vieles mehr.

🕒 Geschl. So ❄ 🏊 Keine Kreditkarten

🍴 HALF SHELL RAW BAR
$
231 MARGARET ST. 1
TEL. 305/294-7496
Beliebter Treffpunkt im Stil von Old Key West. Entspannte Atmosphäre. Einfache regionale Fischgerichte zu vernünftigen Preisen. Steinkrebse und Maine-Lobster.

🅿 ❄ 🏊 Alle gängigen Kreditkarten

🍴 HOG'S BREATH SALOON
$
400 FRONT ST.
TEL. 305/296-4222
Hier wurde eine Surfer-Bar nachgebaut. Viele Touristen und Einheimische genießen die zwanglose Atmosphäre der Keys. Gegrillte Fischsandwiches werden hier tonnenweise verkauft. Auch Burger und Fisch sowie T-Shirts. Happy Hour 17–19 Uhr.

🅿 Valet L ❄ 🏊 Alle gängigen Kreditkarten

🍴 PEPE'S CAFÉ
$
806 CAROLINE ST.
TEL. 305/294-7192
Ältestes Restaurant in Key West mit traditioneller amerikanischer Küche: Steaks, Schweinekoteletts und Burger ebenso wie Apalachicola-Austern. Das Frühstück hat auf den Keys eine besondere Bedeutung.

❄ 🏊 DC, MC, V

❄ Nichtraucher ❄ Klimaanlage 🛁 Hallenbad 🏊 Swimmingpool 🏋 Fitnessclub 🏊 Kreditkarten

EINKAUFEN

Aufgrund der relativ niedrigen Mieten und einer Umsatzsteuer von 6,5 Prozent sind Einkäufe in Miami und auf den Keys in der Regel günstiger als in New York oder Los Angeles. South Beach, Coconut Grove, Coral Gables und Downtown Miami gehören zu den wenigen Orten, in denen sich auch Fußgänger wohlfühlen. Das Angebot ist hier abwechslungsreich und individuell.

Ansonsten findet das Shopping in klimatisierten Mega-Malls statt, in denen Kaufhäuser wie Burdine's/Macy's oder JC Penney vertreten sind, aber auch Filialen von Gap, Banana Republic und Victoria's Secret. Außerdem gibt es Restaurantbereiche und vielleicht noch ein Kinocenter mit sicherlich mehr als einem halben Dutzend Kinosälen. Der Trend geht aber derzeit in Richtung Open-Air-Malls, die edle Geschäfte, häufig auch Designerläden in exklusiver Umgebung präsentieren. Diese Malls sind vor allem bei reichen Südamerikanern beliebt, die durch Namen wie Gucci, Bulgari, Prada und Vuitton angezogen werden und hier große Mengen einkaufen.

In Key West ist alles teuer, insbesondere aber Kleidung. Die Läden, die einen Besuch wirklich lohnen, setzen sich vor allen Dingen von den in Key West im Überfluss vorhandenen T-Shirt-Shops ab. Direkt in Key West werden Zigarren, Badekleidung, Sandalen und Hautpflegeprodukte hergestellt. Interessant sind auch Bilder, Skulpturen und Skizzen einheimischer Künstler; seltener sind Conch-Perlen.

INDOOR-MALLS

Bal Harbour Shops
9700 Collins Ave., Bal Harbour
Tel. 305/866-0311
Exklusive Mall mit Schwerpunkt auf Designer-Shops wie Tiffany, Chanel, Prada, Gucci, Cartier, Hermès und Bulgari sowie mit Floridas größten Filialen von Neiman Marcus und Saks Fifth Avenue.

Village of Merrick Park
Coral Gables
Tel. 305/529-0200
Neiman Marcus, Nordstrom und 115 weitere Designer-Boutiquen und Spas.

Dolphin Mall
11250 NW 25th St., Miami
Tel. 305/437-9770
Miamis modernste multifunktionale Mall – eine Touristenattraktion, die nette Einkaufsatmosphäre, Familienunterhaltung (z. B. ein Kino mit 28 Sälen) und Restaurants bietet. Neben anderen Läden finden sich auch Designer-Outlets und Spezialitätengeschäfte.

OUTDOOR-MALLS

Bayside Marketplace
401 N. Biscayne Blvd., Miami
Tel. 305/577-3344
Shopping direkt am Meer: mit verschiedensten Geschäften, mit Straßenkünstlern, Miamis Hard Rock Café und Sightseeing-Bootstouren.

CocoWalk
3015 Grand Ave., Coconut Grove, Tel 305/444-0777
Schrill, viele Läden, halb drinnen, halb draußen. Cafés mit Terrassen, ein Kino mit 16 Sälen, aber über Banana Republic und Victoria's Secret geht das Angebot an Einzelhandelsläden nicht hinaus.

Downtown Miami Shopping District
Biscayne Blvd. bis 2nd Ave. W. und S.E. 1st St. bis N.E. 3rd St., Miami
Tel. 305/379-7070
Mehr als 1000 Geschäfte, darin das landesweit zweitgrößte Juwelierangebot sowie Hunderte von Elektronik-, Sportartikel-, Bekleidungs- und Schuhläden.

Prime Outlets at Florida City
250 E. Palm Dr. (S.W. 344th St.), Florida City

Tel. 305/248-4727
Nur 30 Autominuten südlich von Miami, in einem üppig bewachsenen tropischen Dorf, haben sich über 60 Factory-Outlets angesiedelt, von Nike und OshKosh B'Gosh bis hin zu Levi's Outlet by Designs.

Streets of Mayfair
2911 Grand Ave., Coconut Grove, Tel. 305/448-1700
Mediterran wirkender Platz im Herzen von Coconut Grove mit Cafés, Nachtlokalen, Kinos, Restaurants und landesweit bekannten Geschäften.

KUNST & ANTIQUITÄTEN

Engman International Fine Art
2111 Ponce de Leon Blvd., Coral Gables, Tel. 305/445-5125
Geschl. Sa & So
Eine der führenden Kunstgalerien im südlichen Florida; sie bietet Werke von Orlando Agudelo-Botero, Arenas Betancourt und Alejandro U Mazon.

Gotta Have It! Collectibles
4231 S.W. 71st Ave., Coral Gables, Tel. 305/446-5757
Geschl. So
Eine erlesene Auswahl an Autogrammen und Memorabilia aus Sport, Rockmusik und aus Hollywood.

Haitian Art Co.
600 Frances St., Key West
Tel. 305/296-8932
Hervorragende, farbenfrohe Gemälde, Skulpturen und andere Kunstgegenstände aus Haiti.

Lincoln Road Shopping District
Lincoln Road, Miami Beach
Tel. 305/673-7010
Das imposante, edle Einkaufsviertel erstreckt sich über zwölf Blocks, mit individuellen Läden, feinen Kunstgalerien und -werkstätten, aber auch renommierten Restaurants und Cafés. Unterschiedliche Öffnungszeiten. Hier sind das Miami City Ballet und die New World Symphony ansässig.

BÜCHER

Auch die coolsten Typen brauchen am Strand etwas zu lesen:

Barnes and Noble Booksellers
7710 N. Kendall Dr., Miami,
Tel. 305/598-7292;
152 Miracle Mile, Coral Gables,
Tel. 305/446-4152;
18711 Biscayne Blvd., North
Miami Beach, Tel. 305/935-9770;
12405 S.W. 88th St., Miami,
Tel. 305/598-7727
Mehr als 17 000 Titel, darunter
auch Werke einheimischer
Autoren

Books & Books
933 Lincoln Rd., Miami Beach,
Tel. 305/532-3222;
265 Aragon Ave., Coral Gables,
Tel. 305/442-4408
Große Auswahl an Büchern;
auch Autorenlesungen

Borders Books
19925 Biscayne Rd., Aventura,
Tel. 305/935-0027;
3390 Mary St. 116, Coconut
Grove, Tel. 305/447-1655
Poesie und Lesungen; umfassende Auswahl an Büchern.

Kafka's Used Book Store
1464 Washington Ave., Miami
Beach, Tel. 305/673-9669
Überwiegend Taschenbuch-Antiquariat

ZIGARREN

Deco Drive Cigar East
1436 Ocean Dr., Miami Beach
Tel. 305/672-9032
Deco Drive Cigar East
1650 Meridian Ave., Miami
Tel. 305/674-1811
Täglich geöffnet
Zigarren aus Honduras, Nicaragua und der Dominikanischen
Republik. Sie können auch beim
Zigarrenrollen zuschauen.

Tropical Cigars
741 Lincoln Rd., Miami Beach
Tel. 305/673-3194
Täglich 11–24 Uhr geöffnet
Das Angebot enthält einheimische und importierte handgerollte Zigarren; auch Humidore,
Cutter und andere Accessoires.

Cuban Leaf Cigar Factory
310 Duval St., Key West
Tel. 305/295-9283
Alles, was Sie über Zigarren
wissen müssen – dazu gehört
auch, dass Sie die Herstellung
beobachten können.

El Credito Cigars
1106 S.W. 8th St., Little Havana
Tel. 305/858-4162
Geschl. So
Kubanische Zigarrenfabrik.

Key West-Havana Cigar Company
1117 Duval St., Key West
Tel. 305/296-1977
oder 800/217-4884
Riesige Auswahl an Zigarren.

Macabi Cigar Factory Shop
3475 S.W. 8th St., Miami
Tel. 305/446-2606
Mehr als 100 verschiedene
Marken in fünf Filialen in der
Umgebung.

SCHMUCK

Capricorn Jewelry
706 Duval St., Key West
Tel. 305/292-9338
Indianischer Schmuck, darunter
eindrucksvolle Stücke aus Silber
und Türkisen.

Seybold Building
36 N.E. 1st St., Miami
Tel. 305/374-7922
In dem historischen Gebäude im
Stadtzentrum sind fast 300 Juweliere ansässig.

Kirk Jewelers
132 E. Flagler St., Miami
Tel. 305/371-1321
Geschl. So
Große Auswahl an Markenuhren, 14-Karat-, 18-Karat- und
Platinschmuck.

Rainbow Jewelry
101 N.E. 1st St., Miami
Tel. 305/371-228
Geschl. So
Große Auswahl an Cartier-Produkten; auch Hermès, 18-Karat-Goldschmuck von Carrera
y Carrera sowie Mont-Blanc-Füller.

DRESSING UP

In Miami und auf den Keys
können Sie Ihren modischen Stil
verändern.

The Silver Edge
3015 Grand Ave., CocoWalk
Tel. 305/445-1300
Täglich geöffnet
Silberschmuck von Europa bis
Südostasien.

Armani Exchange
760 Collins Ave., Miami Beach
Tel. 305/531-5900
Die neuesten und ausgefallensten Modelle von Giorgio
Armani.

SPORTAUSRÜSTUNG

Sportenthusiasten finden im
südlichen Florida alles, was das
Herz begehrt.

Alf's Golf Shop
524 Arthur Godfrey Rd., Miami
Beach
Tel. 305/673-6568
Geschl. So
Golfausrüstung, Schuhe,
Bekleidung und Taschen.

Capt. Harry's Fishing Supplies
100 N.E. 11th St., Miami
Tel. 305/374-4661
Geschl. So
Große Auswahl an Angelausrüstungen.

X-Isle Surf Shop
8050 Washington Ave., Miami
Beach, Tel. 305/673-5900
Geschl. So vormittags
Großes Angebot an Surf- und
Wellenbrettern, Neoprenanzügen und sonstigen Strandaccessoires. Surfbrettverleih.

BESONDERHEITEN

Key West Aloe
Mehr als 300 Aloe-vera-Produkte, einschließlich einer
Vielzahl an Originaldüften.

Key West Hand Print Fabrics
201 Simonton St., Key West
Tel. 305/294-9535
Ausgefallene tropische Kleidung
für Damen und Herren.

UNTERHALTUNG

Miami bietet eine Vielzahl an Freizeitaktivitäten; nachts ist den Verlockungen der Bars, Restaurants und Nachtclubs kaum zu widerstehen. Wenn das Geld nicht mehr ausreicht, dann beobachten Sie doch einfach aus den Cafés in South Beach oder Coconut Grove heraus die vorbeiflanierenden Leute. Fehlt noch etwas? In den Kinos laufen die aktuellsten Blockbuster, Independentfilme müssen allerdings um ihr Publikum kämpfen. Die Aufführungen im Bereich Theater und klassische Musik haben nicht den Stellenwert wie in Los Angeles oder New York.

In der Freitagsausgabe des Miami Herald finden Sie unter Weekend ein komplettes, sehr ausführliches Veranstaltungsverzeichnis mit Details zu Konzerten, Rock- und Jazzveranstaltungen, Theateraufführungen, Kinoprogrammen und Nachtclubs.

In Key West informiert man sich unter der Rubrik Arts and Entertainment des Key West Citizen über die aktuellsten kulturellen Angebote.

KINO

Kinokarten erhalten Sie direkt an der Kinokasse. Bei aktuellen Filmen sind Reservierungen empfehlenswert. Nachmittagsvorstellungen sind häufig günstiger. Die meisten Kinos gewähren bei Vorlage eines Ausweises Ermäßigungen für Schüler, Studenten und Rentner.

AMC CocoWalk 16
3015 Grand Ave., Coconut Grove
Tel. 305/448-7075
In dem Multiplex-Kino mit 16 Sälen werden neben dem normalen Kinoprogramm auch Experimental- und Independentfilme gezeigt.

AMC Sunset Place
5701 Sunset Drive, South Miami
Tel. 305/466-0450
Mit 24 Leinwänden verpassen Sie hier keinen Film. Nur neueste Filme.

The Miami Beach Cinematheque
512 Española Way, Miami Beach
Tel. 305/673-4567
Für alternative und ausländische Filme das beste Kino in Miami Beach.

Regal South Beach 18
1100 Lincoln Rd., South Beach
Tel. 305/674-6766
Obwohl es zu einer Kinokette gehört, erlaubt sich dieses Kino, neben den Blockbustern auch Low-Budget-Kunstfilme und ausländische Filme zu zeigen.

Sunrise Cinemas Intracoastal
3701 N.E. 163 St., Miami
Tel. 305/949-0064
Auf acht Leinwänden werden Blockbuster, Independent- und ausländische Filme präsentiert.

CLUBS & BARS

MIAMI

Miami ist berühmt für sein Nachtleben. Die Clubs in Miami werden häufig mit denen in New York verglichen: schlafraubend und von unbarmherziger Energie. Vor 23 Uhr geht man besser nicht in die Clubs. Dies gilt besonders für South Beach, den Inbegriff des coolen Miami, wo es die trendigsten Clubs gibt. Alkoholkonsum ist in den USA erst ab 21 Jahren erlaubt, deshalb wird Jüngeren der Zutritt zu den Clubs oft verwehrt. Vergessen Sie Ihren Ausweis nicht, auch wenn Sie bereits viel älter sind. Die Law-States-Clubs müssen um 5 Uhr morgens den Alkoholausschank einstellen. Die meisten Clubs schließen zwischen 3 und 5 Uhr morgens. Die Eintrittspreise (in bar) sind unterschiedlich, für Damen ist der Eintritt häufig frei. Wenn kein Eintritt verlangt wird, schlägt sich das auf die Getränkepreise nieder. Beachten Sie, dass die Öffnungszeiten der Clubs in Miami vollkommen willkürlich sind. Erkundigen Sie sich, ob die Lokale überhaupt noch geöffnet sind und welcher Dresscode herrscht.

Bash
655 Washington Ave., Miami Beach
Tel. 305/538-2274
Mick Hucknell und Sean Penn sind die Eigentümer. Gespielt wird Cool Dance/Worldmusic; beliebt bei Stars und Sternchen.

Chispa
225 Altara Ave. (Ponce de Leon Blvd.), Coral Gables
Tel. 305/648-2600
Das Chispa (span. »Funke«) ist derzeit das wichtigste Restaurant mit Bar in Coral Gables; sowohl bei Latinos als auch bei Amerikanos beliebt.

The Clevelander Bar
1020 Ocean Dr., South Beach
Tel. 305/531-3485
Bar, Restaurant und Hotel direkt am Strand; seit vielen Jahren vor allem von Gästen über 30 gern besucht.

The Improv
3390 Mary St., Coconut Grove
Tel. 305/441-8200
Aus diesem berühmten Comedy-Club sind schon viele landesweit bekannte Komiker hervorgegangen.

Jimmy'z at The Forge
432 41st St., Miami Beach
Tel. 305/604-9798
Eleganter Club, in dem Geschäftsleute, Prominente und Partygänger die Nacht durchtanzen.

Les Deux Fontaine
Hotel Ocean, 1230–38 Ocean Dr., South Beach
Tel. 305/672-7878
Jazzclub in einem Hotel.

Marlin Bar
Marlin-Hotel, 1200 Collins Ave., South Beach, Tel. 305/673-8373
Livemusik und DJs in der Penthouse-Bar dieses hübschen Art-déco-Hotels.

Mynt
1921 Collins Ave., South Beach
Tel. 786/276-6132
Hier trifft man schöne Leute.

Nikki Beach Club
One Ocean Dr., South Beach
Tel. 305/538-1111
Sinnenfreudige Models und
internationale Geschäftsleute
genießen diesen Club am Meer.

Opium Garden
136 Collins Ave., South Beach
Tel. 305/531-5535
Einer der heißesten Clubs in
South Beach – manche bezeich-
nen ihn sogar als dekadent.

Oxygen
2911 Grand Ave., CocoWalk,
Coconut Grove
Tel. 305/476-0202
Schicker Club, in dem Silber- und
Blautöne eine entspannte Atmo-
sphäre schaffen, bis der DJ ab 23
Uhr die Stimmung zum Kochen
bringt.

Tapas & Tintos
448 Española Way, South Beach
Tel. 305/538-8272
Lokal mit relaxter Atmosphäre,
das dennoch Gourmet-Zutaten
zu verwenden weiß.

Twist
1047 Washington Ave., South
Beach
Tel. 305/53-TWIST
Eine der beliebtesten Schwulen-
Bars von South Beach; eigentlich
sogar sieben Bars unter einem
Dach.

KEY WEST
Man könnte meinen, Essen und
Trinken wären die wichtigsten
kulturellen Aktivitäten in Key
West. Hier herrscht eine
Anything-goes-Mentalität, und
die zahlreichen Bars machen das
Nachtleben sehr lebendig – oft
bis 4 Uhr morgens.

Sloppy Joe's
201 Duval St., Key West
Tel. 305/294-5717
Die Gäste werden von den Erin-
nerungsstücken an Hemingway
angezogen – und sie bleiben
wegen der Livemusik und der
lebendigen Atmosphäre.

Captain Tony's Saloon
428 Greene St., Key West
Tel. 305/294-1838
Dies ist das ursprüngliche Sloppy
Joe's, in dem Hemingway tatsäch-
lich zu Gast war.

Jimmy Buffett's Margaritaville Café
500 Duval St., Key West
Tel. 305/292-1435
Der Sänger Jimmy Buffett, der
schon jetzt eine Legende ist,
lieh dieser großen Bar seinen
Namen. Noch immer strömen
die Menschen hierher, obwohl
Buffett schon lange nicht mehr
in Key West wohnt. Livebands
unterschiedlichster Musik-
richtungen treten hier auf;
Souvenirladen.

La-Te-Da
1125 Duval St., Key West
Tel. 305/296-6706
Der entspannte Lebensstil und
die tolerante Haltung der
Menschen in Key West hat hier
eine große Homosexuellen-
Szene wachsen lassen; zahlreiche
Schwulenkneipen liegen an der
Duval Street. Im La-Te-Da trifft
sich eher noch gemischtes
Publikum: ein herrlicher Ort für
Poolside-Drinks und gelegentlich
einen Tanztee.

THEATER, KLASSISCHE MUSIK, OPER & TANZ
Der *Weekend*-Teil des *Miami
Herald* gibt aktuelle Veranstaltungshinweise für Theaterinsze-
nierungen und Aufführungen der
New World Symphony unter
der Leitung von Michael Tilson
Thomas sowie der Florida
Grand Opera. Karten bekommen Sie bei Ticketmaster (Tel.
305/358-5885). Bitte beachten
Sie die Vorverkaufsgebühr.
Wenn nicht anders angegeben,
sind alle Veranstaltungsorte
behindertengerecht.

Miami-Dade County Auditorium
2901 W. Flagler St.
Tel. 305/547-5414
Stammhaus der Florida Grand
Opera.

Gusman Center Olympia Theater for the Performing Arts
174 E. Flagler St., Downtown
Miami
Tel. 305/374-2444.
Während des ganzen Jahres
verschiedene Ballett- und Musik-
aufführungen, Filmfestivals und
andere Veranstaltungen.

Jackie Gleason Theater
1700 Washington Ave., Miami
Beach
Tel. 305/673-7300
2700 Sitzplätze für Broadway-
Shows und das American Black
Film Festival; auch moderne und
klassische Konzerte.

New Theater
4120 Laguna St., Coral Gables
Tel. 305/443-5909
Moderne Theaterstücke, einige
von britischen Autoren.

New World Symphony
555 Lincoln Road, Miami Beach
Tel. 305/532-7713
Das 90-köpfige Orchester bildet
Musiker zwischen 21 und 30
Jahren aus und bezeichnet sich
selbst als America's Orchestral
Academy.

Red Barn Theatre
319 Duval St., Key West
Tel. 305/296-9911
Unterschiedlichste Theaterstücke
von klassischen englischen und
amerikanischen Autoren bis hin
zu modernen Produktionen.

Tennessee Williams Fine Arts Center
5901 W. College Rd., Key West
Tel. 305/296-1520
Alles, was Musik ist: Broadway-
Shows, klassische Konzerte, Jazz
und Oper.

Waterfront Playhouse
Mallory Sq., Key West
Tel. 305/294-5015
Klassische und moderne Stücke
ebenso wie bekannte Musicals

VERANSTALTUNGS-KALENDER
Informationen finden Sie unter:
www.miami.eventguide.com

UNTERHALTUNG

JANUAR
Art Deco Weekend
Tel. 305/672-2014
Eine Hommage an die Art-déco-Architektur in South Beach. Big Bands ziehen durch die Straßen; Hotelzimmer sind schnell ausgebucht.

Annual Miami International Film Festival
Tel. 305/237-FILM
Während des zehntägigen Festivals zeigen die Kinos der ganzen Stadt Welt- und US-Premieren internationaler und nationaler Filme, aber auch kleinere bzw. anspruchsvollere Produktionen.

FEBRUAR
Coconut Grove Arts Festival
Tel. 305/447-0401
Zu dem landesweit wichtigsten Festival der schönen Künste treffen sich mehr als 300 Künstler und bis zu eine Million Besucher.

MÄRZ
Calle Ocho Festival
Tel. 305/644-8888
Eine Woche lang feiert Little Havana mit lateinamerikanischer Musik, Theater, Tanz und Essen. Höhepunkt ist die Straßenparty Calle Ocho am abschließenden Sonntagabend.

Ericsson Open
Tel. 305/442-3367
Im Tenniscenter Crandon Park in Key Biscayne findet eines der landesweit wichtigsten Tennisturniere statt; gespielt wird um Preisgelder von bis zu 5,7 Mio. $.

Asian Festival
Tel. 305/247-5727
Tausende von asiatischen Immigranten feiern zwei Tage lang im Fruit & Spice Park in Homestead ihr Essen und ihre Kultur.

Miami International Boat Show
Tel. 954/441-3220
Auf der wichtigsten Bootsmesse der Welt präsentieren im Miami Beach Convention Center auf über 23 Hektar mehr als 2300 Aussteller ihre Produkte – wie Powerboats, Motoren und anderes Zubehör.

MAI
JVC Jazz Festival Miami Beach
Tel. 305/673-7300
Alljährliches, fünftägiges Festival, bei dem Größen wie das Wayne Shorter Quartet und Kenny G ihre Musik zelebrieren.

JUNI
Miami/Bahamas Goombay Festival
Tel. 305/567-1399
Coconut Groves Festival der bahamaischen Immigranten – schauen Sie die Junkanoo-Paraden und die Royal Bahamian Police Marching Band an, und probieren Sie die wohl besten Conch-Kroketten der Gegend.

JULI
Annual America Birthday Bash
Tel. 305/358-7550
Zu einer der größten Unabhängigkeitspartys am 4. Juli in Florida gibt es im Amphitheater des Bayfront Park etwas für jeden Geschmack: ethnisches Essen, drei Bühnen, Rockbands, lateinamerikanische Musik und Feuerwerk.

AUGUST
Annual Miami Reggae Festival
Tel. 305/891-2944
Wohl alle jamaikanischen Immigranten der Stadt treffen sich an diesen zwei Tagen, um mit einheimischen, nationalen und internationalen Musikern den jamaikanischen Unabhängigkeitstag zu begehen.

SEPTEMBER
Arabian Nights Festival
Tel. 305/688-4611
Das landesweit größte arabische Festival findet in Opa-locka statt, das wegen seiner Architektur auch »Bagdad des Südens« genannt wird. Ein Wochenende lang wird hier an die Geschichte der Stadt erinnert. Fantasy-Parade in arabischen Kostümen.

OKTOBER
Columbus Day Regatta
Tel. 305/876-0818
Zwei Tage lang eigentlich mehr Show als Rennen: Boote aller Art fahren von der Biscayne Bay zu den Keys.

NOVEMBER
Miami Book Fair International
Tel. 305/237-3258
Eine der größten Buchmessen der USA; sie dauert eine Woche. Lesungen und Präsentationen von lokal, national und international renommierten Autoren.

DEZEMBER
Annual King Mango Strut
Tel. 305/444-7270
Exzentrische Parade in Coconut Grove, in der lokale oder nationale Berühmtheiten bzw. Ereignisse satirisch dargestellt werden.

Art Basel Miami Beach
www.artbasel.com
Das viertägige Event im Miami Beach Convention Center ist die amerikanische Schwester der Art Basel in der Schweiz, wohl eine der wichtigsten Kunstausstellungen der Welt. Auf der Art Basel Miami Beach präsentieren 1000 Künstler ihre Arbeiten; es gibt aber auch Musik, Filme und vieles mehr.

BESONDERE EVENTS IN KEY WEST

Sonnenuntergang in Key West
Der Sonnenuntergang in der südlichsten Stadt der USA ist ein wahres Spektakel. Gegen Ende eines jeden Tages kommen scharenweise Einheimische und Touristen auf dem Mallory Square zusammen. Hier kann man beobachten, wie die Sonne im Golf von Mexiko verschwindet, als wäre sie ans Ende der Welt geraten. Es gibt Essen und Trinken sowie Musik und Applaus, wenn die Sonne untergegangen ist.

Conch Republic Independence Celebration
Zehntägiges Festival zur Erinnerung an die symbolhafte Abspal-

tung der Conch-Republik von den USA. Am 23. April 1982 wurde die Conch-Republik als Protest gegen eine groß angelegte Straßensperre der Polizei auf der Suche nach Drogen und illegalen Einwanderern ausgerufen. Jedes Jahr wird dieses Szenario nachgespielt unter dem Motto »Wir haben uns losgesagt, wo andere versagt haben«.

Fantasy Fest

Zehntägiges Event Ende Oktober, zu Beginn des Herbstes bzw. des Winters. Auch Halloween fällt in diese Zeit. Es ist die Antwort auf den Mardi Gras in New Orleans und den Karneval in Rio. Alles findet in der Altstadt statt: Food-Festivals, Straßenfeste, Konzerte, Kunstausstellungen, der Kostümwettbewerb Pretenders in Paradise und Tiermaskeraden. Höhepunkt ist die Twilight Fantasy Parade mit spektakulären Booten und Kostümen.

Old Island Days

Sie beginnen Anfang Dezember und dauern vier Monate. Die einzigartige Geschichte und die Traditionen von Key West leben in unterschiedlichen Formen auf. Besichtigungsfahrten zu Hibiskus- und Bougainvillea-Gärten und ein Muschelhorn-Blaswettbewerb.

Hemingway Days Festival

Dutzende alter Herren mit kantigem Gesicht und weißem Haar nehmen jedes Jahr an dem Doppelgänger-Wettbewerb teil, dem Höhepunkt des Festivals.

MIT DELPHINEN SCHWIMMEN

Wenn Sie mit Delphinen schwimmen möchten, müssen Sie dieses nur im Voraus buchen und einige einfache Regeln beachten. Dann ist es ein unvergleichliches Erlebnis, diesen außergewöhnlichen Säugetieren so nahe zu sein. Viele kranke Kinder und Kinder mit Behinderungen haben schon von einer solchen Begegnung mit Delphinen profitiert.
Die drei wichtigsten »Delfin-Center« auf den Keys:

The Dolphin Research Center
Grassy Key, Marathon Shores, FL 33052, Tel. 305/289-1121

Dolphins Plus
P.O. Box 2728, Key Largo, FL 33037, Tel. 305/451-1993

Theater of the Sea
MM 84, Islamorada, FL 33036, Tel. 305/664-2431

NEW CUISINE SÜDFLORIDAS

Viele Bewohner in Miami sprechen Spanisch als Muttersprache, wie politische Flüchtlinge aus Kuba oder jene, die vor der Gewalt in Mittelamerika oder vor der Armut in der Karibik flüchteten. Viele reiche Brasilianer, Venezolaner und Kolumbianer haben in Miami Ferienhäuser. Diese kubanische, karibische und lateinamerikanische Mischung hat ihre eigene kulinarische Revolution entfacht.
Das *Floridian Fusion Cooking* oder die *New World Cuisine* entwickelte sich, als die Küchenchefs in Florida die füllhornartige Bedeutung der internationalen und kalifornischen Gerichte erkannten, die sie lange Zeit nur als günstige *early bird specials* von 16 bis 18 Uhr anboten.
Als Ergebnis entstand eine Küche, die in tropischen Geschmacksrichtungen und lebendigen Kombinationen schwelgt. Mit raschem lateinamerikanischem Tempo bekommen die Gerichte ein stilvolles Gesicht, vornehmlich mit Zutaten und Inspirationen aus dem karibischen Bereich. In den täglichen Gebrauch sind Dorsche, Tamarinde, Guaven, Kochbananen, Conchs und sogar die schärfste bekannte Chili, die *Caribbean Scotch Bonnet*, gekommen.
Einige hervorragende rohe Zutaten aus der Region spielen ebenfalls eine große Rolle: Fisch aus dem Atlantik und dem Golf von Mexiko, Exotisches wie Steinkrebs (*Stone crab*), Snapper, Wels, Froschschenkel, Alligator, Blutorangen und Palmherzen. Außerdem profitiert man vom tropi-

schen Klima, in dem die Pflanzen während des ganzen Jahres wachsen.
Homestead nahe Miami ist zur Hauptstadt der exotischen Früchte geworden. Hier werden Litschis gezüchtet, Passionsfrüchte, Mangos und Mameys (sie sehen aus wie überlange Kokosnüsse und schmecken nach gebackenen Süßkartoffeln).
Im südlichen Florida hat man die großartige Wahl zwischen Restaurants mit Schwerpunkt Jamaika, Trinidad, Kuba, Haiti, Argentinien, Peru, Nicaragua, Kolumbien oder Honduras. An fast jeder Ecke gibt es *Loncherias* (kubanische Snackbars), und in den Supermärkten bekommt man Kochbananen, Boniatos (Süßkartoffeln), Cassavas und andere lateinamerikanische Produkte.

SPEISEKARTE

Aus Florida

Alligator: gezüchtet, nicht wild gefangen. Weiches, sehr mageres Fleisch, das zäh werden kann, wenn es nicht sorgfältig verarbeitet wird, am besten frittiert. Alligator-Eintopf ist eine alte Spezialität in Florida.

Zitrusfrüchte: gewinnbringendste Erntefrüchte in Florida, das 80 Prozent der landesweiten Limetten-Ernte, 50 Prozent der weltweiten Grapefruit-Ernte und 25 Prozent der weltweiten Orangen-Ernte produziert.

Conch (sprich: konk): eine Spezialität der Bahamas; eine riesige, essbare, feste Meeresschnecke, mit Abalonen, Shrimps oder Muscheln zu vergleichen. Riesiges konisches Gehäuse, in das man wie in ein Horn blasen kann oder in dem man das Meer hört, wenn man es ans Ohr hält. Viel Protein, wenig Fett und häufig als Appetizer angeboten, vielleicht in einer Ceviche oder Suppe, in Stückchen oder auch frittiert.

Key lime: klein und gelb, Spezialität im südlichen Florida und auf den Keys. Es ist das beliebteste Dessert der Region. Im Original wird es mit Kondensmilch gesüßt, hat eine gelbe, puddingartige Füllung und eine Kruste aus Graham-Crackers.

Florida Catfish: Florida-Wels; eine Spezialität aus dem Lake Okeechobee, nordwestlich von Palm Beach; zunehmend auch aus Züchtungen. Der Fisch wird filetiert und mit Maismehl bestreut, dann frittiert.

Florida lobster: Der großartig anzusehende Hummer ist ein Krustentier mit riesigen Fühlern, einem stacheligen Panzer, aber ohne Scheren. Essbares Fleisch sitzt nur im Schwanz. Sehr häufig in Floridas Gewässern, kleiner und süßer als der Maine-Lobster. Hummersaison ist von Ende August bis April.

Florida mangoes: kurze Saison, ungefähr von Mai bis August. In Salsas und Chutneys werden diese Mangos aber das ganze Jahr über verwendet. Dann wachsen auch in den Gärten und am Straßenrand viele Sorten.

Froschschenkel: Die Frösche werden in den Everglades gefangen. Bei alten Fischern ebenso beliebt wie bei modernen Köchen beliebt wegen des Fleisches, das zart, saftig, mild-würzig und süß schmeckt.

Swamp cabbage oder hearts of palm: Palmherzen waren das Hauptnahrungsmittel der frühen Pioniere. Beliebt in ländlichen Gegenden, aber auch bei kreativen Köchen.

Stone crab: Die Saison der Steinkrebse dauert von Oktober bis April. Die Scheren sind der einzig essbare Teil. Fischer brechen den Tieren eine Schere ab und werfen sie dann zurück ins Wasser. Nach 12 bis 18 Monaten wächst eine neue Schere. Traditionell werden sie mit zerlassener Butter und Senfsoße angerichtet, aber die jungen Köche in Florida experimentieren auch hier mit neuen Kreationen.

Fisch

Amberjack: Bernsteinmakrele mit festem Fleisch; milder Tiefwasserfisch, ähnlich wie der Zackenbarsch.

Cobia: großer Warmwasserfisch, der dem Hai ähnelt. Hat einen milden Geschmack, festes Fleisch, das in Fischsuppe und Ceviche gut schmeckt.

Dolphin: auch mahi mahi (Goldmakrele), ein Salzwasserfisch (nicht das Meeressäugetier) mit weißem Fleisch, schmeckt am besten gegrillt.

Grouper: Zackenbarsch; großer Fisch mit süßem, weißem Fleisch und einem Gewicht bis über 35 kg.

Kingfish: Der Königsdorsch mit seinem dunklen Fleisch ist in Kuba und Mittelamerika beliebt; er wird traditionell zur Zubereitung von *escabeche* (mariniertem Fisch) verwendet.

Mullet: Meerbarben werden an der Westküste Floridas in großen Mengen gefangen. Fett und ölig, eignen sie sich gut zum Räuchern.

Pompano: ein flacher, silbriger Fisch, dessen Filet mit mildem Geschmack besonders beliebt ist.

Snapper: lebt in den flachen Gewässern der Keys. Der beliebteste Fisch Floridas ist süß, mild und zart im Geschmack.

Tuna: Beide Thunfischarten, der 220–280 kg schwere Gelbflossen-Thunfisch und der 10–20 kg schwere Schwarzflossen-Thunfisch, werden vor der Küste Floridas gefangen.

Wahoo: Der Name stammt von Hawaii und bedeutet »süß«. Der beliebte Angelfisch ist ein dunkler Fisch mit festem Biss, robust und süß im Geschmack. Er gehört zur Familie der Makrelen, hat aber grau-weißes Fleisch.

»Floribbean«-Speisekarte

Adobo: kubanische Marinade aus saurem Orangensaft, Knoblauch, Kreuzkümmel und Oregano

Batido: lateinamerikanischer Milchshake mit Früchten, Eis und gesüßter Kondensmilch

Boliche: kubanisches Schmorfleisch

Bolo: kubanisches Sandwich mit Kochschinken

Chimichurri: Gewürzmischung aus Nicaragua mit Ursprung in Argentinien; aus Petersilie, Knoblauch und Olivenöl. Passt gut zu Grillfleisch.

Churrasco: gegrilltes, mariniertes Rinderfilet, aus Nicaragua

Emparedado: kubanisches Sandwich mit Kochschinken, gebratenem Schweinefleisch, Käse und Gurken. Das Brot wird mit Knoblauch eingerieben.

Enchilado: Meeresfrüchte in kubanisch variierter kreolischer Soße

Frijoles negros: schwarze Bohnen

Lechón asado: Spanferkel

Mojito: kubanischer Cocktail mit Rum, Limetten, Yerbabuena (Minze) und Sodawasser

Mojo: wunderbare kubanische Soße mit Knoblauch, saurer Orange und Limonensaft

Picadillo: Rinderhack mit Oliven, Kapern und Rosinen

Tamal: Gebäck aus Maismehl in einer Maishülse

Yuca: Cassava-Wurzel

FOOD-FESTIVALS

Coconut Grove Food & Music Festival
Peacock Park
Tel. 305/444-7270
Mitte Januar geben die besten Restaurants von Coconut Grove zwei Tage lang einen Beweis ihrer Kochkünste.

Carnaval Miami International
Calle Ocho, Little Havana
Tel. 305/644-8888
Teil des Calle-Ocho-Festivals im März: Neun Tage lang wird der lateinamerikanischen Küche und Kultur intensiv gehuldigt.

Taste of the Beach
Lincoln Road Shopping District, Lincoln Rd.
Tel. 305/672-6050
An zwei Tagen im April erhält man hier die Möglichkeit, sich der Kochkünste der Restaurants in Miami zu vergewissern.

ABBILDUNGS-NACHWEIS

Folgende Abkürzungen werden verwendet: (o) oben; (u) unten; (l) links; (r) rechts; (m) mitte

Abbildungen auf dem Umschlag (im Uhrzeigersinn): Pontiac aus den 1950er-Jahren auf dem Ocean Drive – Powerstock/Zefa; Kanadareiher im Sonnenuntergang – © Royalty Free/Corbis; Schnorchler – Image Bank; Feuerwerk am Himmel über Miami – © Royalty Free/Corbis.

1, Robin Hill. 2/3, Tony Stone Images. 4, Innerspace Visions/Doug Perrine. 9, Robert Harding Picture Library. 11, Robin Hill. 12/13, Alan Schein Photography/CORBIS. 14/5, Catherine Karnow. 17, Paul Chesley/National Geographic Image Collection. 19, Historical Museum of Southern Florida. 20, Peter Newark's Pictures. 22, Flagler Museum Archives. 23, Magnum Photos/A Abbas. 24/5, Maggie Steber. 27, Robin Hill. 28/9, Robin Hill. 30, Marc Serota. 3l, Robin Hill. 34, AA Photo Library/ P Bennett. 35, Robin Hill. 36, Robin Hill. 38/9, Miami-Dade Public Library. 39, AA Photo Library/P Bennett. 40, Robin Hill. 41, Lanny Provo. 42, Robin Hill. 44, Robin Hill. 45, Tony Arruza. 46/7, AA Photo Library/P Bennett. 48, Robin Hill. 49, Magnum Photos/Alex Webb. 51, AA Photo Library/P Bennett. 52, Maggie Steber. 55, Norman Van Aken. 56, Xavier Cortada Studio. 57, Lanny Provo. 58, Robin Hill. 59, AA Photo Library/P Bennett. 61, Lanny Provo. 62, Lanny Provo. 63, Steven Brooke Studios. 64, Robin Hill. 65, Robin Hill. 67(o) Robin Hill. 67 (ml) AA Photo Library/P Bennett. 67(mr), Robin Hill. 67(u), Tony Arruza. 68, AA Photo Library/ P Bennett. 70, Club Pearl. 71, Robin Hill. 72/3, Bettmann/CORBIS. 75, Robin Hill. 76/7, Rex Features. 78, Lanny Provo. 79, Images Colour Library. 81, AA Photo Library/ P Bennett. 82/3, Robin Hill. 84, Catherine Karnow. 86, AA Photo Library/P Bennett. 87, AA Photo Library/P Bennett. 88, Robin Hill. 89, Tony Arruza. 91, Robert Harding Picture Library. 92(o), Robin Hill. 92(u), Mitchell Wolfson Jr. Collection, The Wolfsonian-Florida International University, Miami Beach, Florida. 93, Bass Museum of Art. 94, Sanford L. Ziff Jewish Museum of Florida. 95(l), Lanny Provo. 95(r), AA Photo Library/ P Bennett. 96/7, Robin Hill. 98, The Ritz-Carlton, South Beach. 99, Robin Hill. 100, Robin Hill, 101, Innerspace Visions/Doug Perrine. 102/3, Innerspace Visions/ Doug Perrine. 104, Jodi Cobb/ National Geographic Image Collection. 105, Robin Hill. 106/7, Robin Hill. 107, AA Photo Library/ P Bennett. 108, Robin Hill. 109, Robin Hill. 110, Pictures Colour Library. 111, Robin Hill. 113, Robin Hill. 115, World Pictures. 116, Robert Harding Picture Library. 118, Robert Harding Picture Library. 119, Miami Museum of Science & Planetarium. 120, AA Photo Library/P Bennett. 121, Historical Museum of Southern Florida. 122, Robin Hill. 123, Miami Museum of Science. 124, Robin Hill. 125, AA Photo Library/ P Bennett. 128, Tony Arruza. 129, Robin Hill. 130, Coral Gable Venetian Pool. 131, Robert Harding Picture Library. 132, Robin Hill. 133, Robin Hill. 135, Robin Hill. 136, Robin Hill. 137, AA Photo Library/P Bennett. 138, AP Photo/ Wilfredo Lee. 139, Robin Hill. 140, Robin Hill. 141, Robin Hill. 142, Robin Hill. 143, AA Photo Library/ J A Tims. 145, Everglades Safari Park, Miami, FL 147, Pictures Colour Library. 148/9, Chris Johns/National Geographic Image Collection. 149, James Richardson. 151, Bruce Coleman Collection. 152, AA Photo Library/J A Tims. 153(l), Pictures Colour Library. 153(r), AA Photo Library/P Bennett. 154/5, Tony Stone Images. 156, AA Photo Library/J A Tims. 157, Innerspace Visions/Masa Ushioda. 158, »Andy Newman, Florida Keys & Key West Tourism Development Council.« 160, Clara Taylor. 161, Monroe County Tourism Development Council. 162, Robert Harding Picture Library. 163, Robert Harding Picture Library. 164, AA Photo Library/J A Tims. 165, Robin Hill. 166/7, James G. Duquesnel, Biological Scientist II. 168, Lanny Provo. 169, Lanny Provo. 171, Innerspace Visions/Doug Perrine. 172, Clara Taylor. 173, Clara Taylor. 174, Robert Harding Picture Library. 175, Robert Harding Picture Library. 176, Clara Taylor. 177, AA Photo Library/J A Tims. 178, Clara Taylor. 179, Tony Arruza. 180, Clara Taylor. 181, Clara Taylor. 182, Pictures Colour Library. 183, Picture Quest. 185, AA Photo Library/J A Tims. 187, Clara Taylor. 188(o), Robert Harding Picture Library. 188(u), Clara Taylor. 189, Clara Taylor. 190, Robert Harding Picture Library. 19l, Clara Taylor. 195, »Andy Newman, Florida Keys & Key West Tourism Development Council.« 196, Clara Taylor. 197, Innerspace Visions/Doug Perrine. 198, AA Photo Library/ P Bennett. 199, Clara Taylor. 201(ol), Tony Arruza. 201(or), Lanny Provo. 201(u), Tony Arruza. 202, Clara Taylor. 203, Catherine Karnow. 204, Clara Taylor. 205, Robert Harding Picture Library. 207, Robert Harding Picture Library. 208/9, Pictures Colour Library. 210, Robin Hill. 211, Lanny Provo. 213, Patrick Ward/CORBIS 214, »Andy Newman, Florida Keys & Key West Tourism Development Council.« 215(o), Clara Taylor. 215(u), Clara Taylor. 217(o), Lanny Provo. 217(u), AA Photo Library/ J A Tims. 218, Tom Greenwood. 219, Bill Keogh Photography. 220/l, Clara Taylor. 222, Pictor International, London. 223, Clara Taylor. 224, Clara Taylor. 225, AA Photo Library/J A Tims. 226, AA Photo Library/P Bennett. 227, AA Photo Library/J A Tims. 229, Spectrum Colour Library. 230, Clara Taylor. 231, Clara Taylor. 232, Clara Taylor. 233, »Andy Newman Florida Keys & Key West Tourism Development Council.« 235(o), Bob Krist/CORBIS. 235(u), Tom Melham. 236, Clara Taylor. 237, Clara Taylor. 238, Clara Taylor. 239, Robin Hill.

In der Reihe NATIONAL
GEOGRAPHIC TRAVELER sind
bisher folgende Titel erschienen:

Copyright © der deutschen Ausgabe: National Geographic Society,
Washington, D.C. 2007. Alle Rechte vorbehalten.
Deutsche Ausgabe veröffentlicht von G+J/RBA GmbH & Co KG,
Hamburg 2007
Übersetzung: Simone Wiemken, Linde Wiesner, Anja Wiebensohn-Jagla
(Reiseinformationen)
Gesamtproducing: CLP • Carlo Lauer & Partner
Satz: Typographischer Betrieb Biering Numberger
Druck und Verarbeitung: Cayfosa
Printed in Spain
ISBN 978-3-86690-016-5

Alle Angaben in diesem Buch wurden zum Zeitpunkt der Erarbeitung sorgfältig
geprüft. Dennoch können sich natürlich Details ändern, und der Verlag kann
für solche Änderungen, eventuelle Fehler oder Auslassungen keine
Verantwortung oder Haftung übernehmen. Bewertungen von Hotels,
Restaurants oder Sehenswürdigkeiten geben die Sicht der Autoren wieder.

Titel der amerikanischen Originalausgabe:
NATIONAL GEOGRAPHIC TRAVELER MIAMI & THE KEYS

Veröffentlicht von der National Geographic Society,
Washington, D.C. 2000, 2005. Alle Rechte vorbehalten.

John M. Fahey jr., *Präsident*
Gilbert M. Grosvenor, *Aufsichtsratsvorsitzender*
Nina D. Hoffman, *Vizepräsidentin Buch und Schulbuch*
Kevin Mulroy, *Vizepräsident und Leiter der Buchabteilung*
Marianne Koszorus, *Designdirector*
Elizabeth L. Newhouse, *Reiseführerleitung*
Barbara A. Noe, *Redaktion und Projektleitung*
Cinda Rose, *Artdirector*
Carl Mehler, *Kartografieleitung*
Joseph F. Ochlak, *Kartografie*
Gary Colbert, *Herstellungsleitung*
Richard S. Wain, *Projektmanagement Herstellung*
Lawrence Porges, *Koordination Redaktion*
Kay Kober Hankins, Caroline Hickey, *Mitarbeiter*
Aktualisierung 2005: David Raterman

Redaktion und Herstellung: AA Publishing, Basingstoke, England
Betty Sheldrick, *Projektmanagement*
David Austin, *Art Director*
Allen Stidwill, Karen Kemp, *Redaktion*
Phil Barfoot, Mike Preedy, Bob Johnson, *Design*
Avril Chester, *Design (Assistenz)*
Simon Mumford, *Kartografieleitung*
Helen Beever, Amber Banks, *Kartografie*
Richard Firth, *Herstellungsleitung*
Wyn Vosey, *Bildredaktion*
Tourenkarten: Chris Orr Associates, Southampton, England
Aufrisszeichnungen: Maltings Partnership, Derby, England